岩波講座　世界歴史　16

国民国家と帝国

一九世紀

岩波講座

世界歴史 16

国民国家と帝国

一九世紀

岩波書店

第16巻【責任編集】木畑洋一
安村直己

目次

焦点 | *Focus*

コラム｜Column

展　望 | *Perspective*

展望 Perspective

「混沌」から「傲慢」へ

――「長い一九世紀」におけるヨーロッパと南北アメリカ

北村暁夫

はじめに

第一六巻「国民国家と帝国」は、「長い一九世紀」、すなわちフランス革命から第一次世界大戦の勃発までのヨーロッパおよび南北アメリカを主たる対象としている。前回の第二期『岩波講座 世界歴史』における第一八巻「工業化と国民形成 一八世紀末―二〇世紀初」(一九九八年刊行)にほぼ対応しているが、この二〇年余りの研究の進展、関心の変化に応じて、いくらかニュアンスを異にしている。

「国民国家」をめぐる議論

一九九〇年代は冷戦体制崩壊後の世界的なナショナリズムの高まりを受ける形で、国民国家をめぐる議論が隆盛を見せた。「国民 nation」とは歴史的に構築される可変的なものであるとの認識のもとに、フランス革命以降の時期における国民国家形成の過程が分析の対象となった。とりわけ一九世紀のヨーロッパは、国民国家が最初に形成され、他の地域にそのモデルを提供したとして、多くの研究がなされた。「工業化と国民形成」でも、そうした成果の一端を示す論考が掲載されている。

だが、二〇〇〇年代に入ると、このテーマに関する研究は次第に減少していくことになった。これは、国民国家が形成されるためのいくつかの要素、たとえば教育や軍隊、さまざまなシンボル(国旗・国歌や記念碑)といったテーマに関する研究が一定程度網羅されたことに加え、国民国家形成史論が目的論的になっていったことも一因であると思われる。すなわち、国民国家が形成されることや民衆が国民化することが自明の前提とされ、それがどの程度達成されたか、あるいはされていないかを測定するという議論に傾斜したことにより、研究としての斬新さを失っていったと考えられるのである。

その一方で、こうした国民国家論に対する重大な修正を求めるような新たな議論も登場し始めている。ここで注目したいのは、「トランスナショナリズム論」と「ナショナル・インディファレンス論」である。

トランスナショナリズム論とは、政治亡命者や移民といった存在を通して、ナショナリズムが国境を越えて共有されることを指摘するものである。たとえば、一九世紀半ばにイギリスからのアイルランドの独立と共和政の樹立を求めて創設された結社フィーニアンは、アメリカ合衆国のアイルランド移民から支持を集め、南北戦争に従軍したアイルランド系の一部の人々が戦後に武装組織を指導したことがよく知られているが、これはトランスナショナリズムの典型的な一例である。それまでの国民国家論ではしばしば、ナショナリズムは当該国家の領域内部で閉ざされて展開することが前提とされてきたが、ナショナリズムが国境の枠を越えてグローバルに展開しうるという認識は国民国家に対する視点を拡大させることに貢献したと言える(Green and Waldinger 2016: 4-9)

ナショナル・インディファレンス論とは、二一世紀に入ってから、一九世紀以降の中・東欧史の研究者らを中心に提唱されるようになった議論で、「普通の人々」は「ネイション」に対して常に鋭敏に振る舞い、それに付き従っていたというわけではなく、むしろ、しばしば無関心であったり、曖昧な態度をとったりすることがあったということを強調するものである。たとえば、こうした潮流の先駆者であるP・M・ジャドソンの研究によれば、オーストリア＝ハンガリー二重帝国内では一九世紀末から地域社会をある特定の言語に純化しようとするナショナリストの運動が展開されていたが、バイリンガルやトリリンガルな地域住民たちはそうした動きに対して無関心な対応を示したという。このナショナル・インディファレンス論の利点は、国民国家の成立を自明のゴールとみなす目的論的な立場を否定し、国民国家が形成される過程において「国民」の在り方が一様ではないことを明らかにすることにある(Judson 2006: 2-3; ヴァン＝ヒンダーアハター、フォックス 二〇二三：三―一二頁)。

「帝国」をめぐる議論

他方で、二〇〇〇年以降には、国民国家とは異なる国家秩序の在り方として、「帝国」に対する関心が高まっていった。その社会的背景として、二〇〇一年にアメリカ合衆国で起きた同時多発テロをきっかけとして「アメリカ帝国」に注目が集まったことや、その前年に出版されたA・ネグリとM・ハートの『帝国』が知的世界にもたらしたインパクトなどがしばしば指摘されている。ただ、歴史研究においては「帝国」に対する関心は同時多発テロの発生よりも早い時期に高まりを見せていたし、ネグリとハートの『帝国』もその実証性の薄さから歴史学に与えた影響はきわめて限定的なものであった。

本巻の対象となる時期・地域に深く関わる「帝国」の歴史研究で最も活況を呈したと言えるのが、イギリス帝国史研究である。とりわけP・J・ケインとA・G・ホプキンズによる「ジェントルマン資本主義論」などを通じて、「公式の帝国」のみならず、「帝国」の領土に組み込まれることはないものの「帝国」のヘゲモニーのもとに編成される「非公式の帝国」が重要であることが強調されるようになった(ケイン、ホプキンズ 一九九七：I四―一〇頁)。グローバル・ヒストリーの進展ともあいまって、世界規模で影響力を行使するイギリスの在り方に注目が集まることになったのである。また、公式・非公式の「帝国」に包摂された「周辺」に位置づけられる諸地域に対する関心とともに、「中心」に位置づけられるイギリスの権力の構成を重視する動向も盛んとなった[1]。

イギリス帝国とは全く異なる視角から関心を集めるようになったのが、ハプスブルク帝国である。一九世紀に入り、さまざまな民族的権利を求める声が高まるなかで、国民国家とは異なる編成原理のもとに二〇世紀まで存続しえたハプスブルク帝国に対する再評価がなされたのである。ただ、この議論は当初、国民国家形成の展開を自明視し、それが「近代化」の指標になると考える立場から、批判的に捉えられた。確かに、一九世紀を通じたハプスブルク帝国の統治が今日的な価値観から言うところの「多民族・多文化の共生」であったかどうかは議論の余地があろう。だが、一連の諸研究の成果、たとえば、ハプスブルク帝国の支配層が諸民族による要求を自らの支配のための手段として積極的に取り込んだといった指摘は傾聴に値する(篠原 二〇二二：一六三頁)。

ところで、一九七〇年代以降、近代ヨーロッパの「帝国」を「陸の帝国」と「海の帝国」という二つの類型で捉える考え方がたびたび提示されている。その表現の仕方は、「陸上帝国」／「海洋帝国」、「隣接帝国」／「植民地的海外帝国」など論者によってさまざまであるが、前者にはハプスブルク帝国・ロシア帝国・オスマン帝国などが挙げられ、後者にはイギリス・フランスなどが挙げられるという認識ではおおよそ一致している。この類型的な把握は、本巻が対象とする時代・地域における諸「帝国」を構造的に理解するうえで裨益するところが大きい(木畑 二〇一二：二四―二五頁)。

とはいえ、これまで述べてきた「帝国」研究の展開と重ね合わせた時に、この二類型をそのまま受容することは困難であると思われる。何よりも、「海の帝国」というカテゴリーに含まれる諸「帝国」のなかで、少なくとも一九世紀半ばまでの時期におけるイギリスがあまりに突出した存在であり、イギリスと他の「海の帝国」に属するとされる諸国とを同じカテゴリーとして理解することが適切であるのか、はなはだ疑問だからである。

フランスは一八世紀を通じて「第二次百年戦争」とも称されるイギリスとの一連の戦争に敗北し、北米やインドでの植民地を喪失し、残ったカリブ海域でも一九世紀初頭にサン＝ドマング(現ハイチ)の独立で重要な植民地を失った。フランスが「帝国」としての内実を回復していくのは、一八三〇年にアルジェリアを植民地化して以降のことになる。また、オランダは東南アジアやカリブ海域での植民地を維持するものの、それらはイギリスの「非公式帝国」の中に組み込まれていった。スペインやポルトガルは一九世紀初頭に中南米諸国の独立により中南米の植民地の大半を喪失し、それどころか(とりわけポルトガルは)本国自体もイギリスの「非公式帝国」の中に取り込まれていった。

だが、一八七〇年代以降、大きく状況が変化していく。イギリスのヘゲモニーが崩されることはなかったにせよ、それまでのような突出した優位を維持することが困難となっていくのである。まずはフランスの「帝国」としての復権であり、アフリカや東南アジア、南太平洋などでイギリスと植民地獲得競争を展開していく。また、イタリアとドイツが国家統一を達成し、ベルギーとともに「海の帝国」の一角を形成するようになる。とりわけ世紀末に向けてドイツがイギリスの帝国支配にとっての新たな脅威となることは周知のとおりである。

また、「陸の帝国」と「海の帝国」との関係も錯綜しており、それほど明白に類型化できるわけではない。まず、「陸の帝国」の一つと目されるオスマン帝国はその領土の多くがイギリスの「非公式帝国」に組み込まれており、政治的あるいは主権的な側面では「帝国」としての権力を行使する一方で、経済的にはイギリス資本に従属するという関係にあった。同様に、「陸の帝国」とされるハプスブルク帝国やロシア帝国が、一九世紀半ば以降、海洋への進出を図り、「海の帝国」への志向を見せるという事態も起きている。

さらに、近世史研究で注目を集める複合君主政あるいは礫岩国家が、フランス革命とナポレオン戦争を経たのちにもなお残存していたことに留意する必要がある。(2) イタリア諸国はその多くがハプスブルク家やスペイン・ブルボン家といった君主のもとで複合君主政の一部を構成していたし、イギリスのヴィクトリア女王は即位に際して、それまでイギリス国王が継承していたハノーファー王の地位を、同国が女性君主を認めないサリカ法を採用していたため、放棄している。こうした状況に大きな変化がもたらされるのはイタリアとドイツが統一され、オーストリア＝ハンガリー二重帝国が成立したのちの一八七〇年代になってからのことである。この段階で複合君主政ないし礫岩国家が完全に消滅したとは言えないものの、さまざまな領土にまたがる複雑な統治形態がかなり整理されたことは確かである(問題群「ヨーロッパにおける国家体制の変容」)。

こうしてみると、木畑洋一が指摘するように、おおよそ一八七〇年頃を画期としてヨーロッパにおける諸「帝国」の在り方や国家間の関係性にある種の断絶が生じていることを確認できるだろう(木畑 二〇一二：二七頁)。

三つの時期区分

そこで、本稿では、かつてE・ホブズボームが提唱した区分に結果的にならう形になるが、「長い一九世紀」を三つの時期に分けて展望することにしたい。第一の時期はフランス革命から一八四八年革命までの時期である。フランス革命期に創出された「国民国家」という理念を含む新しい政治文化はナポレオン戦争を通じてヨーロッパ中に拡散するが、ウィーン体制の成立により現実政治(レアルポリティーク)において実現されることはなかった。自由主義とナショナリズムのもとに変革を求める人々とそれを阻止する支配体制とのせめぎあいが展開されていく。経済的にはイギリスの圧倒的優位のなかで、大陸諸国においても工業化(産業革命)が芽吹いていく時期に当たる。他方、南北アメリカでは、アメリカ合衆国がヨーロッパ諸国からの干渉を排除しながら領土を拡張していった。また、ラテンアメリカではスペインをはじめとする宗主国からの独立が相次ぐが、その領域や支配体制が安定しない状態にあった。ヨーロッパ・南北アメリカいずれも、混沌とした時代のなかにあったのである。

第二の時期は一八四八年革命からドイツ統一(一八七一年)までの時期である。一八四八年革命は「挫折した革命」

と理解されることが一般的である。確かにこの革命騒擾によって新たな国家は誕生せず、革命の担い手によって作り出された新政府も短命に終わった。だが、この革命の過程においてさまざまな政治的実験が試みられ、それは次代の変革の導き手となっていった。大陸諸国のなかに急速な工業化を経験する国や地域が出現し、イギリスとの経済的な格差が縮小を見せていくことになる。他方、南北アメリカではアメリカ合衆国において国家の枠組みが大きく変わる可能性もあった南北戦争が起き、これを経て「国民」の創出に向かうことになる。また、ラテンアメリカ諸国では領土がおおよそ確定し、国家機構の整備が進んでいく。

第三の時期は一八七〇年代から第一次世界大戦の勃発までの時期である。フランスやドイツを筆頭に工業化と都市化・都市整備を急速に進めた国々がイギリスのヘゲモニーに挑み、ヨーロッパ諸国はアフリカを中心に自国の勢力圏を拡大するための植民地獲得競争に狂奔する。ヨーロッパによる世界の他地域に対するヘゲモニー行使の絶頂期が到来し、さまざまな国際組織がヨーロッパ・スタンダードのモデュールに基づいて形成されていく。二〇世紀後半以降、ヨーロッパの政治的・経済的な力が相対的に低下していったのちにも、依然として一定の影響力をヨーロッパに担保している文化資本がこの時期に蓄積されていくのである。ヨーロッパが他の世界に対して最も傲慢に振る舞った時代であった。他方で、アメリカ合衆国は急速な工業化・都市化を経験し、経済大国としてヨーロッパに影響力を行使する存在になっていく。ラテンアメリカ諸国はイギリスをはじめとするヨーロッパの資本の強い影響下に置かれつつ、経済成長を遂げていくことになる。

以下では、この三つの時期に分けて、それぞれの時代の特質を明らかにするが、その前にそれら三つの時期に通底する大きな変化として、第一節で「長い一九世紀」におけるヨーロッパと南北アメリカの人口動態および都市化・工業化について概観しておきたい。人口動態について最初に論じるのは、ヨーロッパおよび南北アメリカの社会の変容を理解するうえで、それが最もわかりやすい指標であると考えるからである。

一、人口増大と社会の変容

ヨーロッパにおける人口の急増

一九世紀はヨーロッパの人口が急激に増大した時代であった。ヨーロッパの人口は一八世紀半ばから増大していったが、その傾向は一九世紀に入るとより顕著になった。ロシアを除くヨーロッパの人口は、一七五〇年におおよそ一億人であったが、一八〇〇年には一億三二〇〇万人、一八五〇年には二億一三〇〇万人、一九〇〇年にはおおよそ三億人となったと推計される。[3]一九世紀の一〇〇年間に二・三倍になったことになる。この間に疫病や飢饉によるごく短期間の停滞期を除けば、ほぼ右肩上がりに人口は増大していった。

同じ時期に、清朝下の中国では世紀前半こそ人口が増大したものの、世紀後半は太平天国をはじめとするさまざまな民衆反乱の影響により人口が激減したため、一九世紀を通じての人口の伸びは世紀初頭の三億二〇〇〇万人から四億五〇〇〇万人へと一・四倍にとどまっている。また、日本は世紀前半に人口が停滞し、明治維新以降に急速に人口が増大していくものの、一九世紀を通じての人口増大は一・六倍である。さらに、イギリスの植民地化が進んでいたインドでは、一九世紀初頭に人口が停滞し、その後は増大していったが、一九世紀を通じての人口の伸長は一・五倍であった。こうしたアジア諸国の人口動態と比較した際に、ほぼ右肩上がりに人口が増大していったヨーロッパの特異性は明らかである。

ヨーロッパにおける人口の増大の原因については、大きく二つの時期に分けて説明することができる。一九世紀半ば過ぎまでの時期においては、前世紀半ばからの傾向を引き継いで出生率の高い状態が続いた。この時期には死亡率、とりわけ乳幼児の死亡率は依然として高い状態にあったが、それを大きく上回る出生率が人口の急増をもたらしていた。一八世紀半ば以降の出生率の上昇については、結婚年齢の低下と生涯独身率の低下によるものであると理解することが一般的である(リヴィ－バッチ 二〇一四：八四－八五頁)。

これに対して、一九世紀末には乳幼児の死亡率が劇的に低下し、死亡率が全般的に低下したこと(すなわち、寿命の延び)が人口の急増の主たる要因となっていった。他方で、出生率は二〇世紀以降と比較すればいまだに高い水準にあったものの、この時期に徐々に低下する傾向を見せ始めている。すなわち、それまでの「多産多死」に代わって「多産少死」へ、それが二〇世紀に入るとさらに「少産少死」へと移行していくのであり、一九世紀末に大きな質的転換が出現しつつあったということになるのである。「人口革命」とも呼ばれる事態である(リヴィ－バッチ 二〇一四：一二九－一三四頁)。

この時期に人口をめぐって大きな転換が起きつつあったという見解に対しては、批判的に捉える見方もある。たとえば、ヨーロッパのさまざまな時代や地域を子細に検討すれば、一八世紀以前にも「少産少死」の人口動態と捉えることのできる時代状況や地域が存在するのであり、「少産少死」は一九世紀末以降に初めて現れたわけではないという議論である(村山 二〇二〇)。

だが、出生率と死亡率はそもそも自然環境(地理的な条件も含む)や経済状況によって可変的なものであり、時代による変化だけではなく、同じ時期であっても地域的な差異は常に存在している。たとえば、一九世紀前半の南イタリアでは、丘陵山間地帯の出生率・死亡率が平野部のそれに比べて相対的に低いという傾向にあった。具体的には、一九世紀初頭のイタリア半島南部カンパーニア州において平野部の一地域の出生率と死亡率がそれぞれ年平均五〇‰(パーミル、千分の一)、四〇‰であったのに対して、近接する山間部ではそれぞれ二〇－二五‰、二〇‰であった。このような差異が生じる原因についてはいくつかの理由が考えられるが、この地域において最も重要であると思われるのはマラリアである。当該時期の南イタリアの平野部ではマラリアに罹患する農民、とりわけ成人男性の農民が多く、その結果、罹患する可能性が低い山間地帯の農民に比べて出生率、死亡率のいずれもが高くなりやすかったのである(北村 一九九九:一四六―一四七頁)。

一九世紀末以前にも、相対的に「少産少死」の傾向を有する地域は確かに存在した。しかし、そのことは一九世紀末以前のヨーロッパ全体が同じ傾向を有することを意味しない。史料的な状況からヨーロッパ全体の平均値を知ることは不可能であるため、断定的な物言いは避けるべきであろうが、それでも一九世紀末から二〇世紀初頭にかけてそれ以前の時期に比べて出生率と死亡率のいずれもが低下するという傾向は顕著であり、それは人口動態の構造的な転換であったと見ることが妥当であろう。

アメリカ大陸の人口動態

これに対して、南北アメリカの人口動態はヨーロッパと根本的に異なる。アメリカ合衆国は一九世紀初頭に五〇〇万人ほどであった人口が二〇世紀初頭には七六〇〇万人へと約一五倍に増大した。その理由としてはまず、世紀前半における高い出生率と比較的低い死亡率、南北戦争後における死亡率の低下を挙げることができる。その点ではヨーロッパ諸国と類似した点もあるが、合衆国ではこの自然人口増に加えて、ヨーロッパ・地中海諸国を中心とする外国からの移民が流入したことによって、いっそう激しい人口増が起きた点が特徴的である。

メキシコ以南のラテンアメリカ諸国では、おおむね一九世紀前半は緩やかな人口増加が続いたが、世紀後半に急激な増加の時期を迎えた。その結果、一九世紀初頭には全体で一六〇〇万人余りであった人口は世紀末におおよそ六〇〇〇万人に達していた。世紀後半の人口急増の要因としては出生率の上昇に加え、移民の流入が大きかった。

南北アメリカに流入した移民には、合衆国やペルーなどへの中国人、カリブ海域へのインド人(インド亜大陸出身者)なども含まれていたが、その大半はヨーロッパ・地中海地域の出身者であった。南北アメリカの諸国はヨーロッパ・

地中海地域の出身者を優先的に移民として受け入れることにより、自国の近代化＝「白人化」を目論んだのである（問題群「移民の世紀」）。

ところで、国家による領域内の人口調査、すなわち国勢調査が定期的に行われるようになったのは、基本的に一九世紀に入ってからのことである。そのため、国勢調査が開始されるまでの人口については推計値ということになる。ただ、人口調査は散発的な形としては既に一八世紀から行われていた。ヨーロッパでは、たとえばスウェーデンで一七四九年に全国規模での人口調査が行われ、その後も一八世紀を通じて数回の調査が行われている。また、フランスやスペインなどでも一八世紀に数回の人口調査が行われている。しかし、五年ないし一〇年に一度の調査を定期的に行うようになったのは、イギリスの一八〇一年のものを筆頭に世紀初頭から中葉にかけての時期であった。その目的は当初、租税の徴収や潜在的な兵力の確認にあったが、次第に国力の基礎が人口にあるというマルサス主義的な発想から正確な人口の把握が求められるようになっていった（Cole 2000: 2-5）。

他方で、南北アメリカでも人口調査は早い段階から行われていた。カナダでは早くも一六六六年に人口調査が行われている。また、アメリカ合衆国では一七九〇年から国勢調査が開始され、以後、一〇年ごとに行われるようになった。全般的に、南北アメリカでは人口調査に対する関心はヨーロッパよりも強かったと言える。人口調査は、先住民や奴隷に対する入植者の数的優位（あるいは劣位）を確認するという統治方法の一つであった。先に述べた「白人化」の思想もこうした人口調査の結果に基づいて構想されたものであった。

都市化の進行

ヨーロッパで一九世紀を通じて、都市化が急速に進行した。都市化とは単に都市の人口規模が大きくなることだけでなく、農村と都市における人口の比率が前者から後者に傾斜することを意味している。一九世紀初頭のヨーロッパにおいて、人口一〇万人を超える都市は一五を数えた。ロンドンの一〇〇万人を筆頭に、パリ五五万人、ナポリ四二万人、モスクワ二五万人、ウィーン二〇万人などと続く。国家の政治的中心であった都市が大きな人口を擁していた。一八五〇年頃になると、人口一〇万人を超える都市は五〇近くに増大し、なかでもイギリスでは一〇以上の都市を数えるにいたる。この中にはマンチェスター、リヴァプール、ニューカスルなど商工業の発展によって人口が急増した都市が含まれている。「工業都市」という新たなカテゴリーが生まれつつあった。さらに二〇世紀を迎える頃には、人口一〇万人を超える都市は一〇〇を上回り、とりわけルール地方をはじめとするライン川中・下流域で多く誕生している。この地域の都市の多くは一九世紀初頭には人口が一万人にも満たなかったが、一九世紀後半に大規模工場が設置されたことで、人口が急増していったのである(Jackson Jr. 1997: 7)。

また、一九世紀を通じて人口一〇〇万人を超える巨大都市が次々に誕生したことも特筆される。一九〇〇年前後において、ロンドンは五〇〇万人を超える人口を擁し、パリ二七〇万人、ベルリン一九〇万人、ウィーン一三〇万人、サンクト・ペテルブルグ一二〇万人など、首都の人口は肥大の一途をたどった。周辺地域を吸収して市域が拡張したことも一因ではあるが国家の行政機構の拡大が多くの雇用を生み出していたことにより、国家の領域内のさまざまな地域から人口を吸収することになった。イタリア統一により首都の地位を失ったナポリが緩やかな人口増加にとどまった(一九〇〇年時点で六二万人)ことを見れば、近代国家における首都の重みがよく理解できる。

南北アメリカの都市化については、アメリカ合衆国が突出していた。一八〇〇年の時点で合衆国には人口一〇万人を超える都市は一つも存在していなかった。最も人口の多かったニューヨークでも六万人程度であった(現在の市域よりは小さいが、この時期は周辺地域の人口もわずかであった)。だが、一九世紀前半に着実に進行した都市化は、南北戦争後に加速していくことになる。その結果、一九〇〇年時点では人口一〇万人を超える都市は三八に上り、ニューヨーク(三四四万人)やシカゴ(一七〇万人)は巨大都市へと成長していった。合衆国では経済的な重要性の高い都市が巨大化していく傾向が顕著であった。

　これに対し、ラテンアメリカ諸国では一九世紀前半の都市化はごく緩やかなものであった。一八〇〇年の時点で人口一〇万人を超える都市はなく、世紀中葉でも数都市を数えるのみであった。だが、世紀後半には都市化の傾向が顕著となり、一九〇〇年前後にはブエノスアイレス（八〇万人）、リオデジャネイロ（六九万人）、メキシコシティ（五四万人）など、首都ないし政治・行政の中心であった都市の人口が急増していった。これらの都市は二〇世紀に入ってさらに巨大化していくことになる。

　一九世紀の南北アメリカでは先住民の人口比率の高い一部の諸国を除けば、ヨーロッパにおける都市の人口増大の前提条件となる農村の余剰人口はほぼ存在しなかった。この時期の都市の人口増大の主たる担い手はヨーロッパ・地中海諸国を中心とする移民たちであった。

　ただし、都市人口に関して一つ留意すべきは、人口調査が特定のタイミングにおける居住人口を示すものであるため、移動している人々を捕捉することがきわめて困難であるという点である。都市の拡大期における流動性はとりわけ高く、たとえば一九世紀半ばのイギリス・リーズでは死亡も含めて人口の交代率が五〇％を超えていたという研究もある（安元 二〇一九：二〇八頁）。また、農村から都市に流入した人々のすべてがその都市に定着するわけではなく、農村に帰還したり、別の都市に移動したりする人々が相当の割合で存在しているのである。

都市行政の課題

　都市の急激な拡大は、都市行政にさまざまな課題をもたらすことになった。一九世紀前半のヨーロッパの都市支配層は、農村から都市に流入して貧困層を形成した人々を「危険な階級」と捉え、犯罪者、あるいはその予備軍とみなして監視の対象としていた。

近世において都市行政の最も重要な課題の一つは食糧の確保であり、そのために農村から都市に運ばれる穀物は都市行政によって厳密に管理されていた。だが、一九世紀に入り商取り引きの自由化が進むと、穀物取り引きも市場に委ねられるようになった。その結果、凶作による食糧供給の不足や食糧価格の高騰などにより、都市民衆が暴動を起こす機会が増加していった。とりわけ天候不順から不作が続いた一八四〇年代前半にはヨーロッパのさまざまな都市で食糧暴動が起きた。一八四八年革命が起きた背景の一つにはこの食糧暴動がある(山根 二〇〇三：一九七頁)。しかし、一九世紀後半になると、ヨーロッパでの穀物生産の増大やアメリカ合衆国などからの穀物の輸入により、都市が飢餓的状況に陥ることは稀になっていった。食糧価格が高騰する時期は存在し、それを直接的な契機とする都市暴動が起きることはあったが、食糧暴動は総じて減少していった。

都市行政にとってもう一つ重要な課題は、周期的に起きるパンデミック(感染症の流行)への対応であった。一九世紀にはかつてのペストに代わって、コレラ、腸チフス、結核といった感染症が流行した。とりわけコレラの感染拡大は深刻であり、たとえばパリは一九世紀前半だけで三度の大流行を経験し、一八三二年の大流行では二週間で七〇〇〇人余りが犠牲になっている。都市行政はこうした感染症の拡大に対して、公衆衛生という思想に基づいて対応していくことになる。公衆衛生学は一九世紀初頭から登場し、フランスでは一八二〇年代から研究書や学術雑誌が刊行され、イギリスでは一八四二年にエドウィン・チャドウィックの『イギリス労働者階級の衛生状態に関する報告書』が刊行されている。公衆衛生の思想の普及に伴い、下水道の整備などが行われていくことになる。それは死亡率の低下(平均寿命の上昇)など、都市住民の生活の改善をもたらした。それ自体は肯定的に評価されるものであろうが、その一方で、公衆衛生という思想はミシェル・フーコーが提唱した「生政治」そのものであり、これを通じて権力による監視・管理が強化されるとともに、市民相互の監視も強化されることを意味していた。二〇二〇年以降の新型コロナウイルスCOVID-19の世界的流行を契機として、感染症の流行を生政治の観点から再考する研究が登場しつつある

が、一九世紀の公衆衛生についても同じ視角による研究がいっそう求められている。(4)

都市住民の急増とさまざまな都市問題の発生に対する解決策として、一九世紀半ばから都市改造が行われるようになる。その最も代表的な事例が、ナポレオン三世のもとで行われたパリの都市改造である。都市改造の実務を担ったセーヌ県知事オスマンは、都市の機能と美観という二つの側面を重視し、道路整備と公共施設の整備を二つの柱とした。道路整備に関しては新しい交通手段の登場に対応して幅の広い直線道路を数多く建設し、道路の交差するところには広場を造ってロータリーの機能を担わせた。その一方で、新しく造られた道路の両側には比較的均質な高さの建物を配置することで美観に配慮した。また、公共施設の整備に関しては公園の造成、上下水道の整備、行政施設や市場の建設などが中心であった。公園は都市住民に対する憩いの場と美観を提供し、上下水道の整備によって都市の衛生環境は大幅に改善された。さらに、都市中心部に形成されていた貧困層の集住地区を一掃し、貧困層を都市郊外に新たに造った住宅地に移住させた。たとえば、シテ島では住宅の大半を占めていた貧困者向けのものがすべて撤去され、警視庁や裁判所といった行政機関の施設が建設された。その結果、シテ島は居住人口が激減することとなった(マルシャン 二〇一〇:七二―七三頁)。以上の都市改造によって、かつての不衛生で猥雑なパリの街並みは一新された。まさしく近代都市の誕生であり、この機能と美観を備えたパリは芸術・文化の都として、世界中の人々を魅了するようになった。都市改造の「成功例」となったパリをモデルとして、その後もウィーンやローマといった人口の激増していた都市で大規模な都市改造が行われていくことになる。

他方、南北アメリカでも、急増する人口に対処するための施策が急務となっていった。アメリカ合衆国では一九世紀初頭の段階では都市化がそれほど進んでいなかったこともあり、ニューヨーク(マンハッタン)に代表されるように、早い段階から幅の広い直線的な道路が碁盤目状に並ぶ機能的な都市が造られていた。だが、一九世紀を通じてあまりにも急激に都市人口が増大したために、世紀後半には上下水道の不備や「テネメント」と呼ばれる不衛生な集合住宅の林立といった問題に対応を迫られることとなった。同様の事態は、ラテンアメリカ諸国でも生じた。ただ、一九世紀後半に都市化が一気に進展したアルゼンチンの首都ブエノスアイレスは、当初からパリの都市改造をモデルにした都市建設を行うことで、一定の機能と美観を伴った都市作りが可能となり、「南米のパリ」という異名を誇示することとなる。

工業化の進展

一八世紀半ばにイギリスで産業革命が始まった際には、繊維産業における紡績機や織機の改良が中心であったが、一九世紀に入ると大きく様相が変わった。それは、蒸気機関の実用化、製鉄技術の革新、鉄道の敷設といったことによってもたらされた。蒸気機関の実用化は一七八〇年代のことであり、当初は織機などの工業機械に利用されたが、一九世紀に入ると蒸気船や鉄道という交通機関に応用されるようになった。また、製鉄業においては、従来は鉄鉱石を炉で木炭によって加熱して銑鉄を生産していたが、高炉でコークスとともに加熱して銑鉄を作る技術が生み出された。高温での加熱が可能となり、これまでより品質の高い銑鉄が生産できるようになったことに加え、従来は木炭を大量に入手するために森林に近い山間部が生産地であったのに対して、新しい技法では平地で大規模な高炉を建設することができ、炭鉱に近い場所が有利になった。つまり、製鉄業の中心地が大きく変わることになったのである。さらに、鉄道は線路や機関車・貨車が鋼鉄製であるため、鉄道の敷設には製鉄業の発展が必要であったし、鉄道が普及することによって製品の輸送にかかる時間とコストが格段に短縮・削減され、さらなる経済発展をもたらすという効果があった(Sperber 2009: 11-14)。

こうした新たな要素を最大限に活用して工業発展を遂げたのがイギリスであった。イギリスの銑鉄生産は一八二〇年頃にはおよそ三七万トンであったのに対して、一八五〇年頃にはおよそ二二八万トンへと六倍近く増大した。同じ時期にフランスの銑鉄生産は二〇万トンから四〇万トンに倍増したが、イギリスとの差は拡大する一方であった。一八五〇年頃において大陸ヨーロッパ諸国の銑鉄生産の合計は、ベルギーやドイツ諸邦など銑鉄生産の盛んであった他の諸国の生産高をすべて加えても、イギリス一国のそれの三分の一にすぎなかったのである。同様に、綿紡錘の数についていては、イギリスでは一八三〇年頃に一〇〇〇万であったのが一八五〇年頃には二〇〇〇万に倍増したのに対して、フランスではそれぞれ二五〇万から四五〇万へと増大しているものの、イギリスとの大きな格差は縮まっていない。さらに、鉄道の敷設距離についていては、一八五〇年頃にイギリスが九八〇〇キロ、ドイツ諸邦が合計で五六〇〇キロ、フランスが二九〇〇キロであり、国土の広さも考慮に入れれば、ここでもイギリスの優位が際立っている(Sperber 2017: 217-218)。

以上の数字から導き出せるのは、一九世紀前半においてイギリスの工業力が大陸ヨーロッパ諸国のそれに比べて、突出して大きいということである。逆にいえば、大陸ヨーロッパ諸国では一九世紀前半に工業化が進んだものの、その進度はイギリスに比べるとかなり緩慢なものにとどまっていたということになる。

ところが、一九世紀後半になると、この構図はかなり異なったものになる。第3四半期(一八五一―七五年)においては銑鉄生産や綿紡錘数ではイギリスの優位が維持されているが、鉄道の敷設距離についてはドイツ諸邦が上回るようになった。さらに大きな変化が起きたのが第4四半期(一八七六―一九〇〇年)である。長期不況の影響もあってイギリスの経済成長が鈍化する一方で、ドイツやデンマークなどの経済成長が著しく進んだ。しかも、この時期にはいわゆる第二次産業革命により重化学工業化が進展し、とりわけ化学工業や電気製品の製造、そして新たな分野である自動車の生産が本格化していった。イギリスはこうした新しい工業部門において、とりわけドイツやアメリカ合衆国に対して大きく後れをとることになったのである。後述するようにこの時期のイギリスは経済活動の中心が金融に移行しており、資本輸出を通じて世界経済のなかでの優位を保ち続けていたが、工業生産においてはイギリスの優位は完全に消滅したと言える(Sperber 2009: 231-236)。

ここまで工業化に関して国家単位で論じてきたが、当然のことながら一つの国家の内部にも工業化の進展の度合いに大きな差異が存在する。時には国家間の工業水準の格差よりも大きな格差が一つの国家のなかに存在していることさえある。そもそも一八世紀から一九世紀にかけて工業化が進展していく際には、一つの国家の内部で農業生産に特化していく地域と工業化が進展する地域に分化して国内分業が発生することが一般的である。また、銑鉄生産に関して言及したように、技術の革新や大規模工場化などによって、原料や製品の輸送に便利な港湾都市や炭鉱に近接した都市といったところに生産地が移行し、旧来の生産地が衰退するといったことも起きている。そのため、工業化が起きず、商品価値の高い農産物も持たない地域が低開発の状態におかれるということが、いかなる国でも生じている。そうした地域では、人口増加が著しかった一九世紀において過剰人口が滞留することは不可避であった。そこから、同一国家内の都市部へ、あるいはヨーロッパ内部の他の国へ、さらには南北アメリカやオセアニアへと、大量の移民が生まれることになる。

二、変革と抑圧のあいだ――フランス革命から一八四八年革命まで

フランス革命

フランスで七月一四日が「革命記念日」とされたのは、第三共和政期の一八八〇年のことであった。七月一四日とは言うまでもなく、パリのバスティーユ監獄が都市民衆によって襲撃された一七八九年の同日を指しており、これがフランス革命の始まりを告げるという認識を示すものである。しかしながら、歴史研究においてはこれまでフランス革命の起源をめぐって諸説が提示されてきた。たとえば、二〇世紀前半のA・マティエは一七八七年に名士会が召

集された時点で革命が始まったと考えた(山﨑 二〇一八:一五頁)。

起源をめぐる問題は、フランス革命の性格をどのように認識するかに深く関わっている。戦後の日本(あるいはフランスでも)ではフランス革命の起源を一七八九年とする理解が広く支持されてきたが、それはマルクス主義の影響のもとにこの革命を「ブルジョワ革命」と捉える見方が支配的であったからである。だが、近年のフランス革命史研究では、社会経済的な転換としてよりは、政治的側面の転換、より具体的には新しい「政治文化」の創出であったとみなす見解が主流をなす傾向にある。特権を持つさまざまな社団を解体して均質な「国民 nation」を創出することが目指され、そのための政治闘争が言語(演説やパンフレット)だけではなく、衣服や貨幣、地名、祝祭といったシンボルや儀礼を通して日常生活の場においても展開されることになったというのである。また、この新しい「政治文化」を中心的に担った政治指導者たちは出自的に不均質であると同時に、政治指導者たちが一〇年に及ぶ革命の中で絶えず入れ替わったことが強調された。その点でもブルジョワ階級を中心とした社会革命であったとする「ブルジョワ革命論」とは大きく異なるものであった(松浦 二〇一三:一四—一八頁)。

「政治文化」論は、それまでの革命史研究において「ブルジョワ革命論」の論者やそれを批判する立場の人々がいずれも革命の原因と結果に関心を寄せてきたのに対して、革命の過程そのものに関心を向けることで、フランス革命に新たな光を投げかけた。そのことは十分に評価したうえで、ここでは一九世紀史を見据えた際のフランス革命の意義について確認しておきたい。とりわけ注目するのは、革命初期の段階(一七八九年八月)における封建制の廃止と「人権宣言」である。国民議会によって可決された封建制の廃止では、領主裁判権などの封建的諸権利および身分的・地方的諸特権が撤廃された。これはそれまでの特権を持つ社団が解体され、身分・出自や地域による差別なく「国民」として平等に扱われることを意味した。また、同じく国民議会が採択した「人権宣言」(「人と市民の権利の宣言」)では、人は自由で権利において平等であること、主権は国民にあることなどが明記された。「人権宣言」の趣旨は一七九一年に制定されたフランス初の憲法に引き継がれ、そこには国民主権の原則や出版・集会の自由、私有財産の不可侵などが盛り込まれた。封建制を解体し、自由主義的な国民国家を創出することを目指したこれらの言明は、一九世紀の大陸ヨーロッパで自由を求める人々にとって一つの重要な参照点となった。

ただ、その一方で、これらの言明がさまざまな問題を孕んでいたことも指摘されてきた。封建制の廃止に関しては、領主地代は領主の所有権とみなされ償還の対象となったために、多くの農民にとって領主(地主)に経済的に従属する状態が温存されることになった。また、近年とりわけ強調されるようになったことであるが、「人権宣言」では女性の権利についていっさい言及がなかった。ジャコバン独裁期にはオランプ・ドゥ・グージュのように、女性の人権を主張した人物が反革命として処刑される事態も起きている。そして一九世紀ヨーロッパを通じて女性参政権は一部の国の地方選挙などにしか存在せず、女性が男性に従属する状況は継続されることになったのである。さらに、「人権宣言」や憲法において「国民」の権利が明確にされたことにより、「国民」と「外国人」の峻別がいっそう強化されるようになった。「外国人」は法的に「国民」とは差別化され、時には激しい排除の対象とみなされていくことになる。

ナポレオン戦争

ジャコバン独裁の崩壊と総裁政府の成立を経て、イタリア遠征の成功を契機としてナポレオンが台頭する。その後、皇帝となったナポレオンはヨーロッパの支配を目論んで長期にわたる戦争を遂行した。このナポレオン戦争はフランス革命の成果を大陸ヨーロッパの広い地域にもたらすと同時に、ナポレオンによる征服あるいは侵攻を受けた地域の人々に、他者による支配からネイションとしての自立を求める動き、すなわちナショナリズムをもたらすことになった。このナポレオン時代について、特に三点に注目しておきたい。

まず、皇帝ナポレオンとその一族が君主となった諸国において、封建制が廃止されるとともに、フランスにならった地方行政をはじめとするさまざまな制度が導入された点である。この点で、ナポレオンはフランス革命の(少なくともある部分の)理念に忠実であった。封建制の廃止は、すべての諸国(地域)とは言えないにせよ、社会・経済の近代化を促す契機となった。また、革命期に導入された県制度はイタリア諸国などに移植され、諸国間で共通の行政制度を備えたことはのちのイタリア統一に際して一定の制度的基盤を提供することになった。同様に、かつて神聖ローマ帝国のもとで三〇〇余りの諸邦が存在していたドイツ地域では諸邦が四〇ほどに整理され、ライン地方の諸邦(ライン同盟)ではフランスにならった行政・司法制度が導入された。

第二に、ナポレオンの軍隊は自らが支配した諸国から大量の兵士を徴募したという点である。総裁政府成立から失脚にいたるまでの二〇年間で徴募された兵士の数は数百万人に上り、多言語の兵士から構成される軍隊を形作ってヨーロッパ大陸を縦横に移動した。彼らは食糧を支配地域あるいは通過する地域から調達したために、それは地域住民からは略奪と認識された。フランス支配に対する住民の敵意とナショナリズムの芽生えは、このナポレオン軍の性格によって増幅された(ラポート 二〇二〇:七頁)。

第三に、さしもの強大な軍事力を誇ったナポレオンでも、イギリスの海軍の前では全く歯が立たなかったという点である。トラファルガー沖の戦いをはじめとする海戦での完敗は、一八世紀に主に植民地で展開された「第二次百年戦争」を彷彿とさせるものであった。このことは一九世紀初頭におけるイギリスの海軍力(制海力)と商業ネットワークが、大陸ヨーロッパ諸国に比して抜きんでていたことを示していた。

南北アメリカへの波及

フランス革命とナポレオン戦争は、南北アメリカにも大きな影響を与えた。まず、フランスの植民地であったサン＝ドマングで、一七八九年一一月から白人と解放奴隷などから成る有色自由人との間で武力衝突が発生し、それは奴隷による蜂起へと発展した。植民地の奪取を画策するイギリスやスペインの介入もあり複雑に事態が展開するなかで、ナポレオンは軍隊を投入して反乱の鎮圧を図るが失敗し、一八〇四年にサン＝ドマングは初の黒人共和国であるハイチとして独立を果たした。

また、スペインの支配下にあった中南米の諸地域でも、スペイン本国がナポレオン軍の侵攻を受けてその領域のほとんどをフランスに支配されたことで、植民地支配に動揺が走ることになった。これらの地域の在地支配層は当初フランスに抗議し、ブルボン家のスペイン国王への忠誠を誓うが、次第にクリオーリョ（植民地生まれの白人）を中心にスペインからの独立が目指されるようになる。ナポレオンの失脚によりスペインでブルボン家が復権するとこの動きはいったん沈静化するが、一八一〇年代後半から再び独立を目指す動きが強まり、一八三〇年までには中南米全体で一〇を超える諸国が独立を果たした。他方で、ポルトガルの植民地であったブラジルでは、一八〇七年にナポレオン軍の侵攻を受けたポルトガル王室が脱出してきて、ブラジル帝国を築いた。ナポレオン失脚後にポルトガル王室は本国に帰還するが、ブラジルに残った国王の子ドン・ペドロはクリオーリョたちに推され、ポルトガルと袂を分かって一八二二年にブラジル帝国の独立を宣言する。このように、フランス革命とナポレオン戦争は中南米諸国の独立の一大契機となった。そして、中南米諸国の独立は、アメリカ合衆国の独立から続く一連の「大西洋革命」の最終局面であった。

ウィーン体制下のヨーロッパ

一八一五年六月にウィーン議定書が承認され、ヨーロッパにウィーン体制が成立した。ウィーン体制は、フランス革命以前と比べて一部の支配体制や領土に変更が生じたこと、ナポレオンに支配された地域では封建制の廃止や都市における営業の自由、地方行政改革といったナポレオン支配期に行われた諸改革の多くがそのまま維持されたこと、フランス革命に影響を受け、革命の理念による国政・社会改革を志す人々を生み出したことなど、フランス革命以前とは異なる状況が見られた点において、いわゆる「復古」ではなかった。とはいえ、フランス革命の理念が否定され、ウィーン体制を批判する立場の人々が政治的に弾圧される状況が三〇年余りにわたって持続したことの意味を過小評価することはできない。

ウィーン体制に批判的な人々による政治体制の改革、あるいは他者による支配からの自立を求める動きは、既に早い段階から始まっていた。一八一〇年代後半のドイツ各地における学生主体のブルシェンシャフト運動、一八二〇年のスペインでのクーデタとそれに影響を受けたポルトガルやスペイン・ブルボン家支配下の両シチリア王国での蜂起、一八二一年のサルデーニャ王国での反乱、同年のギリシアでのオスマン帝国からの独立を求める蜂起、一八二五年のロシアにおけるデカブリストの反乱などである。さらに、一八三〇年のパリ七月革命、それに影響されたベルギーの独立、同年一一月に始まるポーランド蜂起、一八三一年の中部イタリア諸国における蜂起など、一八四八年革命以前にもヨーロッパ各地で多くの軍事蜂起や革命・独立の動きが起きている。こうした一連の行動の主体となったのは、自由主義貴族や軍人、ブルジョワジー、学生など多様な人々であった。だが、独立を達成したギリシアとベルギー、王家の交代が起きたパリ七月革命、一時的な憲法停止を経験しながらも立憲体制をおおむね維持したポルトガルを除けば、蜂起によって一時的に臨時政府を樹立することができたとしても、ウィーン体制の維持を図る諸国の軍事的介入によって短命に終わる場合が多かった。

また、直接蜂起という形に結びつかなかったにせよ、東ヨーロッパを中心に言語の歴史研究や口語文学の刊行が相次ぎ、少なくとも知識人の間で「民族」が強く意識されるようになった。マジャール(ハンガリー)語、チェコ語、スロヴァキア語、ウクライナ語、クロアチア語、スロヴェニア語などが固有の民族語として研究対象となり、そうした言語で韻文や散文の創作活動が行われた。こうした研究や創作は、のちに民族の自立を求める政治運動が台頭する際に、自らのアイデンティティを保証する拠り所として機能することになった。

この時期に社会状況と向き合いながら自らの思想を彫琢し、その思想や行動が大きな影響を与え続けた人物を二人取り上げて、この時代の思想の特質の一端に触れてみたい。最初はフランスの思想家アンリ・ド・サン＝シモンである。彼は一七六〇年に名門貴族の家に生まれ、青年時代にはサン＝ドマング島への遠征に参加後、アメリカ独立戦争にも従軍した経験を持つ。フランス革命の激動を生き抜き、売却された国有地の買い取りによって莫大な資産を築いたのちに思索の道に入り、一八二五年に亡くなるまで著述を続けた。彼は自然科学の実証性を社会観察に応用するべきであるという立場のもとに、産業の発展と自由の促進こそが自らの直面している社会（近代化を歩みつつある社会）において不可欠であることを説いた。また、産業社会にふさわしいヨーロッパ社会の再編＝統合の道を説いた。サン＝シモンはエンゲルスによって「空想的社会主義者」にカテゴリー分けされたが、自ら「社会主義」という用語を用いたことはなく、自由主義と工業化の結合のうえに社会の構成員が連帯する社会の実現を構想したのであった（中嶋 二〇一八：二八九―二九〇頁）。彼の思想はさまざまな人に影響を与えたが、ナポレオン三世も信奉者の一人であり、彼のパリ都市改造はサン＝シモンの理念の実現を目指したものであった。サン＝シモンの思想について一つ注目しておきたいのは、彼の理神論的な宗教観である。彼は決して宗教を否定してはおらず、むしろ「新しいキリスト教」（それは既存の宗派とは全く異なるものとして構想された）に基づく精神性が重要であると説いたのである。

もう一人は、サン＝シモンの思想に強い影響を受けながら、イタリア・ナショナリズムの思想を構築し、それに基づく運動を展開したジュゼッペ・マッツィーニである。一八〇五年に当時はフランス支配下にあったジェノヴァで生まれたマッツィーニは、ナポレオン失脚後のサルデーニャ王国で秘密結社カルボネリーアに参加するが飽き足らず、亡命先のマルセイユで自らの理念に基づいた「青年イタリア」を結成した。彼は自由で平等な社会を作る礎となるのが「祖国」であり、個々人がそれぞれの「祖国」に結集したのち、それらが連合することによって、協調的で平和なヨーロッパが実現すると考えた。そして、そうしたヨーロッパを作ることが、イタリア人に与えられた使命であるとして、イタリア統一に邁進するのである（藤澤 二〇一一：一五九―一六七頁）。マッツィーニの思想は他国によって支配された諸民族の知識人に大きな影響を与え、「青年ポーランド」といった「青年」の名を冠する組織を各地に生み出していった。ここでも注目されるのは、マッツィーニが諸民族の連帯やそのためにイタリア人が果たすべき使命といったものは「神」によって与えられていると明言している点である。ここでいう「神」はキリスト教における「神」とは異なるが、彼の思想の中核には絶対的な存在としての「神」がいるのである。こうした理神論的な発想は、啓蒙の時代以降、一九世紀前半まではしばしば見られたものであった。

南北アメリカにおける領土拡張戦争

さて、同時期の南北アメリカでは、独立を果たした諸国の間で国境を画定するための、別言すれば領土拡張のための争いが繰り広げられた。アメリカ合衆国は、一八一二年からイギリスやその植民地カナダ、イギリスと結んだ先住民諸部族などとの間で米英戦争（一八一二年戦争）を行い、領土の拡大には至らなかったものの、イギリスの介入を退けた。その後、モンロー・ドクトリンによってヨーロッパ諸国による干渉の排除を宣言し、西部に向かって開拓地を拡大していく。そして、一八四六年に始まるメキシコとの戦争を経てカリフォルニアなどをメキシコから獲得し、現在のアメリカ本土にほぼ近い領土を成立させた。この間、イギリスの工業製品や資本が流入しなくなったことで、北部で繊維産業を中心に工業が発展し、それと南部の綿花栽培、西部の穀物生産とが結びついた「市場革命」と呼ばれる事態が進行した。また、プランテーションの拡大により奴隷の数を増大させていた南部と、工業化の進展により自由労働者を求める北部との対立が深まりつつあった（焦点「一九世紀前半、米国の領土拡大と大西洋革命」）。

メキシコ以南のラテンアメリカでは、スペインをはじめとするヨーロッパ諸国の干渉が絶えず、また国家間の紛争も絶えなかった。一八二五年にブラジルとアルゼンチンとの間で領土をめぐる戦争が生じ、イギリスによる仲介なども経て、一八二八年に両国の緩衝地帯としてウルグアイが独立した。また、一八三〇年にはグラン・コロンビア共和国が三つの国に分裂し、独立後に一時メキシコに併合されながら再度独立を果たしていた中央アメリカ連合が四つの国に分裂していった。

憲法制定の動き

ウィーン体制に批判的な人々が蜂起して臨時政府を樹立した際に、しばしば憲法が制定された。政治的抑圧からの解放と自由を求める人々(自由主義者)や他者による支配からの解放を求める人々(ナショナリスト)にとって、憲法はそうした解放を保障する制度的な枠組みであった。そこで、ヨーロッパと南北アメリカにおける憲法制定の状況について概観してみよう。

ヨーロッパにおいて憲法制定の動きが活性化する契機となったのは、一七八七年に制定されたアメリカ合衆国憲法である。ヨーロッパでは、一七九一年五月にポーランド・リトアニア国で憲法(国民主権・二院制)が採択された。ポーランド分割が進行する中で、ロシアの介入を排し、国家の自立を確保するために起草されたものであり、直後の第二次分割により短期間で失効した。フランスで一七九一年憲法(国民主権・二院制)が採択される四カ月前のことであった。フランスは一八四八年革命までに九つの憲法(未実施を含む)を制定しているが、王政復古の際の一八一四年憲法は欽定憲法ながら言論や出版の自由を認めており、一七九一年憲法の内容を部分的に継承していた。

一九世紀に入ると、フランスと結んだロシアの侵攻下で制定したスウェーデン(一八〇七年、君主主権)、フランス軍の侵攻により南部カディスで開催した議会で制定したスペイン(一八一二年、国民主権・二院制)、デンマーク・スウェーデンからの独立を示すために制定したノルウェー(一八一四年、国民主権・一院制)、フランス支配下で制定されたバタヴィア共和国憲法を廃棄して新たに制定したオランダ(一八一五年、国民主権・二院制)、一八二〇年の政変を経て急進的な憲法を制定したポルトガル(一八二二年、国民主権・一院制、一八二六年より穏健な新憲法を制定)、オスマン帝国からの独立を果たして制定したギリシア(一八二二年、国民主権・二院制、ただし、その後政変のたびに新憲法を制定)といったかたちで、それぞれ憲法が制定されていった。そして、一八三一年にはオランダからの独立を果たしたベルギーで憲法が制定された。これは国民主権と二院制に基づき、信仰の自由を含む個人の自由が保障されていたが、君主に一定の行政権力を認めるなど君主側からも比較的穏健な憲法とみなされ、あとに続く諸国の憲法にとって一つのモデルとみなされるようになった。

この時点でプロイセンを含むドイツ諸邦、ハプスブルク帝国、デンマーク、イタリア諸国といった主権国家には憲法が存在していなかった。これらの諸国に立憲体制が成立するのは一八四八年革命後のことであった。さらに、ロシア帝国で憲法が制定されるのは、二〇世紀に入ってからのこととなる。

これに対し、ラテンアメリカ諸国では、多くの国で独立後まもなく憲法が制定された。例外はアルゼンチンで、独立宣言後に中央集権派と連邦派の対立が深刻化して当初は中央政府が不在の状態にあったこともあり、正式に憲法が制定されたのは一八五三年であった。また、地方の反乱や指導者間の対立などから頻繁に政体が変更され、その都度新しい憲法が制定された国も多かった。そうした国の一つではあるが、ハイチでは独立後に制定された最初の憲法(一八〇五年)が奴隷制の廃止を謳っており、その点で画期的なものであった。それとは対照的に、皇帝を戴く国として独立したブラジルでは、一八二四年に制定された憲法において出版や表現の自由などは認められたものの、皇帝が司法権や実質的に行政権を持つなど強大な権力を保持し、奴隷制も容認されるといった保守的な性格が強く見られた。

一八四八年革命

一八四八年革命は、一八四八年一月にシチリアのパレルモで起きた民衆蜂起とそれに続く両シチリア国王の憲法制定の動きに端を発し、翌四九年九月にハンガリーの自治政府がウィーン政府による軍事的圧力の前に崩壊した時点で終結をみる、二年近くにわたってヨーロッパ各地で起きた一連の革命を指す。パリの二月革命やウィーン、ベルリンの三月革命がよく知られるが、それは(重要度は高いが)一連の革命の中の一齣である。

一八四八年にヨーロッパのさまざまな地域で革命が起きた要因の一つに、一八四〇年代前半における穀物の凶作と飢饉の発生がある。飢饉がとりわけ深刻であったのは、農民が主食をジャガイモに依存していたアイルランドであった。アメリカ合衆国で発生したジャガイモ疫病菌が到来したことでジャガイモの凶作が続き、一八四六年から三年間にわたり飢饉に見舞われた。その結果、当時八〇〇万人の人口を擁したアイルランド島で一〇〇—一五〇万人と推計される人々が飢饉の犠牲となった(勝田・高神編 二〇一六)。また、一八四〇年代後半だけで、一〇〇万人前後の人々がブリテン島西部、アメリカ合衆国、カナダなどへ移民していった。その状況のなかで、一八四八年七月にはマッツィーニに影響を受けた青年アイルランドが、パリ二月革命以降のヨーロッパ情勢を踏まえ、イギリスからの自立を求めて蜂起を企てるが失敗に終わっている(焦点「「イギリス」にとってのアイルランド」)。

一八四八年革命の過程とそれがもたらしたものに関しては、次の四点を指摘しておきたい。第一に、パリで起きた二月革命は、当時の政権の腐敗を糾弾する共和派の活動が民衆運動と結びつくことによって、国王の退位という政治的果実をもたらした。政権の座に就いた共和派は労働者の雇用や生活状態の改善という当時としては画期的な政策に取り組むが成功せず、その後、ナポレオン一世の甥であるルイ＝ナポレオンが大統領に選出されることになった。すなわち、二月革命は結果として、一八五〇—六〇年代のヨーロッパの政治・外交におけるキーパーソンであるナポレオン三世の台頭を導いたのである。

第二に、イタリア諸国のすべてが一八四八年革命の渦の中に巻き込まれたことが挙げられる。ハプスブルク家など他国出身の君主からの自立と硬直した政治体制の打破を目指す革命の過程で憲法が制定され、共和派が臨時政府を主導する国も現れた。最終的には、オーストリアをはじめとする諸国の軍事的介入により革命政府はいずれも崩壊し、革命以前の君主がおおむね復帰することになったが、他者による支配からの自立とイタリアの統一を目指す(連邦的な統合を目指すのか、統一国家を目指すのかについてはさまざまな議論があったにせよ)機運が高まったことは重要である。また、イタリア諸国のなかで革命の過程で制定した憲法(欽定憲法)を革命後も唯一維持したサルデーニャ王国が、議会主義のもとで急速に政治・経済・社会の改革を進め、イタリア統一の担い手となっていったことも、革命がもたらした大きな変化であった。

第三に、オーストリアとプロイセンというドイツの二大国の首都が革命の舞台となり、フランクフルトではドイツ統一を見据えた憲法制定のための国民議会が開催された。この議会において一八四九年三月に制定されたドイツ帝国憲法は国民主権の原則に基づいていたが、プロイセン国王やオーストリア皇帝など有力な国々の君主に相次いで承認を拒否された。だが、その一方で、プロイセン、オーストリアともに、君主主導による憲法の制定が企てられ、オーストリアでは一八四九年三月、プロイセンでは一八五〇年一月に欽定憲法が制定された。いずれも君主が強大な権力を保持する一方、議会の立法権が認められ、表現・集会・信仰の自由などが一定程度認められていた。プロイセン憲法はドイツ統一後もドイツ帝国憲法に基本的に引き継がれたが、オーストリアではさまざまな法令によって憲法が実質的に無効化され、一八六七年のオーストリア＝ハンガリー二重帝国成立の際に新たな憲法が制定されることになった。ともあれ、一八四九年に欽定憲法を制定したデンマークとともに、プロイセンやオーストリアをはじめとするドイツ地域でも憲法が制定され、近代国家としての制度的枠組みが整えられていったことは、封建的な諸特権の多くが廃止されたこととあいまって、一八四八年革命がもたらした大きな変化である。

第四に、オーストリア帝国内の諸民族による自治を求める動きがいっそう顕在化した。とりわけ急進的な活動を展開したのがコッシュート・ラヨシュに指導されたハンガリーであり、一時は完全独立を宣言するにいたる。結局オーストリアの軍事力の前に敗北したとはいえ、ハンガリーにおける自治を求める運動は、その後オーストリア＝ハンガリー二重帝国の成立にひとまず結実することになる。ただし、ハンガリーは国内におけるスロヴァキア人やルーマニア人、クロアチア人などの自治を求める動きには対応せず、またオーストリア帝国領内におけるチェコ人らの運動に対しても無関心であった。さらに、ロシア帝国の影響下にあったワラキアでも革命運動が展開し、のちにモルドヴァとともに統一されたルーマニアの成立への第一歩を記した（焦点「一八四八年革命論」）。

最後に、革命騒擾が勃発し、それが比較的短期間のうちに挫折するなかで、革命に参加した人々はしばしば亡命者として母国を後にしていった。既にそれ以前から革命騒擾が失敗に終わるたびに亡命する者は後を絶たなかったが、一八四八年革命はこれまでにも増して多くの亡命者を生み出すことになった。彼らの中にはヨーロッパの中で亡命者の入国をある程度容認していた国、たとえばイギリスやスイス、一八三〇年の七月革命以降のフランスなどに亡命する者もいたが、海を渡って南北アメリカに亡命する者も多数存在した。南北アメリカには一八四八年以前から亡命者たちのコミュニティが築かれており、一八四八年革命後の亡命者たちはしばしば人的ネットワークを利用して同国人の亡命者コミュニティに向かった。また、亡命後も故国の革命的な運動に対する支援を継続した人々も多く、既に述べたフィーニアンの事例のように、アイルランドにおけるアイルランド共和主義同盟とアメリカ合衆国で設立されたフィーニアン兄弟団が連帯して活動を展開することもあった。さらに、ドイツ地域からアメリカ合衆国への亡命者には南北戦争時に志願兵として北軍に参加して武勲をあげた者も数多く、その中にはドイツ統一後にドイツに帰国した人々も存在する（ヅッカー 二〇〇四）。このように、一八四八年革命はトランスナショナリズムの動きをより活発化させることになったのである。

奴隷制の廃止とユダヤ教徒の解放

ところで、一八四八年革命にいたる一九世紀前半は、奴隷制度の廃止とユダヤ教徒の解放(宗教的差別の撤廃)に向けて事態が大きく動いた時期であった。奴隷制度に関しては、イギリスでは一八三三年に廃止が決定された。また、フランスでは一七九四年に一度廃止されナポレオン期に復活した奴隷制度が、一八四八年に最終的に廃止されることになった。さらに、デンマークも同じ年に奴隷制度を廃止している。この時点ではまだポルトガルやスペイン、オランダなどが植民地における奴隷制度を維持していたが、奴隷貿易の大国であったイギリスに続いてフランスが奴隷制度を廃止したことは大きな変化であった(焦点「奴隷貿易・奴隷制の廃止と「自由」」)。

また、ユダヤ教徒の解放については、フランスでは大革命の最中の一七九一年にユダヤ教徒解放令が出され、さらにナポレオンの侵攻により支配下におかれたイタリア諸国ではユダヤ教徒の解放がなされた。また、同じくナポレオンの支配を受けたドイツ諸邦の多くでもユダヤ教徒の解放がなされ、プロイセンでも近代化政策の一環として一八一二年にユダヤ教徒に市民的権利(と義務)が認められたが、ナポレオン失脚後、ユダヤ教徒に対する市民権が撤廃あるいは制限された地域もあった。この状況の中で、一八四八年革命のさなかにフランクフルト国民議会がユダヤ教徒に対する宗教的差別を撤廃する憲法を制定した。この憲法の承認が諸君主によって拒絶されたことは既に見たとおりであるが、オーストリアではユダヤ教徒共同体の設置が一八四九年に認められるなど、革命の展開の中でわずかながら一定の前進も見られた。ただし、ヨーロッパに居住するユダヤ教徒の過半を占めるロシア帝国とその影響下におかれた地域では、この時期にはユダヤ教徒の解放が進むことはなかった(焦点「近代ヨーロッパとユダヤ人」)。

このように奴隷制度の廃止とユダヤ教徒の解放がこの時期に一定程度進んだが、そのことは解放された奴隷(「黒人」)と「ユダヤ人」に対する差別が解消に向かうことには結びつかなかった。むしろ、ある意味で彼らに対する社会的差別はこののち強化されていくことになる。その点については後述する。

三、過渡期の時代──一八四八年革命からドイツ統一まで

一八四八年革命から一八七一年のドイツ統一にいたる時代には、ヨーロッパの多くの地域で封建的な残滓が払拭され、近代的な国家制度の整備が進められた。近代的な国家制度の導入に消極的であったロシアでも、農奴解放(一八六一年)が行われている。また、アメリカ合衆国ではその歴史における分水嶺ともいえる南北戦争を経験し、それ以降は急速な工業化と都市化が進むことになる。カナダは南北戦争後にイギリスから自治権を獲得し、イギリス議会が定めた英領北アメリカ法を事実上の憲法とするカナダ連邦を成立させた。ラテンアメリカ諸国では、パラグアイと周辺諸国との戦争、メキシコの内戦、スペインの介入に対するペルーでの戦争など、戦禍が相次ぐ一方で、アルゼンチンやブラジル、ウルグアイなどではヨーロッパ人移民の積極的な招き入れによる「ヨーロッパ化」政策が開始されていった。

ここではこの「過渡期の時代」に関して、クリミア戦争(一八五三─五六年)、イタリア統一(一八六一年)、南北戦争(一八六一─六五年)、ドイツ統一(一八七一年)を中心に、この時期の特質について考察してみたい。

クリミア戦争

クリミア戦争は、ロシアとオスマン帝国の間で一八世紀後半以来、たびたび行われてきた戦争の一つである。しかし、これまでのいわゆる「露土戦争」と大きく異なるのは、この両国の領土と勢力圏をめぐる争いに英仏という大国が介入し、オスマン帝国を支援してロシアと戦うことになった点である。ヨーロッパ諸国が多数参戦する戦争として

はナポレオン戦争以来ほぼ四〇年ぶりのことであり、このあとに続発するイタリア統一戦争、ドイツ統一をめぐる諸戦争といった大国間の一連の戦争の火ぶたを切った戦争として位置づけられる。この間に大陸ヨーロッパ諸国でも工業化が一定程度進行し、銃器を中心に兵器の改良が進んだ。また、鉄道の敷設も行われつつあり、兵員や兵站の輸送が迅速化するなかで行われた大規模かつ長期化した戦争であった。

また、この戦争は、英仏の介入により勝者の立場になったとはいえオスマン帝国の弱体化を印象付けることとなった。インド防衛のために東地中海に対する関心を強めるイギリスと、カトリックの保護者を任じてパレスチナ方面への介入を強めるナポレオン三世のフランスがオスマン帝国に干渉するようになり、いわゆる「東方問題」が国際情勢の一つの焦点となっていく。この状況はスエズ運河の開削、開通によっていっそう深刻化していった。まさに、一八七〇年代以降のヨーロッパ諸国による植民地獲得競争の激化や東地中海情勢の緊迫が高じて起きた第一次世界大戦に向けての転換点となる出来事であった(5)。

さらに、クリミア戦争は敗者となったロシアに変革を迫った。戦争中に即位したアレクサンドル二世は一八六一年に農奴解放を実施したが、これは農民を個人として解放するのではなく、社団の一員として解放するものであった。また、地方自治機関としてのゼムストヴォの設置や行政・司法制度の改革、初等教育の無償義務化をはじめとする教育改革など矢継ぎ早に諸改革を断行したが、国内では急進的な政治運動が活性化し、ポーランド地域では一八六三年にロシアからの自立を求める蜂起(一月蜂起)が勃発してゲリラ戦として長期化するなど、改革の成果はただちに目に見える形で現れることはなかった。

イタリア統一

次に、イタリアの統一である。イタリア諸国のなかで一八四八年革命後も唯一憲法と議会を維持したサルデーニャ王国は、首相に抜擢されたカヴールのもとで農業振興を基軸とした経済政策や鉄道建設、カトリック教会の権限縮小といった政策を進め、一躍イタリア諸国の中で最も活力のある国家となった。カヴールは積極的な外交政策も推進し、一八五八年七月にナポレオン三世との間でプロンビエールの密約を交わし、対オーストリア戦争でのフランスの支援をとりつけた。翌年四月にサルデーニャ王国・フランス連合軍はオーストリアと開戦し、六月には仏墺の両軍が激突したソルフェリーノの戦いでわずか一日にして両軍あわせて四〇〇〇人近い死者を出した。この出来事に心を痛めたスイス人のアンリ・デュナンが国際赤十字の設立を思い立ったことはよく知られるが、この戦闘もナポレオン戦争以降、兵器が格段に強力になったことを物語っているだろう。フランス軍に大きな犠牲が出たことで世論の反発を懸念したナポレオン三世はオーストリアとの休戦を決断し、サルデーニャ王国はロンバルディアのみ獲得するという成果を得た。

この間、中部イタリア諸国ではサルデーニャ王国への合流を求める民衆の動きが活発化し、各地で臨時政府が設立されたのちにサルデーニャ王国への併合が決められた。また、シチリアの民主派(共和政に基づくイタリア統一を求める人々)の依頼を受けたガリバルディが義勇兵を率いてシチリア遠征を行い、士気の低下していた両シチリア王国軍に勝利したことにより、シチリアとイタリア半島南部を占領することに成功した。その後のガリバルディとカヴールの政治的駆け引きの末に、南イタリアもサルデーニャ王国に併合されることとなった。こうして一八六一年三月に、いまだヴェーネト地方やラツィオ地方(ローマとその周辺)などを欠くものの、イタリア半島とシチリア島、サルデーニャ島から構成されるイタリア王国が成立した。

この時期のヨーロッパ史におけるイタリア統一の意義として、一つはハプスブルク家など他国出身の君主に支配されていたイタリア諸国がその支配から脱して、サルデーニャ国王(在地の君主とみなされた)のもとに自立したという点が挙げられる。このことは従属的な状況に置かれたほかの諸民族に対して一定の希望を与えるものであった。また、諸国家の統一がなされたことで、ヨーロッパのなかで人口規模の比較的大きな国家が誕生した点も挙げられる。政治・経済的に大国とみなすには脆弱なレベルであったが、潜在的に大国となり得る国家が登場したのである。さらに、ナポレオン三世のヨーロッパにおける存在感が高まったことや、一八四八年革命以降、あらゆる改革に反対する姿勢を示していた教皇庁(教皇ピウス九世)がさらに態度を硬化させ、いっそう守旧的になっていったことなども挙げられる。

このイタリア統一の過程で、一見ささやかながら、一九世紀における国民国家形成という観点から注目されることを、二点指摘しておきたい。一つは、サルデーニャ王国とフランスとの間で結ばれたプロンビエールの密約の内容に関してである。この密約では、サルデーニャ王国がフランスから対オーストリア戦争の支援を受ける見返りとして、サヴォワとニースをフランスに割譲することが定められた。その際に、サヴォワとニースはフランス語話者が多数を占める地域であることが割譲の理由であると記されているのである。もちろん、これはあくまで建前であり、現実はナポレオン三世による領土拡大欲求とサルデーニャ王国によるフランスの軍事力への期待(依存)というレアルポリティークのなせる業であったが、それでも話者人口の多寡が領土を決定する際の理論的根拠となっているという点は看過できない。このあとに続く「民族自決」の思想に連なる考え方であると言えるだろう(北村 二〇一九：一七九頁)。

もう一つは、イタリア諸国がサルデーニャ王国への併合を決する際に、必ず住民投票を行った点である。この住民投票はおおむね、地主を中心とした名望家層が農民たちを引き連れて投票所に赴き、賛成票を投じさせるという形で行われたもので、どこでも賛成票がほぼ一〇〇%に近い結果に終わるという茶番であった。とはいえ、いかに儀礼化されたものであっても、一国の命運を住民の意思によって決定するというプロセスを経ていることには注目しておいてよいだろう(Banti 2004: 111)。

アメリカ南北戦争

次に、アメリカ合衆国における南北戦争である。アメリカ合衆国の南部諸州では、一九世紀前半を通じて綿花やタバコのプランテーションによる生産が拡大し、それとともに奴隷の数も飛躍的に上昇していった。それに対して、工業発展の途上にあった北部では奴隷ではなく「自由な」賃金労働者を求める勢力が強く、奴隷問題をめぐって南北間の溝が次第に深まっていった。一八六〇年の大統領選挙で北部の利害を代表する共和党のリンカンが当選したことを契機として、南部諸州が連邦を脱退し「アメリカ連合国」(南部連合)を結成する。南部連合地域にあった連邦側(北軍)の要塞に南部連合側(南軍)が攻撃をしかけたことにより、内戦が勃発した。当初は人口・兵員数・工業力に勝る北軍が勝利すると予想されたが、南軍は当初士気も高く、北軍の進軍を防ぐ防衛戦であったこともあり、戦線は膠着(こうちゃく)した。そのなかで、リンカンが一八六二年九月に奴隷解放宣言を布告し、その後ホームステッド法の制定で西部の支持を得るなどしたことで、北軍は戦局を有利に進めた。五年に及ぶ激しい戦いの末、最後は北軍が勝利を収めた。

南北戦争に関して指摘しておくべきは、第一に南北アメリカの独立以降の歴史を振り返れば、南部諸州が北部から分離して独立国家を志向するというのは決して異例なことではないという点である。そもそもアメリカ合衆国は連邦政府が脆弱であり、南北戦争以前には常備軍も持たず、官僚機構も貧弱なものでしかなかった(貴堂 二〇一九：一一二―一一三頁)。南部の農業資源と市場を必要とし、南部が北部とよりもヨーロッパ諸国と結びつく事態を望まなかった北部が、武力によって南部の分離を封じ込めたという見方もできるのである。

第二に、南北戦争は内戦である一方で、ヨーロッパ諸国とりわけ英仏の動向と密接に結びついた戦争であった。南軍はイギリスが南部の綿花やタバコを必要としているがゆえに、南軍を支援することを期待していた。また、ナポレオン三世は一八六一年以降、メキシコの内紛に乗じて同地をフランスの保護国にすべく介入していたため、南軍との接近を図っていた。だが、イギリスは綿花をエジプトやインドなどから求めるようになっていたために、南軍を積極的に支援する姿勢を見せず、フランスもメキシコへの軍事介入で手一杯となり、南軍を支援することはできなかった。何よりも、リンカンの奴隷解放宣言で北軍に奴隷制度の廃止という大義が生まれたことにより、イギリスもフランスも南軍を表立って支援することが困難になっていた。

第三に、南北戦争は当時急激に数を増やしていたヨーロッパからの移民にも深く関わっていた。一八四八年革命の挫折によりアメリカ合衆国への亡命を余儀なくされた人々が南北戦争に義勇兵として多く参加したことはすでに述べたが、経済的な理由から移民となった人々も南北戦争に多く従軍したのである。戦争中に両軍ともに徴兵制度を実施し、とりわけ北軍では移民たちが徴兵の対象となった。移民が集中するニューヨークでは一八六三年七月に徴兵に不満を募らせた白人労働者による暴動も起きている。

第四に、南北戦争では北軍三六万人、南軍二六万人の戦死者を出し、負傷者もそれぞれ二七万人と二六万人を数えた。死傷者が両軍あわせて一〇〇万人を超えるという凄惨な戦争であった。これはライフル銃などの新しい兵器が導入されたにもかかわらず、戦術は旧態依然としていたことが大きくあずかっていた。ここでもまた、兵器の革新が膨大な犠牲者を出す要因となったのである。

第五に、南北戦争後の「再建期」のアメリカ合衆国では、南軍として戦った旧南部の連邦復帰のためにさまざまな政策がとられたが、それは結果的に連邦政府に強固な制度的基盤を与えることになった。具体的には、連邦税の導入、通貨発行権、徴兵制度などであり、また憲法を修正して連邦市民権の概念を確立した。さらに、南北の亀裂を修復するために、星条旗を国家に対する忠誠のシンボルとするイメージ戦略を展開して、「アメリカ国民」としての意識の涵養(かんよう)を試みた。まさに南北戦争後に、アメリカ合衆国は国民国家としての道を歩み出したと言えるのである(貴堂 二〇一九:一一三―一一四頁)。

最後に、奴隷解放についてである。再建期には旧南部に奴隷制度の廃止を認めさせることが試みられた。一八六五年の憲法修正で奴隷制度の廃止を規定したのち、共和党急進派などの活動によって黒人にも市民権が認められ、黒人の連邦議会議員も誕生した。さらに、一八七〇年批准の憲法修正では肌の色によって投票権を制限することを禁止する条項が盛り込まれたが、南部に対する軍事占領が一八七〇年代半ばに解除されると、旧南部では黒人差別の風潮が急速に高まることになった。

ドイツ統一

次に、ドイツ統一についてである。ドイツ統一はプロイセンによる対デンマーク戦争、対オーストリア戦争、対フランス戦争という三つの対外戦争と、対オーストリア戦争後にプロイセンを中心に成立した北ドイツ連邦と南ドイツ諸国との交渉による南ドイツ諸国の北ドイツ連邦への加盟という過程を経て、プロイセンの主導で進められていた。

ドイツ統一に関してまず指摘しておきたいのは、統一によって出現したドイツ帝国は、その人口規模と経済力において当初からヨーロッパの大国であったということである。ライン地方を中心に製鉄業や機械工業など重化学工業の発展がすでに見られ、ヨーロッパでも有数の工業国であった。プロイセンが一連の戦争に勝利することができたのも、鉄道や通信といった最先端の技術を駆使して、迅速かつ効率的な兵員と物資の移動が可能であったことが大きく寄与している。

また、ドイツ地域ではナポレオン戦争期に神聖ローマ帝国が消滅して以降、ウィーン体制下で成立したドイツ連邦(議長国はオーストリア)や関税同盟(プロイセン主導で一八三三年に設立)などの諸国家の連合組織が作られた。さらに、イタリアに設立されていた同名の組織にならう形で、国民協会が一八五九年にブルジョワ階層の自由主義者により結成されていた。こうした諸国家の連合組織やさまざまなアソシエーションの活動を通じて、ドイツの知識人の間には既に明確な「ドイツ人意識」が形成されていた。こうした意識の共有はドイツ統一国家形成に向けて大きな推進力となったと言える(飯田 二〇一三:八一一〇頁)。

ただし、「ドイツ人」としての意識が一定の層に共有されていたからといって、いかなるドイツ国家を形成するかについて合意があったわけではなかった。プロイセンないしオーストリアの君主を戴く国家なのか、共和政に基づく国家なのか、プロイセンを中心とした小ドイツ主義的な国家なのか、多民族社会であるオーストリアを含む大ドイツ主義的な国家なのか、単一国家ではなく国家連合という形なのか、連邦制による単一国家なのか、それとも中央集権的な単一国家なのか、さらには、統一国家の成立は容認するが、自らの国家はそれには加わらない、といったさまざまな考え方が存在していた(飯田 二〇一三:一二頁)。結局、プロイセンの軍事力によって連邦制に基づくドイツ帝国が成立したが、自らの望んだドイツ統一国家とは異なるとして失望した人々も少なくなかったのである。

とりわけ、カトリックが圧倒的多数を占める南ドイツ諸国の場合、プロテスタントが優勢なプロイセンに対する不信感は少なからずあった。実際、ビスマルクも対オーストリア戦争に際しては、南ドイツ諸国がオーストリアにくみしないように慎重に振る舞った。だが、彼は統一後には一転して、「文化闘争」という形でカトリック勢力を牽制することになる。ドイツ帝国では統一民法典の制定に多大な時間を要したが(成立は一八九六年)、その一つの理由は民事婚と教会婚の分離が進まない南ドイツ諸国(特にバイエルン)の民法と市民婚が貫徹しているプロイセンのそれとのすり合わせが困難だったからである(常岡 一九九九:四五七—四五八頁)。「文化闘争」とはまさにそうした両者の価値観の相違の政治的な表現であった。

さらに、オーストリアが多民族社会であるという理由でドイツ統一から排除されたにもかかわらず、プロイセンがポーランド分割に加担したことの結果として、ドイツ帝国の東部にはポーランド人が住民の多数を占める地域が存在していたことも忘れることはできない。

このように、ドイツも国民統合には大きな課題を抱えていたわけだが、それでもナポレオン戦争以前は三〇〇余りの国家が存在し、ウィーン体制成立直後には三五の君主国と四自由市が存在していたドイツにおいて、その大部分を糾合したドイツ帝国という単一国家が成立したことは大きな転換であった。ここにドイツ地域における礫岩国家的な要素はおおむね一掃されることになった。また、対プロイセン戦争に敗北したオーストリアはハンガリーの自立を認める形でオーストリア＝ハンガリー二重帝国を形成し（同君連合という旧来型の国家体制ではあったが）、チェコ人をはじめとする諸民族の民族的利害にも配慮し始めるようになった。こうして、ヨーロッパでは封建的な残滓がようやく払拭され、国民国家のもとで国民の創出に向かっていくことになる。さらに、国家間の競争が激化するなかで、そのエネルギーは対外的な膨張に向けられていくことになるのである。

四、帝国主義の時代――ヨーロッパの「絶頂」と南北アメリカの台頭

議会と政党

ロシアを例外として、国民主権か君主主権かの違いはあれども憲法が制定されたヨーロッパと南北アメリカの諸国では、議会を中心とした政治が行われていた（ただし、ラテンアメリカ諸国のなかには、一時的ないし長期的に独裁政治が展開された国もあった）。議会政治では多くの国で政党が結成され、政党政治が行われた。大陸ヨーロッパ諸国では、いち早く議会政治を開始したイギリスの事例を範として二大政党が政権交代を行う政治が理想とされた国が多かったが、現実には明確に主張が異なる二大政党が選挙の結果によって政権交代を行うという形態をとった国はほとんどなかったと言える。たとえば、スペインでは一時的な共和政の時期が終わり、一八七四年に王政復古がなされてから、保守党と自由党の二大政党が結成されて政権交代が繰り返されたが、その実態はカシーケと呼ばれる地方有力者が選挙結果を操作するカシキスモに支えられたものであり、民意の反映とはほど遠いものであった（篠原　一九八六：六九頁、立

石 二〇二一：一七六頁）。これに対し、二大政党制が機能した国として挙げられるのがアメリカ合衆国である。南北戦争前に民主党と共和党という二大政党が確立したアメリカでも、少数政党は存在し、なかでも一八九〇年代には農民同盟が人民党という政党を結成して一時躍進したが、一八九六年の大統領選挙で敗北したことにより消滅した。アメリカの場合は、究極の小選挙区制である大統領選挙という制度的枠組みが第三極の台頭を拒んできたと言える。

一八七〇年代以降の政党に関して注目すべきは、社会主義政党の登場である。社会主義といっても思想的にさまざまな潮流が存在し、一政党のなかに諸潮流が混在していることも稀ではないが、この時期に議会に進出したヨーロッパの社会主義政党の多くは党内多数派が穏健（議会主義的）なマルクス主義者によって占められていた。社会主義政党のなかにはデンマーク社会民主党やベルギー労働党のように比較的早い段階から議会内で一定の議席を確保する政党もあった。その中で、ドイツ社会民主党は前身の政党（ドイツ社会主義労働者党）がビスマルクによる厳しい弾圧を受けながらも、一八九〇年に社会主義者鎮圧法が失効してから党名を変更した。そして、第一次世界大戦直前には議会第一党となり、党員数も一〇〇万人を超えるなど、ヨーロッパの社会主義政党のなかで一頭地を抜く存在となった。この時期のヨーロッパ諸国の政党は社会主義政党に限らずまだ十分に組織化されておらず、地方支部などが整備されていない政党も多かったが、ドイツ社会民主党は党の組織化も進んでいた。ただ、社会主義政党は支持基盤が工業の発展した地域に偏る傾向が顕著であり、その点ではドイツ社会民主党も例外ではなかった。また、オーストリア社会民主党は世紀末に議会で議席を獲得して二〇世紀初頭には大政党となるが、民族別に組織された党派の連合組織であった点が特徴的であり、独自の民族理論・政策を掲げる「オーストロ・マルクス主義」を生み出した。

他方で、この時期にはキリスト教信仰を基盤にした宗派政党も誕生している。一八七〇年にいち早く結成されたドイツの中央党を筆頭に、オーストリア、ベルギー、オランダなどで宗派政党が結成されて議会で議席を獲得していった。その多くはカトリック系であり、一八九一年に教皇庁が回勅「レールム・ノヴァールム」（新しい事態について）を出して近代社会に積極的に対応する方針を打ち出してから、いっそう活動が活発化していった。ただ、オーストリアのキリスト教社会党のように露骨な反ユダヤ主義を掲げることで支持を伸長させた政党もあった。こうした宗派政党の多くは二〇世紀に入りキリスト教民主主義の名称を冠するようになり、とりわけ第二次世界大戦後には政権の中枢を担うようになった政党も多い。

選挙権の拡大と女性の権利

選挙権については、一九世紀後半においては多くの国で制限選挙が一般的であり、一八八〇年代までに男性普通選挙が認められていた国はフランス、スイス、アメリカ合衆国、ドイツなどに限られていた。しかも、アメリカではこの時期に「ジム・クロウ」と称される人種隔離制度が広まって黒人の参政権は事実上剝奪されており、ドイツでは三級選挙制という独特の制度によって労働者や農民の「一票の価値」が富裕層に比べて軽い状況にあった。それでも、一八九〇年代にはスペイン、ベルギー、ノルウェーで男性普通選挙が認められるなど、ヨーロッパでは男性普通選挙に向けた動きが進んだ。

これに対して、女性選挙権はなかなか認められることがなかった。一九世紀において国政選挙への女性選挙権が認められたのはニュージーランドのみである。ヨーロッパで最も早く女性選挙権が認められたのはノルウェー(一九一三年)であり、二つの世界大戦を経て女性選挙権は普及することになった。とはいえ、女性選挙権を求める動きは一九世紀半ばから既に見られた。女性たちによる参政権運動がいち早く生まれたのはアメリカ合衆国であった。南北戦争後の一八六八年の憲法修正第一四条において男性普通選挙が認められたことをきっかけとして、翌年には全国女性参政権協会(NWSA、穏健派)とアメリカ女性参政権協会(AWSA、急進派)という二つの組織が結成された。NWSAは逮捕もいとわない活動を展開した点で穏健とは言えない側面もあったが、人種主義的な側面を持ち、黒人男性に対する選挙権よりも白人女性に対する選挙権を優先すべきであるという論を展開した。これに対して、AWSAは人種と性別に関わりなく普通選挙を認めるべきであると主張した。その後、一八九〇年に二つの団体は合同して、全国アメリカ女性参政権協会(NAWSA)を設立した(栗原 二〇一〇：一七二―一八六頁)。一連の運動の成果として、一九世紀末にはいくつかの州が女性選挙権を認めている。

他方、イギリスでも一八六六年にジョン・スチュアート・ミルが女性選挙権を求める議案を下院に提出し、それが否決されたことを契機に女性参政権全国協会(NSWS)が結成された。その後、一八八四年の第三回選挙法改正で男性には農業労働者にも選挙権が与えられる一方で、女性選挙権に関する議論が停滞したことでNSWSは分裂した。女性選挙権を求める運動が復活するのは世紀末のことで、一八九七年に女性参政権協会全国同盟(NUWSS、穏健派)、一九〇三年には女性社会政治同盟(WSPU、急進派)が誕生した(河村 二〇〇六：一二五―一二八頁)。穏健派と急進派の二つの組織が競い合い、穏健派が政府との協力関係の構築を目指し、急進派が世論に直接訴えかけることで女性選挙権獲得を目指すという構図は、アメリカ合衆国の事例と共通している。

このように、米英で女性選挙権を求める動きが活発に展開したが、大陸ヨーロッパ諸国でも米英ほど活発ではなかったとしても、女性選挙権や女性の権利の拡大を求める運動が登場し始めていた。この時期の大陸ヨーロッパ諸国で女性の権利の拡大をめぐって大きな課題・問題となっていたのが、女性労働者の保護である。女性労働者は繊維産業を中心に多く雇用されたが、一日一〇時間を超えるような長時間労働と劣悪な環境、男性に比べての低賃金という状況に置かれていた。周知のようにイギリスでは早くも一八四七年に女性と児童の長時間労働を制限する法律が制定されていたが、大陸ヨーロッパ諸国ではこの種の法律の制定はなされておらず、一八七〇年代以降にこの状況を改善するための、女性による活動が行われることになった。活動を展開する女性たちの間では、賃金を男性と同等にすることに対してはおおよそ見解が一致したものの、長時間労働の禁止をめぐっては議論がしばしば対立した。たとえば、イタリアでは社会主義者のアンナ・クリショフ(ロシア出身)が長時間労働の禁止を主張したのに対して、女性運動家アンナ＝マリア・モッツォーニは労働時間の制限は女性の権利に対する侵害であるとして長時間労働の禁止に異議を申し立てた(勝田 一九九三：一三一頁)。結局、イタリアでは一九〇二年に女性労働・児童労働保護法が制定され、女性の長時間労働が禁止されている。

また、もう一つの大きな課題は、ナポレオン法典(一八〇四年)において妻が夫の許可なく財産を処分できないなどの妻の無能力規定が設定されていたことだった。ナポレオン法典の系譜を引く民法を有していたフランス、イタリア、スペイン、ベルギーといった諸国ではこの規定がそのまま受け継がれ、妻は法的にも夫に従属する地位にあった。そこで、この規定をはじめとして女性に対して差別的な法律の改正を求める運動が起きている。だが、この時期にはこうした諸国の民法が大きく変更されることはなかった。

ヴィクトリア的家族観に代表されるように、一九世紀を通じてヨーロッパ諸国ではブルジョワ的な近代家族観、すなわち家庭内における男女の役割分担の徹底化(男性は家庭外で家計を支える経済労働に従事し、女性は家庭内で家政を執り行う)が浸透していった。この家族規範は富裕な市民層だけでなく、都市の中間層や比較的富裕な労働者層にも拡大する傾向にあった。妻に不利な民法典が施行されていた諸国の女性たちは、法制度と家族規範の二重の従属状態に置かれていた。そのなかで主として富裕な市民層出身の女性たちが女性の権利拡大に向けて活動を行っていった。フェミニズム(feminism)という言葉が今日のような意味で用いられ始めるのは一八九〇年代のことであった(問題群「ナショナリズムとジェンダー」)。

福祉国家へ

一八七三年にアメリカ合衆国やオーストリア＝ハンガリー二重帝国、ドイツなどでほぼ同時期に恐慌が起きた。南北戦争や普仏戦争後の景気の過熱と過剰投資をはじめとするさまざまな要因が絡まりあって起きた恐慌であり、その後一八七〇年代を通して不況が続いた。とりわけ大きなダメージを受けたのはイギリスであり、その後一八九〇年前後まで二〇年間にわたって経済成長が鈍化し、こんにち「長期不況」と呼ばれる状況に陥った。さらに、一八七〇年代以降のヨーロッパ諸国では、アメリカ合衆国やロシアなどから大量の安価な穀物が流入したことで穀物価格が大幅に下落し、穀物生産に依拠する地主や農民が打撃を受けていた。こうした状況を受けて、ヨーロッパ諸国は世紀中葉までに各国が採用していた自由貿易主義から保護主義へと再び転換していくことになる。ドイツが一八七九年に保護関税法を制定したのをはじめ、イタリア(一八八七年)、スウェーデン(一八八八年)、フランス(一八九二年)などで保護関税法が制定されている。また、アメリカ合衆国では共和党の主導のもとに保護主義的な動きが継続された。

ヨーロッパ諸国が保護主義に傾斜していくのとほぼ同時期に、大陸ヨーロッパ諸国では貧富の差の拡大や都市環境の悪化といった社会問題に対処するため、それまでの自由放任的な政策を修正して、人々の日常生活に関わる分野に積極的に介入する動きが強まっていった。具体的には、疾病や失業、労働災害、老齢などに対する社会保険制度の設立、弱者を保護するための社会立法、国家や行政が担う救貧のための組織や制度の設置などである。前述の女性の長時間労働を規制する法律もこうした社会立法の一つであった。この時期に設立された社会保険制度や社会立法は困難な立場に置かれた人々の生活改善にとって必ずしも十分なものではなかったが、二〇世紀に入ってから整備されていく社会福祉の礎となるものであった。これに対して、イギリスやアメリカ合衆国では大陸ヨーロッパ諸国のような形での社会保険制度の設置や社会立法は進まず、自助と民間による慈善が基本であった。とはいえ、イギリスでも二〇世紀に入ると公的救済の制度が次第に整えられ、アメリカでは世紀転換期に都市部の中間層によって「革新主義」と呼ばれる運動が台頭して、労働基準法の制定や公衆衛生の推進などが目指された。こうして、一九世紀前半においては治安を乱す「危険な階級」と認識され、しばしば排除の対象とされてきた都市の労働者や貧困層が、国家や自治体によって守られるべき存在とみなされるようになった。それはまさに「生政治」の全面的な浸透を意味すると同時に、労働者や貧困層の「国民化」の過程でもあった。それゆえ、外国人は労働者として経済生活に貢献していたとしても、公的扶助からは排除される存在なのであった。

帝国主義・植民地主義

一八七〇年代以降、ヨーロッパ諸国を中心に、アメリカ合衆国や日本も加わって、植民地化を進める世界分割の動きが強まった。いわゆる「帝国主義の時代」である。それでは、なぜこの時期に世界分割が急速に進行したのであろうか。すでに同時代においてホブスンやレーニンなどによって分析は行われており、そこでは経済的な利害、とりわけ金融資本主義の展開が植民地獲得競争を促したという理解がなされてきた。近年のイギリス帝国史研究で最も有力な説となっている「ジェントルマン資本主義論」も農業資本家であったジェントルマン層がその経済活動の中心を金融に移行させることで世界規模での帝国形成に向かったと捉えており、金融・投資という側面を重視しているという点においては、それぞれの理論的根拠は異なるとはいえ、先行する諸説と共通するところがあると言えるだろう。

確かにイギリスについては、高度に展開した金融資本が帝国(公式帝国・非公式帝国の双方において)の膨張をもたらしたとする議論は、大きな違和感なく受け止められるであろう。だが、イギリス以外の諸国の帝国主義(植民地獲得競争)に関しては、金融資本主義から説明するのはいささか困難が伴う。たとえば、この時期にイギリスに匹敵する重化学工業の生産水準を誇っていたドイツの場合でも、ドイツから国外への投資額はイギリスによるドイツへの投資額よりも少ない水準にとどまっていたという(Sperber 2009: 187)。それゆえ、大陸ヨーロッパ諸国の植民地獲得競争への参画を過剰資本の植民地への投資という観点から説明することは困難である。これに対して、自国製品の市場獲得や天然資源の確保といった経済的原因から説明する方が、より説得力があるように見える。だが、ドイツや(それにかなり遅れて)イタリアが自国の工業製品の市場を外国に求めていたことは確かであるとはいえ、いずれの国も市場としての主たるターゲットはバルカン半島やオスマン帝国であり、アフリカではなかった。また、新たな天然資源の獲得が植民地獲得競争に拍車をかけたことは事実であるが、新たな資源の発見は多分に偶然の産物で確実性の低い事柄であり、過度に投機的な目的で大陸ヨーロッパ諸国が植民地獲得競争に向かったという説明は説得性に欠けるだろう。

近年の帝国主義史研究で強調されているのは、植民地獲得に向けてヨーロッパ諸国が掲げた「文明化の使命」という理念の重要性である。(6)「文明化の使命」とは、アジア・アフリカの人々は後進的な状態にあるから、先進的な文明を築き上げたヨーロッパ人がアジア・アフリカ諸地域を支配することによって彼らに学校や道路などの必要なインフラを提供し、彼らを啓蒙、教育することで文明の高みに引き上げるという考え方のことである。実際に、この理念に基づいて、ヨーロッパ諸国は植民地化した地域に学校や病院などを設置し、道路・鉄道・港湾・住宅などのインフラ整備を行った。だが、「文明化の使命」は植民地化を正当化するためのイデオロギーであり、それがヨーロッパ諸国を植民地獲得競争に向かわせた主たる動力であったかと言えば、それは否と言わざるを得ないであろう。ちなみに、イタリアも「文明化の使命」の理念のもとに、エリトリアやソマリア、リビアを植民地化した際に、学校の建設や教育制度の整備といった現地民の「生活向上」をもたらすような政策を行った。しかし、一九九〇年代以降のソマリア内戦(無政府状態)や二〇一〇年代以降のリビアの状況(東西の分裂と主権を代表する政府の不在)を見る時、ソマリアにおいてはイタリア植民地統治による現地部族制度への介入、リビアにおいてはもともと文化の異なる二つ(ないし三つ)の地域をイタリアが人為的に一つの地域に仕立て上げたことを考えれば、イタリアによる植民地化は「創造」よりもはるかに多くの「破壊」をもたらしたと言わざるを得ないのである。

この時代のヨーロッパの植民地獲得競争を説明するもう一つの概念として「社会帝国主義」がある。これは国内の社会矛盾、具体的には工業化・都市化の進展に伴う社会的格差の拡大とそれがもたらす社会的紛争を前にして、国内秩序の維持のために対外膨張を行ったと捉えるものである。この説に対して、A・ポーターはたとえばビスマルク時代のドイツではビスマルク自身が植民地獲得に積極的でなく、国内秩序を維持するための政策が対外膨張には向かなかったことや、世紀転換期のイギリスの自由党は社会政策を積極的に推進する一方で、反帝国的な立場をとっていたことなどを根拠に、この説を否定的に論じている(ポーター 二〇〇六：六二頁)。確かに、大陸ヨーロッパ諸国で国内の社会問題の解決(ないし緩和)のために政府が積極的な政策を採り始めるのが一八八〇年代末から九〇年代以降であることを考えると、そのことが植民地獲得競争の原因であったとみなすことには無理がある。ただ、植民地獲得への動きが加速する一八九〇年代以降に積極的な社会政策が採られるようになったことは確かであり、両者の因果関係をどのように説明するかについては議論の余地があるとしても、両者が密接に関わりあった事象であったと言うことはできるだろう。

それでは、一八七〇年代以降にヨーロッパ諸国間で植民地獲得競争が激化することの原因はどのように説明できるのであろうか。J・スパーバーはさまざまな説を検討した末に控えめにナショナリズムの高まりであると述べているが、ここでは暫定的にその考え方に従うことにしたい(Sperber 2009: 192)。より具体的に言えば、社会ダーウィン主義(後述)の「適者生存」という思想に下支えされた攻撃的なナショナリズムと言うべきであろうか。

ここで再びイタリアの事例に言及してみよう。イタリアがアフリカでの植民地獲得を目指した最大の理由は、当時の国際政治の環境において植民地を持つことこそが「列強」の一員として認知されることであると認識していたからである。イタリアが当初植民地化しようとしていたチュニジアは、もともとマッツィーニが統一イタリア国家の一部になり得るとみなしていたことに示されるように、イタリアと地理的にも歴史的にも密接な関係にあり、イタリア人商人や労働者も一定の規模で居住していた。だが、フランスが一八八一年にチュニジアを保護国にしたことで、イタリアは新たな植民地候補として紅海沿岸地域(現在のエリトリア)に関心を移した。そこには既にイタリアの民間企業に買収されたアッサブという港湾都市があったからだが、一八八二年にイタリア政府がアッサブを正式に植民地とすることができたのは、スーダンで起きた反英蜂起であるマフディー運動への対応に苦慮したイギリスがイタリア軍の側面支援を期待したからであった。その後もこの地域がイタリアの経済発展に利することがあったとは言えない。リビアにしても、イギリスの保護国化となったエジプトとフランスが植民地化したチュニジア・アルジェリアの間に位置する、イギリスとフランスの二つの勢力の緩衝地帯として植民地化されていなかった土地である。二〇世紀初頭にイタリア国内でリビアをイタリアの植民地にすべきであるという世論が高まったとき、ここを移民となって諸外国で差別・搾取されているイタリア人農民のための新たな入植地にすべきであるという言説が流布したが、リビアの土地の大半は砂漠であり、その言説は全くの夢想にすぎなかった。それでもイタリアは「列強としての尊厳をかけて」リビアに対する宗主権を主張するオスマン帝国との植民地戦争に乗り出さざるを得なかったのである。

このように、ヨーロッパにおける国民国家体制の確立と植民地獲得競争は密接に結びついた事象であった。これに対して、アメリカ合衆国もこの時期に北米大陸の外側に向かって対外膨張を開始した。キューバでの独立運動が宗主国スペインによる弾圧を受けていたさなかの一八九八年に米西戦争を起こし、キューバを独立させて保護国としただけなく、スペインからプエルトリコとグアムを獲得し、さらにフィリピンを事実上の植民地とした。また一八九九年とその翌年には、中国(清朝)に対して市場開放(「門戸開放」)を要求した。その後もキューバからのグアンタナモ海軍基地租借やパナマ運河租借などカリブ海域に対する干渉を強めるとともに、太平洋西部にも領土を獲得して勢力を拡大していったのである。

他方で、ラテンアメリカでは、ブラジル(一八八八年にようやく奴隷制を廃止し、その翌年に帝政を廃して共和政となった)やベネズエラ、コロンビア、グアテマラなどのコーヒー、アルゼンチンの牛肉など、輸出向け産品の生産と輸出が好調で、経済発展が続いた。とりわけアルゼンチンの経済成長は著しく、二〇世紀初頭には国内総生産で世界上位の一〇位以内に入るまでになった。しかし、イギリスを中心とする海外資本の従属のもとにおかれ、特定の産品の輸出に極度に依存して工業化が進展しない経済の構造は脆弱であった。経済成長は長くは持続せず、ラテンアメリカ諸国は戦間期以降、経済的な停滞を余儀なくされることになる。

世界標準の制度・組織

一九世紀後半には、さまざまな世界標準の制度や組織が設立されていった。その嚆矢とも言えるのが、一八五一年に最初に開かれた万国博覧会である。それがロンドンで開催されたことが示しているように、万博は本来、高い技術を必要とする工芸品、最新の技術や工業製品を紹介することを目的としたものであった。ロンドン万博の成功に刺激を受けたナポレオン三世はフランスの産業発展の成果を誇示するために万博の開催に熱心であり、その在任中に二回開催している。結局、第一次世界大戦まで一九回の万博が開催されたが、開催地の内訳はフランス五回、アメリカ合衆国とベルギーが四回ずつ、イギリス二回、オーストリア・スペイン・イタリア・オーストラリアがそれぞれ一回ずつであり、それは紛れもなく欧米の行事であった。また、工業製品や技術の紹介という本来の趣旨とは逸脱して、植民地から人々を呼び寄せて「人間展示」を行うという露骨な植民地主義が顔を出す場面もあった。

また、一八六五年にはパリで万国電信連合(ＩＴＵ)が設立され、本部がスイスのベルンに置かれている。電信技術は一八三〇年代にアメリカ合衆国のモールスらによって実用化され、瞬時に情報を伝達する手段として世界中に伝播していった。一八五一年にドーヴァー海峡の海底ケーブルが敷設されてイギリスと大陸ヨーロッパ諸国が電信で結ばれ、一八六六年には長期にわたる工事の末に大西洋横断海底ケーブルが敷設された。イギリスはこれらの敷設作業に大きく関わり、自国に優位な形で電信網を広げていった。これに対して、大陸ヨーロッパ諸国は独墺電信連合とフランス中心の西部欧州電信連合の二つの組織が存在していたが、イギリスに対抗するためにナポレオン三世の提唱のもとに万国電信連合が設立されるにいたった。そのため、この組織は当初、大陸ヨーロッパ諸国のみが参加しており、真に世界規模の組織となるのは第一次世界大戦後のことであった(焦点「海域から見た一九世紀世界」)。

続いて、一八七四年には万国郵便連合(UPU)がベルンで設立された。国境を越える郵便物の扱いについては、それまで二国間協定によって個別に取り決められていたが、この機関の設立により加盟国間で一括した取り決めがなされるようになった。具体的には、加盟国間での郵便料金の平準化、相互の切手の承認、郵便料金の分配方法のルール化などである。この機関の設立により、一般の人々にとっても安価で比較的迅速に手紙のやり取りなどができるようになった。創設時の加盟国はアメリカ合衆国を除けばほぼヨーロッパに限定されていたが、設立から数年でラテンアメリカ諸国や日本なども参加し、比較的早い段階で世界規模の組織となっていった[7]。

さらに、一八七五年にはパリでメートル条約が締結され、それとともに国際度量衡局が設立された。フランス革命の際に誕生したメートル法が国際標準として認められることになったのである。前年に発足していた万国郵便連合もすでに国際郵便の重量をグラムで量ることを決定していた。これに対し、国際的な標準時に関しては、一八四〇年代に標準時の基準とされていたイギリスのグリニッジ子午線が優位を保ち、一八八四年にワシントンで開催された国際子午線会議でグリニッジ子午線が経度〇として採用された。

そして、一八九四年にはパリで国際オリンピック委員会(IOC)が設立されている。イギリスの名門校ラグビー校を視察したことをきっかけに、エリート教育におけるスポーツ教育と古典教育の重要性に目覚めたフランス人ピエール・ド・クーベルタンによって提唱された近代オリンピックは、一八九六年に古代オリンピックに敬意を表してギリシアのアテネで開催された。その後は四年に一度、世界各地の諸都市で持ち回り開催されるようになった。アテネ大会では個人参加を基本にし、国家ではなく都市による開催という形をとることで、国家間競争になることを抑止しようとした一面もあったが、メダル授与や国旗の掲揚といった儀礼や、国際的な行事としての認知度、人気の高まりとともに、ナショナリズムの発露(「国威発揚」)のツールとなっていった。また、オリンピックや各種競技(とりわけサッカーをはじめとする団体球技)の普及は、ヨーロッパで確立された身体の鍛錬、身体の規範を世界規模で浸透させることに貢献した。

ここまで見てきた制度や組織は、名称変更などを経験したものもあるが、すべて現在でも存在している。アジア・アフリカの多くの地域を植民地化していった一九世紀のヨーロッパで設立された制度や組織が、植民地が独立したのちも、独立した諸国家の参加によって規模を拡大させながら存続しているのである。洋装(=西洋的な服装)の世界的な普及などとともに、こうした制度や組織はヨーロッパの世界的な影響力が低下していった時代においてもなお、ヨーロッパが保持する文化資本として世界規模でヘゲモニーを行使している。(8)

ところで、「万国」(universal)というヨーロッパ語の形容詞はもともと「一つの、世界の」を意味するラテン語に由来し、一八世紀の啓蒙思想において頻繁に用いられた言葉である。日本語では古くから存在する漢語である「万国」という訳語をあてたが、本来universalには「国、国家」は含意されていない(ただし、中国や日本ではinternationalに対しても「万国」という訳語が使われた事例が多く存在する)。これに対して、「国際」(international)という形容詞は英語としては一八世紀末にジェレミ・ベンサムが著作のなかで用いたのが初出であるとされる比較的新しい言葉であり、一九世紀半ばまではそれほど頻繁に用いられることはなかった。その後、社会主義の「インターナショナル」をはじめとして、いわゆる「国際的」な機関の名称に一般的に用いられるようになった。つまり、「万国博覧会」や「万国郵便連合」などは啓蒙の時代の響きが残るいささか古い命名法であり、国際オリンピック委員会のように一九世紀末に設立された機関では「国際」を用いることが常識化していたということになる。internationalとは「nation の間」(ラテン語ではintra)のことであり、nation の存在を前提とした言葉である。この用語法からも、一九世紀後半(とりわけ一八七〇年代以降)に国民国家体制が確立したことがうかがえるのである。

実証主義の時代と反実証主義・反合理主義の登場

一九世紀後半の人文社会科学あるいは思想の世界において、中心的な潮流となったのが実証主義である。これは超越的な存在を否定し、観察と実験によって得られた経験的な事実に基づいて検証と反証を繰り返すという思想、あるいはその思想に基づいて行う学問の手法を指す。「実証主義」という言葉を最初に用いたのはサン＝シモンであるが、それを理論化、体系化したのは彼の弟子であったオーギュスト・コントである。コントは人間精神が「神学―哲学―科学」の三段階の発展を遂げると捉え、実証主義は科学の時代における認識の在り方であるとした。彼が体系化した実証主義の背景には、対象となる事物は客観的に存在するというデカルト的な自然科学観と、人類の発展や進歩を前提とする進歩主義があった。この思想はめざましい工業発展のなかで、社会の日々の「進歩」を実感する人々に受容された。コントによって提唱された社会学に加え、法学や歴史学などが実証主義のもとに近代的な学問として装いを新たにした。実証主義はヨーロッパだけでなく南北アメリカにも影響を与え、ブラジルでは共和主義と結びつき、アルゼンチンでは経済政策・都市政策と結びついて政治的な思想ともなった。

だが、一九世紀後半は、一見もっともらしい学問や思想の姿を装いながら、今日からすると異様とも言える言説が生み出された時代でもあった。その一つが人種論的反ユダヤ主義である。一八世紀末以降の比較言語学の進展により、サンスクリット語とヨーロッパ諸語との比較を通じて「インド・ヨーロッパ語」という概念が生み出された。さらに、このインド・ヨーロッパ語に含まれる諸語の共通の祖先として「アーリア人」という人々の存在が仮定された。また、比較言語学では、アラビア語やヘブライ語などが同じグループに属するとされ、「セム語」という概念が生み出された。これらグループはあくまでも言語のカテゴリー分けであったはずだが、一九世紀半ば以降、次第に含意するものが横滑りして、人種のカテゴリーとして認識されるようになる。時はまさに、ヨーロッパ諸国でユダヤ教徒の解放

（宗教的差別の撤廃）が進む時期であった。そして、ユダヤ教徒に対する差別（anti-judaism）が法的に消滅するのと裏腹に、「人種としてのユダヤ人」に対する差別である「反ユダヤ主義」（antisemitism）が登場するのである。antisemitism という言葉自体、一八七〇年代に初出の新しい言葉である。「ユダヤ人」とは本来的にはユダヤ教を信仰する宗教集団のことであり、彼らが居住する地域によって外見的にはさまざまな人々が存在するのだが、そうした差異はいっさい等閑視されたうえで、彼らを単一の「人種」（race）としてみなすという思想が生まれたことになる。この反ユダヤ主義は比較的短い期間で、ヨーロッパ諸国やアメリカ合衆国などで一定の規模の信奉者を生み出していくことになる（フレドリクソン 二〇一九：七六―七八頁）。

次に、優生学である。優生学を提唱したのはイギリス人フランシス・ゴルトンである。彼はチャールズ・ダーウィンの従兄弟であり、ダーウィンの『種の起源』（一八五九年）に示唆されつつ、一八六九年に『遺伝的才能』という著作を発表した。彼によれば、遺伝的特質は環境によって変化することはありえず、優秀な遺伝的特質を保護するために、「劣等」な遺伝的特質を隔離すべきなのである。のちに刊行した別の書物で、彼は自らの思想に「優生学」という名前を与えたが、それがある種の「実証」に基づくことを信じて疑わなかった。実際に、彼は植物を使った実験や統計資料の活用といった「科学的方法」に依拠していたのである。

次に、社会ダーウィン主義である。これはダーウィンが『種の起源』において「生存競争」や「自然選択」といった概念を用いながら、生物は環境に適応するために常に変容している（進化している）と論じたことに影響を受けて、この理論を人間社会に応用しようとするものである。イギリスのハーバート・スペンサーはすでに『種の起源』刊行以前からこれに類する論を展開していたが、同書の刊行後には「自然選択」を「適者生存」と読み替えて、社会が「進化」する過程を論じた。さらにその後は、人間社会は生存競争を繰り広げ、「適者生存」の原則によって不適応とみなされた人間や社会集団は自然淘汰されるとする攻撃的な社会ダーウィン主義を展開する論者が数多く現れることになる（焦点「植民地統治と人種主義」）。

最後に、犯罪人類学を紹介しておく。これはイタリアの法医学者チェーザレ・ロンブローゾによって一八七〇年代から提唱され、生まれながらにして犯罪性向のある肉体的・精神的な特質を持った人間が存在し、そうした「先天性的な特質」を具体的な事例を列挙することによって実証的に検証するというものである。彼は刑務所において死亡した受刑者の医学鑑定を数多く行い、とりわけ頭蓋骨の大きさや形状に着目することによって、頭蓋骨におけるさまざまな「欠陥」が人を犯罪者にしているという結論を導くのである。彼の提唱した犯罪人類学は都市化の進展とともに都市犯罪が増加する状況のなかで高い評価を受け、ヨーロッパ諸国だけではなく南北アメリカでも広く受容された（Gibson 2002: 248-250; 北村 二〇〇五：四六―五三頁）。

以上見てきたように、実証主義全盛の時代に、今日では受け入れ難い言説が実証主義的な「学問」の名のもとで展開されてきた。仮に研究を進める手続き、手法が手堅いものであったとしても、研究を始める際の前提に問題があれば、結論が受け入れ難いものになるということを示していると言える。それとともに、この時代の思想には本質主義的な志向が強いこと、すなわち、人種や民族、ジェンダー、犯罪といった諸要素が、所与で生得的なものであるという考え方がきわめて強いことがわかる。「私には犯罪者の本性という問題が理解できたように思えた。犯罪者たちはこの文明化された時代に、未開の野蛮人の特質、あるいは食人種の時代にまで遡るような劣等な種の特質を再生産しているのである」というロンブローゾの言葉はそのことをよく物語っている（Lombroso 1897: 6-7; 北村 二〇〇五：四八頁）。

さて、一九世紀後半に思想・学問の中心にあった実証主義だが、世紀末にはそれに対する反発から新たな潮流が登場してくる。実証主義が実験や観察を重視するのに対して、人間の主観や意識、さらには目に見えないものを重視する立場である。具体的には、歴史学を精神科学と位置づけたW・ディルタイ、文化的規範の観点から社会を論じた

M・ヴェーバー、人間心理の無意識に着目したS・フロイトなどである。また、芸術の分野でも象徴主義や印象派に始まり、O・ワイルドやG・クリムトといったいわゆる世紀末芸術にいたるまで、さまざまな手法の活動が見られた。実証主義が社会の進歩に対するゆるぎない信頼を背景にしていたとすれば、これらの反実証主義的な動きは、進歩というものに対する懐疑を背景にもっていた。ヨーロッパにおいて「進歩」に対する信頼が完全に崩壊するのは、第一次世界大戦後のことである。

注

(1) アジアの諸帝国も含めた帝国史研究の概観に関しては(二〇〇〇年代初頭までの研究に限定されるが)、山本(二〇〇三)、特にその第一章「「帝国」とは何か」が有益である。
(2) 近世における複合君主政・礫岩国家については、古谷・近藤(二〇一六)を参照されたい。
(3) 国勢調査をはじめとする統計調査が開始される以前の人口については推計値であり、研究文献によって数字は異なる。ここでは基本的に、安元(一九八九)とリヴィ－バッチ(二〇一四)の挙げる数字を採用する。
(4) フーコーの生政治論を踏まえた近代ヨーロッパの感染研究として、西迫(二〇一八)が参照されるべきである。
(5) ファイジス(二〇一五)は、クリミア戦争がイスラーム教、東方正教会、カトリック教会といったさまざまな宗教・宗派による対立を背景とした宗教紛争であったことを強調している。
(6) 国内における代表的な研究としては、杉本(一九九五)を挙げることができる。
(7) 以上の諸組織に関する情報は、西山(二〇二二)の記述に大きく負っている。
(8) 一例を挙げれば、国際オリンピック委員会は創設から二〇二三年時点までの一二〇年あまりの歴史のなかで歴代会長はわずか九人にすぎないが、そのうちの八人がヨーロッパ人であり、残りの一人はアメリカ人である。

参考文献

飯田芳弘(二〇一三)『想像のドイツ帝国――統一の時代における国民形成と連邦国家建設』東京大学出版会。

ヴァン＝ヒンダーアハター、マールテン、ジョン・フォックス編(二〇二三)『ナショナリズムとナショナル・インディファレンス――近現代ヨーロッパにおける無関心・抵抗・受容』金澤周作・桐生裕子監訳、ミネルヴァ書房。

エヴァンズ、リチャード・J(二〇一八)『力の追求――ヨーロッパ史 一八一五―一九一四』〈シリーズ 近現代ヨーロッパ二〇〇年史〉、上・下、井出匠・大内宏一・小原淳・前川陽佑・南祐三訳、白水社。

大津留厚(一九九五)『ハプスブルクの実験――多文化共存を目指して』中公新書。

勝田俊輔・高神信一編(二〇一六)『アイルランド大飢饉――ジャガイモ・「ジェノサイド」・ジョンブル』刀水書房。

勝田由美(一九九三)「イタリアにおける女性労働者の保護立法(一八八三―一九〇二)」『イタリア学会誌』四三巻。

河村貞枝(二〇〇六)「女性参政権運動の展開――選挙権をめぐる階級・ジェンダー・ネイション」河村貞枝・今井けい編『イギリス近現代女性史研究入門』青木書店。

北村暁夫(一九九九)「近代イタリアの移民と家族――南北の山間地域を比較する」歴史学研究会編『社会的結合と民衆運動』〈地中海世界史〉5、青木書店。

北村暁夫(二〇〇五)『ナポリのマラドーナ――イタリアにおける「南」とは何か』山川出版社

北村暁夫(二〇一九)『イタリア史一〇講』岩波新書。

北村暁夫・小谷眞男編(二〇一〇)『イタリア国民国家の形成――自由主義期の国家と社会』日本経済評論社。

貴堂嘉之(二〇一九)『南北戦争の時代 一九世紀』〈シリーズ アメリカ合衆国史②〉、岩波新書。

木畑洋一(二〇一二)「総論 帝国と帝国主義」木畑洋一・南塚信吾・加納格『帝国と帝国主義』〈二一世紀歴史学の創造〉4、有志舎。

木畑洋一・後藤春美編(二〇一〇)『帝国の長い影――二〇世紀国際秩序の変容』ミネルヴァ書房。

喜安朗(二〇〇九)『パリ 都市統治の近代』岩波新書。

工藤晶人(二〇一三)『地中海帝国の片影――フランス領アルジェリアの一九世紀』東京大学出版会。

栗原涼子(二〇一〇)「女性参政権運動」有賀夏紀・小檜山ルイ編『アメリカ・ジェンダー史研究入門』青木書店。

ケイン、P・J、A・G・ホプキンズ(一九九七)『ジェントルマン資本主義の帝国』I(竹内幸雄・秋田茂訳)、II(木畑洋一・旦祐介訳)、名古屋大学出版会。

コリー、リンダ(二〇〇〇)『イギリス国民の誕生』川北稔監訳、名古屋大学出版会。

篠原琢(二〇二一)「ネイションの自然権から歴史的権利へ――フランチシェク・パラツキーのハプスブルク帝国国制論」『歴史学研究』一〇一五号。

篠原琢・中澤達哉編(二〇一二)『ハプスブルク帝国政治文化史――継承される正統性』昭和堂。

篠原一(一九八六)『ヨーロッパの政治――歴史政治学試論』東京大学出版会。

柴田三千雄(二〇〇七)『フランス革命』岩波現代文庫。

シュヴァリエ、ルイ(一九九三)『労働階級と危険な階級――一九世紀前半のパリ』喜安朗・木下賢一・相良匡俊訳、みすず書房。

杉本淑彦(一九九五)『文明の帝国――ジュール・ヴェルヌとフランス帝国主義文化』山川出版社。

竹沢泰子(二〇二三)『アメリカの人種主義――カテゴリー/アイデンティティの形成と転換』名古屋大学出版会。

立石博高(二〇二一)『スペイン史一〇講』岩波新書。

ヅッカー、A・E編(二〇〇四)『アメリカのドイツ人――一八四八年の人々・人名辞典』石塚正英・石塚幸太郎訳、北樹出版。

常岡史子(一九九九)「ドイツ民法典への強制的「民事婚」と有責主義的離婚制度の導入――国家と教会の相剋とその止揚」石部雅亮編『ドイツ民法典の編纂と法学』九州大学出版会。

中嶋洋平(二〇一八)『サン=シモンとは何者か――科学、産業、そしてヨーロッパ』吉田書店。

西迫大祐(二〇一八)『感染症と法の社会史――病が作る社会』新曜社。

西山暁義(二〇二二)「国境を越える連帯の模索」北村暁夫・中嶋毅『近現代ヨーロッパの歴史――人の移動から見る』放送大学教育振興会。

ネグリ、アントニオ、マイケル・ハート(二〇〇〇)『〈帝国〉――グローバル化の世界秩序とマルチチュードの可能性』以文社。

ノワリエル、ジェラール(二〇一五)『フランスという坩堝――一九世紀から二〇世紀の移民史』大中一彌・川崎亜紀子・太田悠介訳、法政大学出版局。

ハント、リン(二〇二〇)『フランス革命の政治文化』松浦義弘訳、ちくま学芸文庫。

平野千果子(二〇二二)『人種主義の歴史』岩波新書。

ファイジス、オーランドー(二〇一五)『クリミア戦争』上・下、染谷徹訳、白水社。

ファウスト、ボリス(二〇〇八)『ブラジル史』〈世界歴史叢書〉、鈴木茂訳、明石書店。

福井憲彦(二〇〇五)『ヨーロッパ近代の社会史――工業化と国民形成』岩波書店。

藤澤房俊(二〇一一)『マッツィーニの思想と行動』太陽出版。

古谷大輔・近藤和彦編(二〇一六)『礫岩のようなヨーロッパ』山川出版社。

フレドリクソン、ジョージ・M(二〇一九)『人種主義の歴史』李孝徳訳、みすず書房。

ベイリ、C・A(二〇一八)『近代世界の誕生――グローバルな連関と比較 一七八〇―一九一四』上・下、平田雅博・吉田正広・細川道久訳、名古屋大学出版会。

ポーター、アンドリュー(二〇〇六)『帝国主義』〈ヨーロッパ史入門〉、福井憲彦訳、岩波書店。

ホブズボーム、エリック(一九六八)『市民革命と産業革命――二重革命の時代』安川悦子・水田洋訳、岩波書店。

松浦義弘(二〇一三)「フランス革命史研究の現在」山﨑耕一・松浦義弘編『フランス革命史の現在』山川出版社。

松本彰・立石博高編(二〇〇五)『国民国家と帝国――ヨーロッパ諸国民の創造』山川出版社
マルシャン、B(二〇一〇)『パリの肖像 一九―二〇世紀』羽貝正美訳、日本経済評論社。

村山聡(二〇二〇)「近代に向かう人口と環境――ヨーロッパ、特にドイツを中心に」秋田茂・脇村孝平編『人口と健康の世界史』〈MINERVA 世界史叢書〉8、ミネルヴァ書房。

安元稔(一九八九)「一七―一八世紀ヨーロッパの人口変動」『歴史における自然』〈シリーズ世界史への問い〉1、岩波書店。

安元稔(二〇一九)『イギリス歴史人口学研究――社会統計にあらわれた生と死』名古屋大学出版会。

山﨑耕一(二〇一八)『フランス革命――「共和国」の誕生』刀水書房。

山根徹也(二〇〇三)『パンと民衆――一九世紀プロイセンにおけるモラル・エコノミー』山川出版社。

山本有造編(二〇〇三)『帝国の研究――原理・類型・関係』名古屋大学出版会。

ラポート、マイク(二〇二〇)『ナポレオン戦争――十八世紀の危機から世界大戦へ』楠田悠貴訳、白水社。

リヴィ-バッチ、マッシモ(二〇一四)『人口の世界史』速水融・斎藤修訳、東洋経済新報社。

レヴァイン、フィリッパ(二〇二一)『イギリス帝国史――移民・ジェンダー・植民地へのまなざしから』並河葉子・森本真美・水谷智訳、昭和堂。

割田聖史（二〇一二）『プロイセンの国家・国民・地域——一九世紀前半のポーゼン州・ドイツ・ポーランド』有志舎。

＊日本語文献としては、全体として上記以外にも「新版 世界各国史」（山川出版社）の『フランス史』『ドイツ史』『スイス・ベネルクス史』『イタリア史』『スペイン・ポルトガル史』『バルカン史』『ドナウ・ヨーロッパ史』『ポーランド・ウクライナ・バルト史』『北欧史』『ロシア史』『アメリカ史』『ラテン・アメリカ史Ⅰ（メキシコ・中央アメリカ・カリブ海）』『ラテン・アメリカ史Ⅱ（南アメリカ）』を参照した。

Alexander, R. S. (2012), *Europe's Uncertain Path 1814-1914,* Hoboken, Wiley-Blackwell.

Banti, Alberto Mario (2004), *Il Risorgimento italiano*, Roma-Bari, Laterza.

Cole, Joshua (2000), *The Power of Large Numbers; Population, Politics, and Gender in Nineteenth-Century France*, Ithaca and London, Cornell University Press.

Colley, Linda (2021), *The Gun, the Ship and the Pen; Warfare, Constitutions, and the Making of the Modern World*, London, Profile Books.

Gallois, William (ed.) (2019), *Rethinking the History of Empire,* London and New York, Routledge.

Gibson, Mary (2002), *Born to Crime: Cesare Lombroso and the Origins of Biological Criminology*, London, Holtzbrinck.

Green, Nancy L., and R. Waldinger (eds.) (2016), *A Century of Transnationalism: Immigration and Their Homeland Connections*, Champaign, University of Illinois Press.

Isabella, Maurizio (2009), *Risorgimento in Exile: Italian Émigrés and the Liberal International in the Post-Napoleonic Era*, Oxford and New York, Oxford University Press.

Jackson Jr., James H. (1997), *Migration and Urbanization in the Ruhr Valley, 1821-1914,* Boston, Humanities Press.

Judson, P. M. (2006), *Guardians of the Nation: Activists on the Language Frontiers of Imperial Austria,* Cambridge, MA, Harvard University Press.

Lester, Alan, Kate Boehme and Peter Mitchell (2021), *Ruling the World: Freedom, Civilization and Liberalism in the Nineteenth-Century British Empire*, Cambridge, Cambridge University Press.

Lombroso, Cesare (1897), *L'uomo delinquente*, 4ª ed., vol. 3, Torino, Fratelli Bocca Editori.

Murray-Miller, Gavin (2020), *Revolutionary Europe: Politics, Community and Culture in Transnational Context, 1775-1922*, London et al., Bloomsbury Academic.

Osterhammel, Jürgen (2009), *The Transformation of the World: A Global History of the Nineteenth Century*, Princeton and Oxford, Princeton University Press.
Rapport, Mike (2008), *1848: Year of Revolution*, New York, Basic Books.
Sperber, Jonathan (2009), *Europe 1850–1914: Progress, Participation and Apprehension*, London and New York, Routledge.
Sperber, Jonathan (2017), *Revolutionary Europe 1780–1850*, 2nd ed., London and New York, Routledge.

コラム｜Column

一九世紀フランス社会とメディア

小倉孝誠

　フランス史では、一七八九年の革命勃発から一九一四年の第一次世界大戦までを広く「一九世紀」と捉えるのが通例で、それは活字メディアの時代だった。議論の場として公共圏を形成していた上流階級のサロン、一八三〇年代に発明された写真も広義のメディアにあたるが、書籍、教科書、新聞、雑誌などの印刷物がメディアをほぼ独占していたのが、この時代の特徴と言える。

　一九世紀になって印刷物が広く普及するようになったのは、いくつかの理由による。七月王政期（一八三〇―四八年）には輪転機の導入によって新聞・雑誌の印刷部数が飛躍的に伸び、木材パルプから安価な紙が製造されるようになって、それが書物や定期刊行物の価格を引き下げるのに役立った。それまでパリで発行される新聞は、駅伝馬車によって数日かけて地方に運ばれていたが、産業革命の象徴である鉄道によって翌日にはフランスの主要都市に届くようになった。そして一八三〇年代から本格化した教育改革、一八八〇年代の義務教育制度の確立によって国民の識字率が上がった。地方や男女による差はあるが、世紀初頭に平均して三割程度だった識字率は、世紀末には九割を超えた。こうして生産、流通、消費すべての面で、活字メディアが歴史の表舞台に登場してきた。同時に、それは出版資本主義が社会に浸透したことを意味する。

　一九世紀の歴史において、新聞の役割は決定的だった。フランス革命時に数多くの新聞が創刊され、その後も一八四八年の二月革命や一八七一年のパリ・コミューンなど、社会の激動に際してあらゆる傾向の新聞が叢生し、政治と社会の動静に働きかけようとした。そうした中で、新聞の普及と紙面構成に大きく影響した出来事が二つある。第一に、ジラルダンが一八三六年に新聞『プレス』を創刊し、年間購読料を他紙の半分に引き下げ、はじめて連載小説を掲載することで購読者を増やした。とはいえ『プレス』も政治、社会、文化欄を重視する硬派の新聞だった。それに対して、第二の出来事として、ミヨーが一八六三年にパリで発刊した『プチ・ジュルナル』は政治色を薄め（第二帝政期には検閲が厳しかったという事情もある）、啓蒙的な時評、冒険小説などの文学作品、そしてセンセーショナルな三面記事を載せることで人気を博した。しかも一部の価格は他紙の三分の一だった。一八六七年には二五万部の発行部数を誇り、これは当時としては破格の数字である。新聞の大衆化が始まったといえよう。

　派手な挿絵がこの新聞の第一面を飾ることが多かった。さらには写真も活用されて、新聞が文字情報だけでなく視覚イメージも提供した。作家エミール・ゾラは、『プチ・ジュルナル』がそれまで自分たちの声を代弁する新聞を持たなかった民衆に狙いを定め、新聞の新たな読者層を掘りおこした、とその歴史的意義を高く評価した。世紀の変わり目である一九〇〇年前後、パリには約一〇〇万部を誇る新聞が『プチ・ジュルナル』を含めて四紙もあり、まさに大衆ジャーナリズムの黄金期だった。これは世界的に見ても刮目すべき状況だろう。

　一方で新聞の大衆化に誰もが喝采したわけではない。世紀をつうじて、度重なる革命や体制転覆を経験したフランスにとって、表現・出版の自由が民主主義を保障するのか、それとも群衆を煽動し、無秩序への道を拓くのかは、激しい議論の的であり続けた。世紀末には、社会学者のギュスターヴ・ル・ボンが、近代に生まれた「群衆」を混乱と暴力の温床と見なしたのに対して、同じく社会学者のガブリエル・タルドは「群衆」と「公衆」を区別し、「公衆」とは新聞・雑誌が流布させる一定の政治信条とイデオロギーを共有する社会集団だとして、その存在を価値づけた。メディアが政治や社会を動かす時代が始まっていた。

ロシア皇帝アレクサンドル3世のフランス来訪を伝える『プチ・ジュルナル』. 1896年10月18日付

　実際フランスに限ったことではないが、一九世紀の新聞は国民アイデンティティの形成と深く結びついている。政治新聞であれ大衆新聞であれ、国王や大統領の視察、外国との戦争、国内のイベントなど権力が国民的統合を示すために利用するさまざまな出来事を、挿絵や写真入りで華々しく報道することにより、新聞は素朴なナショナリズムを刺激した。活字メディアは、国家の存在を可視化し、国民の一体性を強化する手段として機能したのである。

　さらに、一九世紀後半は西欧列強が植民地政策を推進した時代であり、フランスもまた「文明化の使命」を掲げてアフリカやインドシナに進出した。その政策を支持し、遠い異国の習俗をルポルタージュとして報道したのが新聞である。社会的、文化的な他者の存在が、国民意識を強化した。ベネディクト・アンダーソンは『想像の共同体』(一九八三年)において、近代ナショナリズムの起源に新聞が大きく関わっていることを指摘したが、それは一九世紀フランスによく当てはまる。時代の産物である新聞は、歴史的表象の形成に深く関与したのだった。

問題群 | *Inquiry*

問題群｜*Inquiry*

ヨーロッパにおける国家体制の変容

割田聖史

はじめに

本稿は、一八一五年から一九一四年のヨーロッパにおける国家体制について扱う。ここでは、国家体制を二重の意味でとらえる。第一は、諸国家体制としてのヨーロッパの国際体制、第二は、各国内の国家体制である。

まず、この時期のヨーロッパの国際体制の大きな特徴は、ヨーロッパの中心部において、大きな戦乱のない「平和」な時代ということである。この「平和」は、大国間の「勢力均衡」と「合意形成」という「ヨーロッパの協調」(concert of Europe)という枠組みにおいて実現した。しかし、この「協調」は、一様に続いたわけではなく、それぞれの時期において動揺や緊張関係が生じた。そこで一九世紀を、①一八一五年から四八年のウィーン体制期、②一八四八年から七一年のドイツ帝国創設前後までの動揺と再編期、③一八七八年のベルリン会議から一九一四年の第一次世界大戦勃発までの二大陣営の形成期、と三つの時期に区分する。また一九世紀は、ヨーロッパ諸国が、海外に帝国主義的な進出をしていく時期でもある。ヨーロッパ諸国の利害の対立は、ヨーロッパの周辺地域やヨーロッパ外に「輸出」されることで、ヨーロッパ中心部の「平和」が保たれていたといえる。

次に、国家形態の変容に関して、一九世紀ヨーロッパでは、フランス革命およびナポレオン戦争によって広まった「自由で平等な個人」という理念に基づく近代的な国家概念が成立した。また当時は、歴史的な国家形態である帝国という形態の国家も存在していた。すなわち、自由主義・国民主義に基づく近代国家が勃興しつつあると同時に、歴史的な国家形態である帝国が併存している状況だったといえよう。これにさらに、ヨーロッパ列強は、植民地を獲得することで、植民地帝国となっていくこととなる。

本稿は、ヨーロッパにおける国際体制と国家体制が、連動しながら変化していく過程を検討する。さらに、自由主義的・国民主義的な近代国家と帝国がヨーロッパ内で併存しつつ、植民地帝国化していくことで生じたヨーロッパ内部の地域の「辺境化」についてとりあげる。

一、「ヨーロッパの協調」の成立

フランス革命とナポレオン戦争は、ヨーロッパに暴力・テロル・戦争をもたらした。ナポレオンに対する勝利によって一八一四年から一五年に開催されたウィーン会議は、ヨーロッパの混乱を終わらせた。ウィーン会議に基づく国際体制は、ウィーン体制と呼ばれることとなり、オーストリア外相(のちに宰相も兼任)のメッテルニヒの名と結び付けられる。

一八一四年から一五年の講和は、「テロル」「革命」に対する勝利を意味した。講和の特徴は、第一に、ナポレオンと戦った大国が永続的な平和のために団結したことである。第二は、フランスにブルボン王政を復活させたうえで、一七九二年以前の領土の保全と大国の地位を保たせたことである。第三は、君主の権利を支持し、ネイションの自決権を否定したことである。第四は、ポーランドを政治地図上から消滅させたような一八世紀的な「カニバリズム」を通じた勢力均衡を再発させないということである。ただし、ポーランドは独自の国家として復活することはなく、またザクセン王国もその全域がプロイセンに併合される危機に陥った（ただし、ザクセン王国は最終的には存続した）。第五は、この新しい勢力均衡の下ではすべての国が平等というわけではなかったことである。大国の覇権が優先されたが同時に、大国は、小国の独立と安全保障について配慮しなければならなかった（Gildea 2003: 57-60）。

B・デ・グラーフは、この「協調」体制の特徴を、「道徳的な献身と革新的な協力の形態と帝国主義的な楽観主義が組み合わさったユニークなプロセス」と評する（de Graaf 2020: 445-446）。この「道徳的献身」は、ヨーロッパの秩序を回復する責任があるという（宗教的な影響を受けた）「圧倒的な使命感」に支えられ、大国がヨーロッパの平和を保持するために秩序に反する小国を「規律化する」ことを正当化し、また、キリスト教国家のみがヨーロッパを構成するという観念を強化した（Bridge and Bullen 2005: 1-3）。このような「協調」の性格は、五国同盟（一八一五年から一八年までは四国同盟）と神聖同盟という安全保障組織に現れることとなる。

ウィーン体制は、イギリス、プロイセン、オーストリア、ロシアの戦勝国、そして後には大国として復活したフランスの五大国体制（「ペンタルキー」）によるヨーロッパの秩序維持の体制であった。「ドイツ」つまり旧神聖ローマ帝国領には、統一的な国家は成立せず、国家連合であるドイツ連邦が成立し、その主導権をオーストリアとプロイセンが争った。また、ポーランドの分割状態が維持された結果、ロシアの直接的な統治領域が歴史上で最も西へ張り出すかたちとなった。「協調」体制の安全保障は、イギリスの海軍力とロシアの陸軍力を支柱としており、ヨーロッパの内部においては、ロシアが「憲兵」としての役割を担うことになる。

ウィーン体制当初は、一八一八年のエクス＝ラ＝シャペル会議から二二年のヴェローナ会議に至る「会議外交」が展開され、国際関係は安定したように思われた。しかし、この「協調」は安定的なものではなかった。

不安定さの重大な要因の一つは、「東方問題」であった。一九世紀の「東方問題」は、バルカン半島、中東、北アフリカのナショナリズムの勃興、それらによるオスマン帝国の支配に対する闘争、そしてオスマン帝国の分解過程へのヨーロッパ列強の介入から生じ(Baumgart 2020: 3-5)、「ヨーロッパの協調」にも影響を及ぼした。一八二一年に始まるギリシア独立戦争は、オスマン帝国の退潮を印象付けると同時に、列強間の態度・利害の違いを表面化させた。

ここで「東方」に目を移すと、エジプトのパシャであるムハンマド・アリーが一八三一年にオスマン帝国のスルタンに勝利し、さらに四〇年にもオスマン帝国軍を圧倒した。これを見て、イギリス・フランス・ロシアは、オスマン帝国解体阻止のために軍事介入を行った。同年のロンドン条約によって、ムハンマド・アリーを支援したフランス、および、ダーダネルス海峡の通行権を失ったロシアは、この地域への進出を阻止され、イギリスが外交的に勝利した。この敗北を埋め合わせるために、フランスが「自然国境」であるライン左岸を要求したことでライン危機が生じた。ライン左岸は、一七九七年にフランスに併合されたが、一八一五年以降は主にプロイセンのライン州となっていた地域であった。最終的に、フランス首相のアドルフ・ティエールの辞任により事態は収束したが、フランス・ドイツ双方のナショナリズムは高まった。

「ヨーロッパの協調」を維持するはずのペンタルキーの多数が、自らの行動の自由を制限しようとせず利己的に振る舞うことで、オスマン帝国の内部状況だけでなく、「協調」自体にも影響を及ぼし、ヨーロッパ情勢にさえ危機を招きえたのである(Šedivý 2017: 282)。

二、「ヨーロッパの協調」の動揺

一八四八年から七〇年代前半の時期は、「ヨーロッパの協調」が本格的に脅かされた時期であるといえよう。動揺の始まりは、一八四八年革命であった。一八四八年革命の詳細は省くが、この革命の意義として、第一に、既存の国家の自由主義化が挙げられる。一八四八年の革命によって、フランスでは第二共和政が成立した。また、プロイセンには全国議会が開催され、欽定憲法が制定された。

第二に、ナショナリズムに基づく諸運動が展開したことである。ドイツではフランクフルト国民議会、イタリアでは第一次イタリア独立戦争、ハンガリーではコシュート・ラヨシュらによる独立運動が起こった。また、ボヘミア(チェコ)では、スラヴ人会議が開催され、オーストリアを対等な諸国民からなる連邦制に変えることが要求された。革命が波及しなかったロシアは、「ヨーロッパの憲兵」として、中・東欧における革命運動を撃破した。ただし、一八四八年革命は、結果的には、ヨーロッパの政治地図を変えることはなかった。

第三に、社会革命としての性格である。この革命によって、労働者が政治の一要素として明確になった。ベルリン、ウィーンでは民衆が蜂起し、革命の起点となった。パリでも民衆が蜂起し、臨時政府にも労働者の代表や社会主義者のルイ・ブランが閣僚に登用された。民衆を政治的に無視することはもはやできなくなったのである。男性普通選挙が採用されたフランスでは、民衆の票を獲得したルイ＝ナポレオンが大統領に選出された。ルイ＝ナポレオンは、一八五一年一二月にはクーデターで全権を掌握し、翌五二年には皇帝ナポレオン三世として即位することとなる。

一八四八年革命は、各国内の政治的変化を呼び起こしたが、列強間の関係を大きく変えることはなかった。列強が直接的に衝突したのは、一八五三年から五六年まで戦われたクリミア戦争であった。フランスがイェルサレムの聖墳墓教会の鍵の管理権(聖地管理権)を要求し、オスマン帝国がそれを容認しようとしたことに対して、ロシアが反発し、軍事行動を開始したことから、一八五三年一〇月に戦闘が始まった。当初、イギリス、フランスは参戦するつもりはなかったが、一一月末のロシアによる「虐殺」とされるシノープの海戦を契機にイギリスで世論が対ロシアに盛り上がったことで、一八五四年三月にイギリス、フランスがロシアに対して宣戦し、翌五五年にはサルデーニャが連合国側で参戦した。戦闘は長期化し、一八五四年一〇月から始まったセヴァストポリ要塞の包囲戦は、五五年九月まで約一年続き、連合国側が勝利した。ただし、戦闘が続いている間でも、二〇世紀の大戦とは異なり、交戦国間では外交活動が継続的に行われていたのであり、決して交渉が断絶したわけではなかった(Baumgart 2020)。最終的に、一八五六年三月三〇日にオーストリアとプロイセンの立ち会いの下で、パリ条約により講和が成立した。クリミア戦争は、列強間の直接対決には至ったが、ヨーロッパの中核地域における政治地図を変えることはなかった。

ヨーロッパの政治地図を実際に変えたのは、一八六一年のイタリア王国と一八七一年のドイツ帝国の創設であった。イタリア諸国では一八四八年革命の際にイタリア統一の機運が高まったが、その旗手となったサルデーニャ王国はオーストリアとの戦争に敗れ、国王カルロ・アルベルトは退位した。その後に即位した息子のヴィットーリオ・エマヌエーレ二世は、首相カヴールとともにサルデーニャ王国の改革を進めた。一八五九年六月にオーストリアとの戦争が開始され、翌六〇年には、サルデーニャは、北部と中央イタリアのほとんどを支配した。他方、南イタリアでは、ガリバルディが支配権を確立していた。最終的にガリバルディはヴィットーリオ・エマヌエーレ二世の支配権を受け入れ、サルデーニャ王国によってイタリア半島が統一された。

ドイツの統一は、一八四八年革命の際のフランクフルト国民議会のように、当初は自由主義的市民層の要望であった。しかし、フランクフルトの試みが失敗した後、ドイツ統一国家創設の主導権は、プロイセンが握ることとなった。プロイセンは、一八六二年にビスマルクが首相になると、六四年にオーストリアとともに、シュレスヴィヒとホルシュタイン地方をめぐり、デンマークと戦い勝利した。プロイセンとオーストリアは、両州の統治をめぐって対立し、六六年に開戦へと至った。プロイセンが勝利し、オーストリアはドイツ連邦における優位を失い、プロイセンを盟主とする北ドイツ連邦が作られた。プロイセンはドイツ北部を掌握したが、南部の四邦は独立的地位を保っていた。一八七〇年に始まるフランスとの戦争において、プロイセン軍は、ナポレオン三世を捕虜とし、パリを包囲した。この間、四邦が北ドイツ連邦に加盟し、翌七一年一月にドイツ帝国が成立した。

イタリアおよびドイツ統一の結果、ペンタルキー内部関係に変化が生じた。まず、プロイセンはドイツ帝国へと変わった。第二に、イタリア王国の登場は、五大国に次ぐ第六の強国の誕生を意味した。第三に、この二国の創設はオーストリアの犠牲を通じて行われた結果、オーストリアは、プロイセンに敗北した後、国内のハンガリー王国との「アウスグライヒ」(和協)を行い、二重君主国となった。最後に、ドイツ帝国創設の過程から、ドイツとフランスの関係が悪化した。これは第一次世界大戦までの外交の基本構図となった。

三、国家体制の変容

本節では、一九世紀に新しく現れた近代国家の特徴として、自由主義に基づく国家、民衆の包摂による社会国家への方向性、国家による国民統合と社会の国民化、中央集権化と「地方」の形成という相互に密接に結びついている四つの側面をとりあげる。

自由主義的国家

自由主義的な国家は、自由な個人から構成されることが理念的な前提である。この「自由」は、旧体制の「特権」に対抗する概念であった。「自由」を担うのは、経済的に自立し、自身を律することのできる(白人)男性が想定され、そのような存在は「市民」とされた。そのため、身分的に隷属する状態から解放された「市民」を創出することが目指された。

「自由」は、貴族の特権を廃止し、「市民」を束縛から解放することを意味した。そのため、人身の自由だけでなく、営業の自由、移動の自由、私有財産の不可侵が「自由」の基礎に置かれた。これらの「自由」は、既得権益として資産を持っていた有産層にとって有利なものであった。このような諸権利の実現は、政策面では政府による個人や社会への介入を最小限にとどめる「小さな政府」として現れた。この結果、貧富の差が許容され、資本家と労働者の分化は進展し、労働者階級が発生することとなる。

市民は、「公衆へと集合した私人たちの生活圏」「公権力にたいする批判的な圏」である公共圏を形成した(ハーバーマス 一九九〇)。その内部では自由な討論が行われ、世論が形成される。「自由で平等な個人」を前提とする国家は、自らの統治の正当性を確保するために、公共圏の支持を必要とすることとなった。一九世紀の自由主義的国家にとって、政治参加の可能性の拡大は、統治の正当性確保の重要な側面といえるだろう。

一九世紀前半のイギリスは、一八世紀の財政軍事国家から自由主義的国家への過渡期であり、統治の正当性が転換しつつあった。政治参加に関しては、一八三二年の第一回選挙法改正の一〇ポンド資格の創出、腐敗選挙区の廃止、工業都市への議席配分により、有権者数が四〇万から六五万に増え、成人男性の約二割が有権者となった。一八六七年の第二回改正、八四年の第三回改正により、有権者は都市労働者、農村労働者にまで広がった。一連の選挙法改正は、政治参加の可能性を広げることで、統治の正当性を担保した。ただし、女性の参政権(三〇歳以上)は、一九一八年の第四回改正を待たなければならない。選挙制度以外でも、一七九九年には国民所得の二〇%に及んでいた租税に関しても財政改革・租税改革を進め、第一次世界大戦勃発前にはその割合を半分以下としていくことで、政府は正当性と信頼を作り出すことに成功していた(Daunton 2001)。

フランスでは、復古王政期の貴族院は議員身分が世襲であり、他方、選挙制がとられた下院の政治的な活動の余地はほとんどなかった。一八三〇年の七月革命により即位したルイ＝フィリップは下院との契約に基づく国王であったが、七月革命後に行われた選挙制度改正においても制限選挙制は維持された。一八四八年の二月革命の臨時政府によって二一歳以上の男子による直接普通選挙が実現し、有権者が二五万人から九〇〇万人に増加した。しかし、四月の憲法制定国民議会選挙は、共和派や労働者ではなく、王党派・オルレアン王朝派が議会の多数を占めた。第二共和国憲法に基づいた一二月の大統領選挙では、ルイ＝ナポレオンが圧勝した。前述の通り、ルイ＝ナポレオンは一八五一年一二月二日にクーデターを起こし、翌年一二月に広範な国民的な支持を受けて皇帝ナポレオン三世として即位した。ナポレオン三世の統治は、ボナパルティズムとも「独裁」とも評されるが、選挙と議会に自己の権力の基盤を負っていた。続く第三共和政も同様である。さらに第三共和政は、宗教的にも世俗化を進展させ、政教分離を規定し、信教の自由を保障した。

ドイツ諸邦に目を移すと、ドイツ西南諸邦、特にバーデン、バイエルン、ヴュルテンベルク、ヘッセンは、一八〇三年の帝国代表者会議主要決議と〇六年のナポレオン支配下のライン同盟における領域再編でそれぞれ領土を拡大した。ナポレオン戦争後も自由主義的改革が行われ、一八一八年から二〇年にかけて四邦は立憲化し、議会が成立した。

他方で、ドイツ連邦を主導したオーストリア、プロイセンには全国議会、憲法は当初なかった。プロイセンでは、一八〇六年にナポレオンに敗れた後、ナポレオンに対抗するために、シュタインやハルデンベルクらによる自由主義的改革が行われた。特にシュタインは、都市における「市民」創出を目指した。しかし、ナポレオン戦争終結後、一八一九年のカールスバート決議などによる反動化を受けて、改革は頓挫し、憲法・全国議会は成立しなかった。一八四八年革命によって、プロイセンにおいても全国議会および憲法が成立し、農民解放もこの時期に完成したとされる。プロイセン議会下院は、男性普通選挙制が採られたが同時に、納税額に基づく制限選挙である三級選挙法が導入された。

オーストリアでは、一八四八革命の際に憲法制定議会が開催され、いったんは欽定憲法が公布されたが廃止された。オーストリアは、プロイセンに一八六六年に敗れ、ドイツ統一から排除された後、二重君主国へと再編された。そして、帝国のオーストリア側とハンガリー王国でそれぞれ、自由主義的政策が展開した。ロシアは、クリミア戦争の後、一八六一年に農奴解放令を発し、自由な個人の創出が始まることとなる。

一九世紀を通じた国家の自由主義化は、国家の力の増大とそれにより「封建社団における貴族の自治権が無効化され、農奴や臣下の身体に対する封建的支配関係が、移動・労働・相続の基本的自由及び法の下の平等に取って代わられた」ことによる貴族権力の衰退を意味し、議会の選挙権に特にその傾向は現れていたといえる。「領主の主要な機能は国家によって横領され、貴族は法的に他の臣民と大きく異ならない存在となっていった」のである(Evans 2016; 邦訳：上巻三三九―三四〇頁)。「旧体制」の持続力を強調する見解もあるが(Mayer 1981)、一九世紀のヨーロッパは貴族などの特権身分の没落という大きな趨勢の中にあったといえるだろう。

民衆を包摂する

近代国家が自由で平等な個人からなる社会の中で、自由主義的国家の「自由」は限られた「市民」(男性、有産、白人)を前提としているのに対して、平等が「すべて」の個人のものとなる場合、この「すべて」の対象が問題とならざるを得ない。ここから、「市民」より下層の民衆・大衆が、社会問題として国家の視野に入ることとなる。

一九世紀前半の社会問題は主に大衆的貧困状況であったが、一九世紀後半になると、工業化が進展していく中で、社会問題は「労働者問題」へとその性格を変えていった。労働者層は、社会主義に取り込まれる可能性があり、統治する側にとっては、大きな不安定要素であった。そのため、国家の側も労働者問題に対応しなければならなくなり、社会政策が採られることになった。これは、国家の側からの労働者の取り込みの試みであると同時に、社会経済的側面への介入による「小さな政府」からの方針転換を意味し、後の社会国家・福祉国家[1]へ続くことになる。

社会国家は、「現代福祉国家と同じく完成した形では大衆民主主義の一特殊現象」であり、「工業化や都市化が進んだ結果ますます複雑になる社会や経済の諸関係を調整する必要の増大、とりわけ家族が生存への配慮で果たす伝統的役割が減り、階級対立が激化したことにたいする対応」とされる。社会国家の任務は、老齢、廃疾、疾病、災害や失業の際の最低生活水準の確保や、大家族への援助、公衆衛生での扶助、社会住宅の建設などによる個人の社会的安定の保護である(リッター 一九九三:八一一四頁)。これらは、個人の「生存」への介入であると同時に、国家への統合を意味することになる。ただし、社会保険、社会扶助、社会扶養のセーフティーネットを備えた社会国家・福祉国家が成立するのは二〇世紀になってからであり、一九世紀の段階では、旧来の救貧行政の改編に加え、社会保険という形で、労働者の生存のためのセーフティーネットが張られるようになったことから「社会保険」国家と呼ぶこともできるだろう。なお、一九世紀は、女性、労働者の家族は保険の対象外であった(馬場 二〇二一)。

ドイツでは、一八七八年に「社会主義者鎮圧法」が成立し、労働運動も弾圧することで、労働者の運動を制限した。他方で、一八八三年に疾病保険、八四年に労災保険、八九年に廃疾・老齢保険社会保険が制定された(福澤 二〇一二:四二一四九頁)。これは、ビスマルクの労働者に対する「アメとムチ」の「アメ」であり、労働者の忠誠を国家に向かわせることを意図していた。

第三共和政期のフランスでは、社会保障は、「友愛 fraternité」の原理を具現化するものとして位置付けられ、一九世紀末から二〇世紀初頭にかけて公的扶助立法が進展した。一八九八年の「労災補償法」、一九〇五年の「社会扶助法」や一〇年「労働者農民老齢年金保険法」などが成立した。「社会連帯に関わる業務」は、「共和国の義務」であり、「慈善 charité とは本質的に異なる」とされた(廣澤 二〇〇五:一〇二頁)。社会保障を連帯の理念とより強く結びつけることで、労働者の統合が目指されたといえるだろう。

イギリスにおいても、南アフリカ戦争後、労働者への福祉要求が高まり、ボランタリー活動の高まりだけでなく、老齢年金や一九一一年の国民健康保険の導入などが試みられた。

労働者のセーフティーネットという観点では、社会扶助を担っていた旧来の救貧の在り方も変化した。イギリスでは、エリザベス一世期の一六〇一年に救貧法が定められ、救貧行政が国家の管轄となったが、救貧行政の実施は教区を単位に自治体に依存していた。一八三四年の新救貧法は、国家統制による画一的な救貧政策の実現を目指した(大沢 一九八六:八四―九三頁)。また、プロイセンにおいても、一八七〇年代から九〇年代にかけて、救貧行政は、かつてのゲマインデ(市町村)から州という広域行政団体の管轄へと移っている(割田 二〇二二:五七頁)。救貧という社会扶助機能は、教区や市町村といった小単位ではもはや担うことはできず、国家や州などの広域団体がその役割を負うこととなった。この結果、救貧を受ける資格は居住権などを基礎とすることから、国や州などの広域の地域が受け皿となることで、国家や広域単位が帰属意識の対象となっていったのである。

国家による国民統合と国民化する社会

フランス革命以降、ナショナリズムがヨーロッパに広まったことで、「国民国家」という国家の在り方が生まれた。ナショナリズムとは、アーネスト・ゲルナーの定義によれば、「第一義的には、政治的な単位 the political unit と民族的な単位 the national unit とが一致しなければならないと主張する一つの政治的原理」である(ゲルナー 二〇〇〇:一頁)。ナショナリズムを担う国民(ネイション)は、その内部では自由・平等な存在であり、公共圏を存在の基盤とするため、自由主義と適合的であった。歴史的には、ある国民のための国家が形成されていない場合、ナショナリズムは国家形成を要求する運動として現れる。他方、国家と国民が一致するとされる国家が既に存在する場合は、個人を国民とする、つまり国民化・国民統合の要請が前面に出てくることになる。

前者は、一九世紀のヨーロッパにおいては、国民国家としてのイタリア、ドイツの創設という形で最も顕著に現れた。この二つの事例は、ナショナリズムの台頭による自由主義的な国家統一の要求を、君主側が利用したことによってなされたものでもあった。この結果、イタリア、ドイツは、曲がりなりにもそれぞれイタリア人とドイツ人の国家として成立した。しかし、均一なイタリア人とドイツ人があらかじめ存在したわけではない。そのために、国民化が行われていくこととなる。サルデーニャ王国宰相を務めたマッシモ・ダゼリオのものとされてきた「イタリアは出来たけれども、イタリア人は創られていない」(藤澤 一九九七：三一三頁)という言葉は、国家形成と国民化・国民統合の連続性を示している。

ナショナリズムは、個人にとっては、あるひとつの国民への同化・帰属を要求する思想として現出する。自由主義的国家では、政治的には政治参加、社会的には民衆を国家へ包摂することになる社会保障が、国家の側からの統合要求を果たすのに大きな位置を占めた。政治的な装置だけでなく、学校・軍隊・象徴・祝祭といった文化的・社会的装置も国家の側からの国民統合の重要な装置であった。象徴や祝祭の著名な例としては、フランス共和国のマリアンヌが挙げられる(アギュロン 一九八九)。

市民が形成する公共圏は、決して無色透明で均一なものではなく、階層・階級、ジェンダー、言語などによる差異が存在する。公共圏は、必然的に特定の言語をコミュケーションコードとするため、ナショナルな性格を帯びる。このような公共圏を基礎の一つとして形成される社会は、国民社会と呼ぶべきものであり、一つの国家や地域に複数が並列的・重層的に存在しうる(篠原 二〇〇三)。そして、そこに属する個人の帰属意識の対象となる。そのため、国民化は、国家の側だけでなく、社会の側からの要請ともなりえた。

帰属意識の重層性という点に関しては、ドイツ帝国の場合では、領邦や都市などのより小さな単位の帰属意識や歴史意識が、さまざまな矛盾をはらみながらも、自らを一構成要素とすることを通じて、全体としてのドイツ帝国に結びつくという事例が明らかにされている(Kunz 2000; Green 2001)。また、後述するプロイセン領ポーランドの事例のように、国家が要請する国民化と国民社会側が望む国民化が異なるケースも多々存在する。ハプスブルク君主国においては、国家の側が単一的な国民化を要求せず、複数の国民社会が並列的に形成された。ガリツィア(Stauter-Halsted

2001)やボヘミア(桐生 二〇一二)の農村における「市民」の形成とそのナショナリズムは、都市においてのみならず、農村にも国民社会が広がっていることを示している。

「中央」と「地方」の序列化

一九世紀の段階で存在していた国家は、一八世紀以前に国家形成の際にさまざまな政治的単位を取り込んできたものであり、政治的単位ごとに法や権利が異なっていた。この結果、国家は、「複合国家」的国制をとらざるを得なかった。近代国家は、複合国家の複合性を緩和・解消し、一円的で均質な権利空間を作り出すことを目指した。その過程において、「中央」と「地方」が形成されていくこととなる。

ここでは、プロイセン＝ドイツの事例を挙げる。ナポレオンに敗北したプロイセンは、一八〇七年のティルジット条約により、領土を縮小させられた。プロイセン改革は、この縮小した領土を対象に、特に都市において、市民層を育成することを目的としていた。しかし、ナポレオンの没落により、プロイセンは急速に領土を拡大することとなった。新しくもしくは再領有した地域は、州として編入され、それぞれの州に固有の権利が認められた。また、保有していた旧領土も新たに再編し、プロイセン国家は八つの州へと再編された。プロイセンにおける州という単位は、一八世紀以前には本来ラントあるいは領邦として独立していたものが中央の下に位置するようになったものであり、その区分は当該地域のシュテンデ(諸身分)を考慮して行われた。

州の主体とされたのは、プロイセン改革が意図したような市民ではなく、州の諸身分として再編された州シュテンデであった。州シュテンデは生得身分ではなく、資格の必要条件は土地所有のみであったという点で、かつてのシュテンデとは異なるいわば疑似的な身分であった。また、州シュテンデは、州議会を構成して、州の一体性を保持しつつ、州固有の事項を処理するという点で、地域社団として機能した(割田 二〇一二)。国家の側から地域社団の身分の基準を定めたという点は、国家による地域の画一化といえるが、その内実は州ごとに大きく異なっており、近世的な複合国家的性格は強く残っていた。

一八四八年革命以前、プロイセンには全国議会がなかったため、州議会は、最大単位の議会として世論形成に重要な役割を果たしていた。しかし、革命により、プロイセンにおいて全国レベルの議会が成立したことで、その役割は大きく変化した。また、全国議会の成立は、地域社団としての各州が国王とそれぞれ個別に直接的に結び付くという特権に基づいた関係を、「中央」と「地方」の関係に転換させるものであった。州議会もこの影響を受けて、一八五〇年代から徐々に国家政府の地方の業務を受け持つ地方行政団体へと性格を変えていった。しかし州は、法的には行政団体としての執行権を持っておらず、執行のための資金も欠けていた。

プロイセンは、一八六〇年代からドイツ統一へと至る過程において、ハノーファー王国を併合し、ハノーファー州として編入した。そして、ハノーファー州をはじめ新たに獲得した新州・新地域に交付金という形で州財政を国家から支援することで、それらの地域をプロイセン王国内に組み込む方策をとった。この際の規定を範にして、国家からの資金が地方行政の執行機関としての性格を強めつつあった州へと流入することで、州の地方行政団体化の進展に実質的に寄与した。

ドイツ帝国創設後、プロイセン王国は、ドイツ帝国を構成する(圧倒的に有力ではあったが)一つの邦となったことから、プロイセン自体において地方行政改革が行われた。州に関しては、一八七五年の州条令により、以前は州の地域社団を代表するものとして国王の諮問機関であった州議会は、州行政の執行機関の一部に位置付けられることとなった。さらに、八三年には、州・県・郡の管轄を明確化し、州の官僚組織も規定された。こうして、一九世紀前半には地域社団として編成された州という単位は、地方行政団体として位置付け直され、行政的にも整備されたのである(割田 二〇二一)。

以上、本節では、近代国家の四つの側面をとりあげた。自由主義国家を構成する「自由で平等な個人」は、「市民」として編成されると同時に、国民国家を構成する特定の言語などを持つ国民であることから、自由主義と国民主義はメダルの表裏の関係にあるといえる。さらに、政治参加や社会保障は同時に国民統合の手段となった。そして、「自由で平等な個人」である国民は、均質な権利の空間を必要とするため、集権的な国家へと国制が変化していく。それぞれの側面は現在まで続くプロセスであり、また相互に不可分の関係にある。このような特徴を持つ近代国家が、帝国とはどのような関係性を持っているかを以下で検討する。

四、「ヨーロッパの協調」の再編と二大陣営化

エリック・ホブズボームは、一八七五年から一九一四年までの世界を「帝国の時代」とする。一つ目の理由は、「先進的な資本主義的中枢もしくは発展途上にある資本主義的中枢が発展速度を決定するような世界経済は、「先進地域」が「後進地域」を支配する世界、いうなれば、帝国の世界へと変ずる可能性が極めて高かった」時代であるためである。また、もう一つの理由は、「皇帝」を称する、もしくは、それにふさわしい国家元首の数が近代世界史において最も多かったという「古めかしい」理由である(Hobsbawm 1987: 56; ホブズボーム 一九九三:七九―八〇頁)。「帝国の時代」のヨーロッパは、世界における「先進地域」であり、君主が皇帝位を有する帝国は四つ存在し(オスマン帝国を除く)、植民地を持つ国はさらに多かった。以下では、ヨーロッパの諸国が世界の覇権を握り、世界を自身の都合に適合的に構造化していく中で、ヨーロッパ内における国民国家・国民化と帝国の関係はどのようなものだったのかを見ていく。本節では、一八八〇年代以降の国際関係から「ヨーロッパの協調」の変容・再編について確認する。

二つのベルリン会議

イタリア王国、ドイツ帝国の成立によって動揺したヨーロッパが曲がりなりにも「協調」を取り戻したのは、二つのベルリン会議によってであった。

一八七七年に起こった露土戦争ではロシアが勝利した。その講和であるサン＝ステファノ条約は、ロシアの支援を受けたセルビア、モンテネグロ、ルーマニアの独立とロシアの影響を強く受けた自治国であるブルガリア公国(大ブルガリア)の建国を認めた。この結果、バルカン半島におけるロシアの影響力が高まった。この状況下の一八七八年六月、「誠実な仲買人」と称したビスマルクの下、列強の利害調整を図るためにベルリン会議が開催された。このベルリン会議には、イギリス、ドイツ、フランス、ロシア、オーストリア、イタリアおよびオスマン帝国の七カ国が参加し、その最大の問題となったのはブルガリア公国の領土問題であった。このベルリン会議は、武力でなく交渉によって事態を解決するという「協調」の復活を意味したといえるだろう。

ベルリン会議の結果、サン＝ステファノ条約は修正され、ブルガリア公国の領土は縮小された。ロシアは、このような修正に不満を持ち、ドイツおよびオーストリア＝ハンガリーと締結していた三帝同盟が危機的状況となった。また、露土戦争からベルリン会議にいたる過程の結果、特にバルカン半島において、国際関係上のアクターとしての国家がさらに増加していき、バルカン情勢を複雑なものにすることとなる。

一八八四年から八五年にかけて開催されたベルリン西アフリカ会議は、コンゴ問題の解決を図るために、ビスマルクによって招集された。このベルリン西アフリカ会議では、コンゴに関しては、ベルギーのレオポルド二世によるコンゴ自由国の領有、フランス領コンゴ・ポルトガル領コンゴの形成などが承認された。この会議で植民地の実効支配の原則が採られたことにより、この後、列強による「アフリカ分割」が加速し、住民の意思に関係なく強国の利害によってアフリカの境界線が引かれることとなっていったのである。また、この会議の結果は、ヨーロッパの強国の利害がアフリカというヨーロッパ外で調整されたことを意味した。後述するように、ヨーロッパ列強による植民地の獲得は、ヨーロッパ内における自国の国民化にとっても重要な意味を持つことになる。

さらに、イタリアを含むヨーロッパ列強は、列強間の利害をヨーロッパ外で調整するだけでなく、列強間で対立があったとしても植民地や被支配側の抵抗に対しては積極的に連携した。ヨーロッパ列強のこのような帝国主義的性格は、清における義和団鎮圧の際の八カ国連合軍の形成に如実に現れている。

同盟関係と二大陣営化

ドイツ帝国は、フランスに対する勝利を通じて創設されたため、フランスの対ドイツ報復感情は強いものであった。そこで、ドイツ帝国宰相ビスマルクは、フランスの外交的包囲・孤立を目的とし、一八七三年にオーストリア＝ハンガリー・ロシアと三帝同盟を形成した。

しかし、前述の通りバルカン半島をめぐってオーストリア＝ハンガリーとロシアの利害が対立し、一八七八年のベルリン会議でロシアが不利な状況を押し付けられた結果、三帝同盟は事実上解消された（八一年に三帝同盟は一旦は復活する）。ビスマルクは、一八八七年にロシアと個別に独露再保障条約を締結したが、九〇年にヴィルヘルム二世は再延長を行わず、ドイツとロシアの同盟は終結した。

他方で、ビスマルクは、オーストリア＝ハンガリーとティロール・トリエステなどをめぐって不和があったイタリアがフランスと接近するのを警戒していた。そこで、一八八二年、ドイツ、オーストリア＝ハンガリー、イタリアによる秘密軍事同盟である三国同盟を形成した。

独露再保障条約不更新の結果、ロシアはフランスと接近することとなり、一八九一年に露仏同盟が成立した。また、イギリスは、西アジアにおけるドイツとの対抗関係、東アジアにおけるロシアとの対抗関係から、従来の「光栄ある孤立」を捨て、一九〇二年には日英同盟、〇四年に英仏協商を結んだ。さらに、ロシアは、日露戦争に破れ、東アジアへの進出が抑えられることとなった。このため、イギリスとの利害調整が可能となり、〇七年に英露協商が締結された。このイギリス・フランス・ロシアの同盟関係が三国協商である。三国同盟と三国協商の二大陣営化は最終的に第一次世界大戦の対抗関係となっていく。

五、「帝国の国民化」と「国民国家の帝国化」

一九世紀は、ナショナリズムが台頭し、国民国家が誕生したという特徴を持っている。しかし、国民国家の広がりは、ヨーロッパをはじめとした一部の「先進地域」のみに限定されており、一九世紀を「国民国家の世紀」と特徴付けることはできない。そこで、ユルゲン・オスターハメルは、一九世紀を諸帝国とナショナリズムの時代として叙述する(Osterhammel 2020: 669-672)。

一九世紀に誕生した国民国家に対して、帝国という国家形態は、歴史的には古くから存在する。その名の通り、皇帝が統治する国家でもありうるが、皇帝がいない場合であっても広大・多様な地域を支配する場合などは帝国と呼ばれる。帝国は、民族的/文化的/法的に異なる複数の集団・政治体を支配し、しばしばそれらの諸集団の間に存在するヒエラルキーの上に建てられた国家であり、諸集団の差異を維持して統治を行う。

帝国は、国民国家とちがい、そのすべての住民を単一の「国民」としようとしたわけではない。ステファン・バーガーとアレクセイ・ミラーは、「帝国国民 Imperial nation」という用語で、帝国中核で構想・実践される国民形成プロジェクトを示す。このプロジェクトは、決して帝国のすべての臣民・市民を一つの国民として取り込もうとしたわけではなく、また、帝国の領域を国民的領域の概念の中に含もうとしたわけでもなかった。しかし、周縁の分離主義的なプロジェクトとは異なり、帝国全体を自身の政治的・経済的資産と見なしていた。それぞれの帝国は、大国の地位を維持するために、広大で異質な領土と人口を支配し、資源を動員しなければならなかったが、同時にそれは、帝国間の競争力の要件でもあった帝国中核の国民化を必要としていた(Berger and Miller 2015: 4-13)。帝国の「中核地域」であるヨーロッパにおいては国民化が推進された。これに対し、「周縁地域」である植民地は、その国民化が望まれなかったにもかかわらず、帝国全体の一部として認識され、「中核地域」との異質性、特にヨーロッパ側の「優位」に基づいた統治体制に組みこまれた。[2] 一九世紀の帝国は、国民化された「中核地域」と国民化されない「周縁地域」である植民地との複合的国家という性格を帯びるようになったのである。

ただし、帝国と国民国家の関係性、特に相互補完性に着目した場合、帝国そのものは歴史的な構築物であり、現実にはその在り方は多様にならざるを得ない。

ヨーロッパ内における「多民族帝国」という点に着目すると、オーストリア=ハンガリー帝国、つまりハプスブルク君主国が挙げられる。この君主国は、本来ハプスブルク家の家領の集積体であり、近世的な複合的国制やその伝統法・言説体系を保ちつつ、ナショナリズムが展開する一九世紀を迎えた。一八四八年革命におけるドイツ・チェコ・ハンガリー・クロアチアなどの諸国民の運動は、ハプスブルク君主国内に国民的な利害を異にする複数の国民社会が形成されていることを示した。一八六七年に成立した二重君主国体制は、この君主国なりのナショナリズムの展開への対応であり、国民国家的編成への対応、複合国家的国制の再編を目指したものであった(篠原・中澤編 二〇一二:三—六頁)。君主国内に複数の民族が原初的に存在していたからではなく、君主国内に複数の国民社会が形成されたことによって、ハプスブルク君主国は、「多民族帝国」的な容貌を持たされることとなったのである。このような観点から見ると、ハプスブルク君主国は、「国民化された帝国 nationalizing empire」ということができるだろう。

ただし、ハプスブルク家の君主と君主国内の諸国民社会は、対立関係にあったわけではなく、相互補完関係にあった。君主国内の諸国民のナショナリズムは、必ずしも帝国の支配構造に対して向けられていたわけではなく、各国民社会のエリートは官僚や軍人として帝国の維持に貢献していた。結果として、第一次世界大戦によって、ハプスブルク君主国は解体するが、この結末は「多民族帝国」であったことから必然的に生じたのではない(Judson 2016)。

他方、ヨーロッパ内では国民国家を形成し、帝国主義国として海外に植民地を獲得することで帝国化した「帝国化する国民国家 imperializing nation-state」の事例としてはドイツ帝国が挙げられる。ドイツ帝国は、フランスと並び、国民国家の一つの典型とされる。しかし実際には、ドイツ帝国は、二五の諸邦からなる連合国家であったことから複合国家的性格を強く残したままであり、また、ポーランド人やデンマーク人といった異なる国民社会を形成する集団も抱え込んでいた。さらにドイツ帝国創設の中心であったプロイセン自体も、国制的にはかつての領邦を編入して構成された複合国家的性格を保ち続け、またポーランド分割に参加して以降、ポーランド人を多く抱えていたという点で、そもそも「帝国」的性格を持っていた(Ther 2004)。ハプスブルク君主国との違いは、ドイツ帝国の場合は、「ドイツ人」を国民的多数派として設定することができ、ドイツ帝国はその「ドイツ人」の国家であるとすることができたことである。このことが、ドイツ帝国に国民国家としての外見を強く刻印した。そして、ドイツ帝国は、一八八〇年代半ばから海外に植民地を獲得したため、帝国主義国・植民地帝国の性格も併せ持つこととなった。ドイツ帝国は、国民国家であり、また、伝統的な意味かつ帝国主義的な意味で帝国であったのである。

ヨーロッパにおける「内国植民地」「辺境」の形成

「帝国国民」と周縁地域の支配・被支配関係は、ヨーロッパと非ヨーロッパ世界の関係として現れるが、この構造の一端は、ヨーロッパ内においても国民国家の「辺境」とされた地域に現れた。その事例として、ヨーロッパにおけるドイツ帝国の「辺境」とされたプロイセン領ポーランド、特にポーゼン州、ヴェストプロイセン州について見ていく。

ヴェストプロイセン地域は、一七七二年の第一回ポーランド分割によって、プロイセンに編入された。ポーランドは、一八世紀後半にはすでに西ヨーロッパには劣位な文明として映っていた(Wolff 1994)。この「劣位」は当時のアメリカ大陸の「インディアン」と対比され、フリードリヒ二世は、プロイセンが獲得したヴェストプロイセン地域の統治は「カナダ」と同様に行われるべきと述べている(Bömelburg 1995: 229)。ポーゼン州となる地域は、ポーランド語話者の割合がより高い地域であり、一八一五年の領有宣言では、ポーゼン州には、ポーランド語とドイツ語の同権、カトリック信仰の維持などが認められた(割田 二〇一二)。

一八七一年にドイツ帝国が創設されると、ポーゼン州、ヴェストプロイセン地域はともにドイツ帝国の一部となった。ドイツ帝国内のポーランド系住民はおよそ二四〇万人で約六%(プロイセンでは約一〇%)であったが、ポーランド語話者はヴェストプロイセン州では四割弱、ポーゼン州は六割以上を占めていた(3)。ポーランド人は宗派的にはカトリックが多く、言語的にもポーランド語はドイツ語と異なっていた。そのためビスマルクは、一八七〇年代以来、対カトリック教会政策である「文化闘争」をプロイセン領ポーランドでも展開し、言語面ではプロイセンにおける公用語をドイツ語とした。ポーランド人は、ドイツ国民統合の手段としてビスマルクが用いた「負の統合」のための「帝国の敵」であった(ヴェーラー 一九八三：一四五―一五〇頁)。この段階では、ポーランド人に対する抑圧は、宗派的・言語的差異がある集団に対する国民統合の圧力といえるだろう。

一八八〇年代半ばから、プロイセン領ポーランドでは「土地闘争」と呼ばれる政策が始まった。一八八六年の「プロイセン植民法」は、ヴェストプロイセン・ポーゼン両州における「ドイツ的要素を強化する」べく一億マルクの資金を投入し、ポーランド人貴族の所領を購入してドイツ人を入植させる植民政策を示し、その実施のために、ヴェストプロイセン・ポーゼン植民委員会が作られた。しかし、政策の進展は低調であった。そこで、さらに資金の投入が行われ、一九〇八年には強制性を伴う「土地収用法」などが制定された。この一連の政策で、プロイセン領ポーランドは「内国植民地」として位置付けられたといえよう。しかし、この政策は十分な成果を挙げられないまま、第一次世界大戦を迎えることとなる。

一連の植民政策が所期の成果を挙げられなかったのは、ポーランド人土地所有者が土地を売却しない、さらに、ポーランド人が抵抗として土地購入を行っていたためであった。ポーランド人の国民社会が抵抗の基盤となっていたのである。

他方、ドイツ帝国は、一八八四年にアフリカに植民地を獲得した。ドイツ領南西アフリカでは、プロイセン領ポーランドの植民委員会方式が模倣され、少額ではあるが土地獲得のための資金は国から支出された。土地価格が低かったため、最終的に獲得された土地は、プロイセン領ポーランドにおいて獲得された土地よりも広大であった(Lerp 2014: 174, 179)。土地を廉価・無償で植民者に提供したことでドイツからの植民者・植民地軍が流入したため、現地住民の生活基盤は損なわれた。植民地政府がヘレロから土地を奪ったことをきっかけに、一九〇四年にヘレロ・ナマの蜂起が起こった。ドイツは、この蜂起を徹底的に鎮圧し、ヘレロに対しては「絶滅」政策を、ナマに対しては強制収容所を設け「奴隷化」した(永原 二〇〇九:二二一―二二八頁)。

プロイセン領ポーランドやドイツ領南西アフリカでの入植計画は、国家の法的・行政的・軍事的主権だけでは帝国の国境地帯の長期的支配を維持するのに十分ではないという同じ基本的前提に立っており、ドイツ人の入植は、帝国への結び付きをより強固にすると考えられた(Lerp 2014: 182)。しかし、同じ前提に立ちつつも、一方のアフリカでは「絶滅」に至る暴力となり、もう一方のプロイセン領ポーランドでは暴力的対立には至ってはいない。プロイセン領ポーランドは、空間的にはドイツ帝国の「中核」の一部であるが、他言語話者が多数を占めるという異質な土地であった。他言語話者地域は、ドイツナショナリズムの側から見れば、「土地のドイツ化」の対象となる。「土地のドイツ化」は、「文明化の遅れ」を是正する「進歩」のための措置と理解され、その手段がドイツ人の植民であった。ただし、ドイツ領ポーランドは、海外植民地と違い、「無主の地」でないため、暴力による直接的な排除は行われることはなかった。海外植民地のような政策が適用されたり、ポーランド人の文明的な「劣位」を強調する言説も多く現れたが、同時に、ヨーロッパの内にある地域として、歴史的な権利、人権、所有権などは認められていたのである。また、抵抗の主体たりえるポーランド国民社会も形成されていた。

プロイセン領ポーランドは、ヨーロッパの国民国家の中の「辺境」「内国植民地」であり、帝国全体の中では「中核地域」と「周縁地域」である海外植民地との間に位置付けられる「境界地域」であったといえよう。これは、国民化と帝国主義化が同時に進むことで生じるヨーロッパにおける一定の地域の「辺境化」ということができる。同様の現象は、アイルランド、ケルト辺境、エルザス・ロートリンゲン(アルザス・ロレーヌ)といった地域にも見てとれるだろう。ヨーロッパ「辺境」は、帝国主義における差別の重層性の具体的な現象を分析するために板垣雄三が唱えた「n地域論」のヨーロッパにおける事例を提供するといえる(板垣 一九九二:二五―三二頁)。

おわりに

一九世紀のヨーロッパの国際体制の基調は、「ヨーロッパの協調」であるが、多国間協調による平和維持から同盟形成による二大陣営化へと変質する過程をたどった。「ヨーロッパの協調」は、非ヨーロッパ地域に対する「優位」意識に基づいており、また、ヨーロッパ諸国間の利害が非ヨーロッパ諸地域で調整されえた。

一九世紀のヨーロッパに生まれた近代国家の特徴として、自由主義、社会国家、国民(化)国家、集権化による「中央」と「地方」の序列化という四つの側面を確認した。四つはそれぞれ緊密に結び付いているが、特に自由主義と国民主義は、近代国家が前提とする「自由で平等な個人」のとらえ方に関わり、メダルの表裏のような関係にある。

一九世紀後半以降の帝国の時代の国民化と帝国の関係性について、「帝国国民」という概念を用いて、その相互補完性を示した。さらに、「中核地域」である国民化されたヨーロッパ、「周縁地域」である国民化を望まれない非ヨーロッパ世界という構造の中で、ヨーロッパの内部にありつつ「辺境」とされた地域の形成について述べた。帝国主義的支配構造は、非ヨーロッパ世界だけでなく、ヨーロッパ内部においても差別を生み出していったのである。

国民国家は現在でも隆盛であり、帝国は現在においても形を変えながら存続している。帝国と国民化・国民国家の関係性については、帝国から国民国家へという一方向的なものではないことは明らかになっており、その時々の両者の関係性について今後も検討していく必要があるだろう。

注

(1) 社会国家については、川越(二〇〇四)。ただし、本稿は社会国家と福祉国家に共通する機能について述べており、また、両者が展開する以前の一九世紀を扱っているため、双方に関して明確な区別をしていない。
(2) これは、山室信一が唱える「国民帝国」概念とほぼ同じである(山室 二〇〇三)。
(3) ベルツィトの推計によれば、ポーランド語話者は、ポーゼン州一八三一年七一・五%、一八六一年六六・七%、一八九〇年六二・四%、一九一〇年六三・五%、ヴェストプロイセン州は、同じ時期に四一・八%、四〇・四%、三七・七%、三八・二%であった(Belzyt 1998: 17-18)。

参考文献

アギュロン、モーリス(一九八九)『フランス共和国の肖像——闘うマリアンヌ一七八九~一八八〇』阿河雄二郎ほか訳、ミネルヴァ書房。

板垣雄三(一九九二)『歴史の現在と地域学——現代中東への視角』岩波書店。

大沢真理(一九八六)『イギリス社会政策史——救貧法と福祉国家』東京大学出版会。

川越修(二〇〇四)『社会国家の生成——二〇世紀社会とナチズム』岩波書店。

桐生裕子(二〇一二)『近代ボヘミア農村と市民社会——一九世紀後半ハプスブルク帝国における社会変容と国民化』刀水書房。

ゲルナー、アーネスト(二〇〇〇)『民族とナショナリズム』加藤節監訳、岩波書店。

篠原琢(二〇〇三)「文化的規範としての公共圏——王朝的秩序と国民社会の成立」『歴史学研究』七八一号(二〇〇三年一〇月増刊号)。

篠原琢・中澤達哉編(二〇一二)『ハプスブルク帝国政治文化史——継承される正統性』昭和堂。

馬場わかな(二〇二二)『近代家族の形成とドイツ社会国家』晃洋書房。

廣澤孝之(二〇〇五)『フランス「福祉国家」体制の形成』法律文化社。

福澤直樹(二〇一二)『ドイツ社会保険史——社会国家の形成と展開』名古屋大学出版会。

藤澤房俊(一九九七)『大理石の祖国——近代イタリアの国民形成』筑摩書房。

山室信一(二〇〇三)「「国民帝国」論の射程」、山本有造編『帝国の研究——原理・類型・関係』、名古屋大学出版会。

リッター、G・A(一九九三)『社会国家——その成立と発展』木谷勤ほか訳、晃洋書房。

割田聖史(二〇一二)『プロイセンの国家・国民・地域——一九世紀前半のポーゼン州・ドイツ・ポーランド』有志舎。

割田聖史(二〇二一)「一般ラント行政法下のポーゼン州議会と州行政(一八八九年~一九一八年)」『青山史学』三九号。

割田聖史(二〇二二)「ポーゼン州における精神病者の管理——州立精神病者施設の報告書から」『東欧史研究』四四号。

Baumgart, Winfried (2020), *The Crimean War, 1853–1856*, 2nd ed., London, Bloomsbury Academic.

Belzyt, Leszek (1998), *Sprachliche Minderheiten im preußischen Staat: 1815–1914: die preußische Sprachenstatistik in Bearbeitung und Kommentar*, Marburg, Verlag Herder-Institut.

Berger, Stefan, and Alexei Miller (eds.) (2015), *Nationalizing empires*, Budapest, Central European University Press.

Bömelburg, Hans-Jürgen (1995), *Zwischen polnischer Ständegesellschaft und preussischem Obrigkeitsstaat: vom königlichen Preußen zu Westpreußen (1756–1806)*, München, R. Oldenbourg.

Bridge, F. R., and Roger Bullen (2005), *The great powers and the European states system 1814–1914*, 2nd ed., Harlow, New York, Pearson Longman.

Daunton, Martin (2001), *Trusting Leviathan: the politics of taxation in Britain, 1799–1914*, Cambridge, Cambridge University Press.

Evans, Richard J. (2016), *The pursuit of power: Europe, 1815–1914*, London, Viking.(井出匠ほか訳『力の追求――ヨーロッパ史一八一五―一九一四』上・下、白水社、二〇一八年)

Gildea, Robert (2003), *Barricades and borders: Europe 1800–1914*, 3rd ed., New York, Oxford University Press.

Graaf, Beatrice de (2020), *Fighting terror after Napoleon: how Europe became secure after 1815*, Cambridge, Cambridge University Press.

Green, Abigail (2001), *Fatherlands: state-building and nationhood in nineteenth-century Germany*, New York, Cambridge University Press.

Hobsbawm, E. J. (1987), *The Age of Empire, 1875–1914*, London, Weidenfeld and Nicolson.(野口建彦ほか訳『帝国の時代――一八七五―一九一四』一・二、みすず書房、一九九三年、一九九八年)

Judson, Pieter M. (2016), *The Habsburg empire: a new history*, Cambridge, Mass., Belknap Press of Harvard University Press.

Kunz, Georg (2000), *Verortete Geschichte: regionales Geschichtsbewußtsein in den deutschen historischen Vereinen des 19. Jahrhunderts*, Göttingen, Vandenhoeck & Ruprecht.

Lerp, Dörte (2016), *Imperiale Grenzräume: Bevölkerungspolitiken in Deutsch-Südwestafrika und den östlichen Provinzen Preußens 1884–1914*, Frankfurt am Main, Campus Verlag.

Mayer, Arno J. (1981), *The persistence of the old regime: Europe to the Great War*, New York, Pantheon Books.

Osterhammel, Jürgen (2020), *Die Verwandlung der Welt: eine Geschichte des 19. Jahrhunderts*, 3. Aufl., München, C. H. Beck.

Stauter-Halsted, Keely (2001), *The nation in the village: the genesis of peasant national identity in Austrian Poland, 1848–1914*, Cornell University Press.

Šedivý, Miroslav (2017), *Crisis among the great powers: the concert of Europe and the Eastern question*, London, Bloomsbury Publishing.

Ther, Philipp (2004), „Deutsche Geschichte als imperiale Geschichte: Polen, slawophone Minderheiten und das Kaiserreich als kontinentales Empire", Sebastian Conrad and Jürgen Osterhammel (Hg.), *Das Kaiserreich transnational: Deutschland in der Welt 1871–1914*, Göttingen, Vandenhoeck & Ruprecht.

Wolff, Larry (1994), *Inventing Eastern Europe: the map of civilization on the mind of the enlightenment*, Stanford, Stanford University Press.

コラム｜*Column*

世界史のなかの「明治維新」

奈良勝司

明治維新は日本近代の出発点とされ、その後日本が帝国主義国家として台頭したことで、西洋の植民地からの脱却を図る各地の王朝・国家から非西洋型近代化の成功例と見られた。他方で、それはアジアの中華世界の周縁に位置した伝統的な武人政権が、ウェスタンインパクトに際して自らの姿を変えた特殊な変革でもあった。時期的には、近代の本質を国民国家とみるなら西洋ではそれは明治維新のあった一九世紀に確立し、主権国家こそ近代の神髄と考えれば、近世（江戸時代）初頭の一七世紀が画期となるというように、近代国家の二大要件の相関をどう考えるかが世界史上に明治維新を位置づける際の焦点となる。

比較史的に見れば、日本近世の特質は、まず戦国期までの動乱が終わって平和が定着し、人々が宗門改帳などを通して高度に管理されたことで、現代にも連なる「日本人」が生まれた。他方で海外との交流はほぼ閉ざされ（鎖国）、人々は「自己完結の世界」を生きた。交流のあった朝鮮・琉球・オランダ・アイヌも対等な他者ではなく朝貢者とされ、日本が「天下」をすべるという独善的世界像を支えた。内部では「天下統一」にも拘わらず単一の政府は生まれず、社会は大名「国家」などの空間と身分制による階層化で幾重にも区切られた。そして戦国時代をそのまま凍結したかのような世界では、暴力に秀でていることが支配正当性となった。一時は儒教国家化も試みられたが、徳川吉宗の治世以降は現実の平和と「武」の至高性は奇妙に併存した。「武国」意識が庶民にも定着し、出自は武人政権ながら統治の安定に伴い文人国家に転じた清王朝のような事態は起こらなかった。

かかる世界が直面したペリー来航は、人々に現実の外圧と共にナショナルアイデンティティの危機をもたらした。世界最強の称号が必須なら、浦賀に砲艦外交を仕掛けた無礼な「夷狄（いてき）」は打ち払わねばならない。社会では攘夷運動が勃興し、外国人襲撃が頻発した。しかし神話・信仰の域に達した暴力の価値は、ひとたび戦争に負ければ致命傷を負う。暴力に付随するリアリズムによって彼我の軍事格差も熟知していた為政者は、敗北の露呈を避けるためむしろ避戦政策をとった。他方、徳川外交の現場には、昌平坂学問所で学んだ小禄の幕臣の子弟が抜擢されていた。統治の技術として儒学が社会に行き渡るなか、その頂点に位置した彼らは、最新の世界知識と学問エリートの矜持で「武威」を克服し国家対等観を身につけた。そして積極開国論を唱えて攘夷運動に対抗し、時に独断で戦争の危機を水際で食い止めた。「武威」の希求とその一方での避戦主義や昌平黌（こう）エリートの積極開国論は、複雑な幕末政争の底流で相反する力学となったが、最終的に政策としては積極開国論が、その担い手としては旧攘夷派が勝利を収めた。徳川政権＝幕府の瓦解と維新政権の成立、諸外国に向けた対外和親の表明はその帰結であった。

現実（開国への転換）と理念（「武威」の非清算）の齟齬を、政府首脳はすぐには勝てない難敵をいったん真似て未来に復讐を図るという遠大な国家目標に昇華した。否定対象への同化は反発も呼んだが、武人政権のエートスは露骨な実利主義を可能にし、近隣諸国に存在した文化主義由来の欧化拒否は強まらなかった。短期に隣国への攘夷の代替行為を訴える潮流もあったが、政府中枢からは退けられた（明治六年政変）。内政では、域内のリソースを効率的に動員して国力底上げに資するため、徹底した中央集権化と均質化が断行された（版籍奉還、四民平等）。武士身分の解体は支配層の身分的自殺にあたり、抵抗も起きたが維新後一〇年のうちに抑え込まれた（士族反乱）。

明治天皇肖像写真．右が明治五年（1872 年），左が同六年に撮影されたもの．伝統的な衣冠束帯が西洋風の装いに変わり，それに伴い雄々しさや武人性が強調されている

「武士」身分は、「武威」理念のために自らを葬った。その意味で、四民平等は人権意識の所産というよりは国民皆兵への回路であった。総じて近世に定着した尊大な世界観を新たな国際環境下でも捨てなかった精神の保守性が、その貫徹のための大胆な社会変革を招いたのである。またかかる保守性やそのための挙国一致志向は、変革の規模・多様性に比して犠牲者を相対的に少数に留めた。

西洋モデルでは、まず一七世紀に領域を国境線で区切る主権国家が誕生し、キリスト教普遍主義を否定して等質な国家が並び立つ国際社会をつくり、一九世紀に国民化が進むという順に近代国家は成熟した。しかし三十年戦争で統一に「失敗」したヨーロッパとは裏腹に、一七世紀に「天下統一」した日本では自足世界下で先にプロト国民が生まれた。そして二世紀半後に国際社会から主権国家としての振る舞いを迫られたのである。揺らいだ最強の称号を取り戻すという「武威」（極端な実力主義）由来の焦燥のもと、為政者はモザイク状ながら高い共通性も備えた列島地域の社会と人々を性急に均等で動員可能な国民へと組み替え、維新後の日本は目覚ましい成長を遂げる。近隣の諸王朝は当初それに冷ややかな眼差しを向けたが、植民地化や戦争での敗北を経て、この実学と暴力信仰は東アジア全域に「輸出」されていくのである。

問題群｜*Inquiry*

ナショナリズムとジェンダー

姫岡とし子

はじめに

ネイション(nation、国民)形成が目指されたり、ネイション意識をもちはじめるのは、他者である「敵」の存在が具体的にイメージされ、それと対峙する集団としての一体感を抱くことができたときであった。イギリスでは、一六八八年の九年戦争(プファルツ継承戦争)から一八一五年のワーテルローの闘いまで約一三〇年続いたフランスとの継続的な戦争のさなか、カトリック対プロテスタントという宗教的な対立軸が重なることによって、愛国心(ナショナリズム)が生まれ、国民意識が形成された(コリー 二〇〇〇)。本稿が対象とするドイツでは、一八〇六年のナポレオンに対するプロイセンの敗北とフランス軍によるベルリン支配という屈辱感によって、愛国的な感情が芽生えるようになった。

占領下のベルリンで行なわれた哲学者ヨハン・ゴットリープ・フィヒテの「ドイツ国民に告ぐ」という連続講演、大衆に影響力をもつ愛国詩人エルンスト・モーリッツ・アルントによる訴えなどで、言語と文化の共有を基盤にしながらドイツのネイション意識の覚醒が目指された。フィヒテがその受け手として念頭においたのは教養市民層だったが、一八一三年にプロイセンが再度、ナポレオンに宣戦を布告し、他のドイツ諸邦も合流した時には、さまざまな階層の人びとが「祖国の危機」という感情を抱き、愛国心が高揚した。もっともその愛国心の対象としてイメージされたのは、ドイツというネイションの場合もあったが、プロイセンをはじめとするそれぞれの住民が居住する諸邦や郷土の方が多かった。とはいえ、ナポレオン率いるフランス軍に対峙する過程で、ドイツのネイション形成がはじめて具体的に問題となったことは確かである。

以前のドイツのネイション・ナショナリズム研究では、初期のリベラルで解放的なナショナリズムが世紀末から排他的で攻撃的なものへと移行したと捉えられていた(例えばダン 二〇〇〇)が、現在は、ベネディクト・アンダーソンらの歴史的産物としての国民の創造という見解の影響を受けて、ネイションは当初から排他的なものとして想定されていたという見解が支配的になっている。そのさいには、冒頭のイギリスやドイツの例で示されたように、ネイションとしての一体性をもつわれわれとは異なる他者の存在が前提となり、自己と他者の間に明確な境界線を引き、自己を他者より優越させ、両者の関係のなかでネイションが構築されていく。一九世紀初頭と世紀末以降では、程度に違いはあるものの、ネイション・ナショナリズムは一貫して排他的なものだったのである。

一九九〇年代後半から活発になったネイション・ナショナリズムとジェンダー研究においても、この認識が基盤となっている。国民を主権者ないし市民権と等値する従来の見解においては、国民の範疇(はんちゅう)からの女性の排除が強調されていたが、国家(state)と国民(nation)を区別し、ネイションを自己/他者の区別にもとづく共同体(ネイション)への帰属意識や成員としての一体感をもつ人たちと捉えるあらたな見方では、男性と同様に女性もネイションの不可欠な成員として包摂の対象となる。しかし、自己/他者の優劣が、自己=男性=勇敢・規律、他者=女性=臆病・堕落・退廃といったジェンダー表象を用いて示されることからわかるように、同じネイションのなかでも、男性が優位を占めるジェンダー・ヒエラルキーが貫徹していた。男性と女性には、ネイションのなかで異なる居場所と役割が与えられていたのである。

では、ネイションのなかでジェンダーの行為空間や役割はどのようなものと想定されたのか。それらはお互いに、どう関連しあい、ネイションを創っていったのか。本稿では、男女の本質的な違いが強調されるようになった一八世紀末の啓蒙の時代から第一次世界大戦開戦までの「長い一九世紀」を対象とし、ジェンダー形成とネイション形成がどのように絡み合っていたのかをみてみたい。さらに市民社会の形成、ナポレオン戦争、ドイツ統一、覇権志向と植民地獲得、大衆社会化、労働運動や女性運動の台頭といった社会変化を背景にしながら、女性たちが、いかなるジェンダー関係のもとで、どのようにネイションに関わっていったのか、について考察する。

一、ジェンダー化されたネイション形成

近代的ジェンダー観の登場

身分制の時代には、それぞれの立場や義務から導きだされる社会的要請によって人びとの居場所や役割が決まっていたが、市民社会の黎明期である一八世紀後半の啓蒙時代になると、あらたな学知である医学や解剖学に依拠しながら、男女の生得的な違いを強調する言説が登場するようになった。啓蒙哲学者のルソーは女性の男性への依存を、カントは女性の弱さを説いた。台頭してきた市民層(ミドルクラス)にあるべき規範とモラルを伝えた『道徳週刊誌』では、「男性は勇気、女性は優しさ」をもっているとか(*Der Mensch* 1765: 387)、「夫は主人であり、統率者で、保護者で世帯の扶養者」(*Ibid.*: 388)といった男女の性特性と役割を示す言説が唱えられていた。こうしたさかんに流布された両性の基本的特性は、男性/女性、力強さ/弱々しさ、大胆/控えめ、自立/依存、貫徹/順応、攻撃的/受身的、力/愛、理性/感情、知/信仰といった二項対立的なものであり、そこから両性の居場所と役割が定められていった。

一八二四年に出版された『百科事典』には次のように書かれている。創造的な精神をもち、広い世界を求める男性は、抽象的な事柄への対処や長期的な企画への適正をもつ。女性の世界は小さな領域に限定され、そこを女性はしっかり見て、取るに足らぬ労働を忍耐強く行なう。支配力のある男性の居場所は騒然とした公的な生活で、穏便な女性のそれは平穏な家庭領域である、と(Frevert 1995: 21)。

男女の二項対立的な「自然の性差」論の形成については、ドイツ女性史研究の黎明期の一九七〇年代半ばにすでに指摘され(Hausen 1976)、現在にいたるまで定説になっている。しかし、その後の研究によって、この二項対立図式に必ずしも適合しない市民層の生活実態が明らかにされた。一九世紀初頭くらいまでは、例えば官吏のように自宅外に職場のある男性でも自宅で仕事をすることは可能で、彼らは子どもの教育に時間を割くなど、愛情にみちた家族の導き手として家庭生活に積極的にかかわっていた(Trepp 1996: 364; Habermas 2000: 131, 320f.)。男性が涙を流すことも、否定的には捉えられていなかった。両性の対極化や公私の分離は、直線的にではなく、さまざまな紆余曲折を経ながら浸透し、社会の変化に応じてあらたな要素が付け加わっていったのである。

戦う男らしさの登場

ナポレオンへの大敗後、その理由を指摘する言説が言論界に登場し、その数は次第に増えていった。軍隊など旧式の制度の欠陥を指摘するものと並んで目立ったのは、道徳的なものであった。とりわけ一八〇八年頃からは、ドイツの男性に向けて、浅薄さ、堕落、女性化、活力のなさを批判し、愛国者であることを放棄して名誉も戦闘性も失った、と嘆く主張が広がった。

では以前は、ドイツの男性は戦闘的だったのだろうか。プロイセンには常備軍があったが、市民層は貴族の将校への服従を強いられ、身体的刑罰や略奪・レイプが横行する軍隊を評価せず、免除制度を利用して兵役を免れていた。

学校の教科書では、戦争は経済生活に対する重荷と記され、啓蒙主義の影響を受けた歴史書では、多くの戦争に勝利したフリードリヒ大王より、ヨハネス・グーテンベルク、アルブレヒト・デューラー、ゴットホルト・エフライム・レッシングといった文化面での功労者の方を高く評価していた(Schilling 2002: 45)。一八世紀の言説では、男性の力強さや、それゆえの軍務への適性が語られることはあっても、戦闘的であれ、と鼓舞するものはなかったし、一九世紀への転換期における男性に関する著述でも、軍人的・戦闘的な行動様式のモデル的特徴は見つからなかったのである(Frevert 2001: 44)。

男性の闘争心のなさが批判され、男性なら「戦闘的でなければならない」という言説が流布されたのは、ナポレオン戦争期がはじめてであった。ドイツの男性が堕落したから戦闘性が失われたのではなく、祖国の危機に直面して、以前は話題にならなかった男性の戦闘性に、決定的に重要な意味合いがあらたに付与されたのである。そして、その戦う男性像は、身分や階層をこえた普遍的なものとして登場した。一八一三年にプロイセンが再度ナポレオンに宣戦布告し、ナショナリズムが高揚した時、「戦う男らしさ」の訴えは頂点に達した。愛国詩人アルントの「祖国のために死ねるものこそ男だ」(Hagemann 1996: 51)、あるいはテオドール・ケルナーの「立ちあがらない男には、女はキスをしてくれないよ」(Schilling 2002: 99)といった、愛国的で戦闘的な男性を称揚し、臆病な男性は相手にされないと訴える詩が数多く登場した。一層多くの男性の参戦を促すために、男らしさと戦闘性、そして祖国ドイツを結びつけて愛国心をかき立てるとともに、「戦わないものは男ではない」と煽り立てて、男たちを祖国のために命をかける戦いへと鼓舞したのである。戦う男らしさの登場は、ネイションやナショナリズムの誕生と切り離せないものであった。

ドイツ性の構築とジェンダー

ナポレオン戦争期に敗北原因として指摘された堕落や無気力は、言説の世界ではドイツ本来の「国民的特性」の喪失・裏切りと、それと対比される「フランス的なもの」への感化という形で描かれた。同時にドイツ的なものを明らかにする試みがくり返し行なわれている。ドイツ的なものとは、敬虔、高潔、内面的、誠実、公明正大、勇敢、そして何よりも実直と戦闘性、すなわち「男性的なもの」であり、フランスは外面的、官能的、か細い、表面的、すれっからし、すなわち「女性的なもの」であった(Hagemann 2002: 237)。自己を称賛し、敵、すなわち他者を女性的であるとして貶めるやり方は、何もナポレオン戦争期のドイツに限られたものではなく、敵に対峙するためにネイションの一体感が求められるようになった時代には常套手段ともいえるものであった。ドイツの「国民的特性」が喧伝されたのは、ナショナル・アイデンティティを創り出し、フランスへの戦闘意欲をかき立てるためであった。そのために、この時期にあらたに登場してきた戦闘性という男性像についても、二〇〇〇年前にローマ軍に勝利したといわれる英雄ヘルマンの物語をもちだして(Hagemann 2002: 206)、ドイツの伝統、ドイツ的なものとされたのである。

外国かぶれを批判されたのは、男性だけではなく、女性も同様だった。慣習や衣服、言葉づかいなどでフランス化し、男性を道連れにしたというのである(Hagemann 2002: 220)。ドイツ女性の「国民的特性」についても、さかんに言及されるようになり、親切、世話好き、質素、無駄口をたたかない、敬虔、貞淑、道徳的などと特徴づけられた(Hagemann 2002: 238)。フランス的なおべっかや贅沢、ふしだらとは真逆のものだったのである。「本来のドイツ女性」なら、しっかりと家を守るはずであった。加えて女性には、男性同様に祖国愛にみちて祖国のために献身した、というゲルマンの時代の物語を引き合いにだしながら、公共心、祖国愛や祖国への誇りが求められたのである(Hagemann 2002: 239)。こうした形で、女性も形成されるべきナショナル・アイデンティティのなかに含められたが、彼女たちの居場所は家・家庭であった。秩序ある家族生活は、ネイションの基盤として要の位置を占め、ナショナルな名誉、文化、慣習を守り、それらを子どもたちに伝えることが期待されたのである。

一八一三年に書かれたアルントの次の詩は、家族、ネイション、ジェンダーの関連とその位相を典型的に示している。

もし男性が武器をもたず　女性が竈で一生懸命働かないならば
長きにわたってうまくはいかない　そして家と国は滅びていくだろう(Frevert 1996: 72)

男性の戦闘性と女性による家の守りという「ドイツの国民性」とされるものが機能しないとき、家と国は破滅へと向かうのである。だからこそ祖国の繁栄と存続のために、男性には祖国防衛、女性には出産を含む家の守りが要求され、両性がそれぞれの役割と義務を果たすことが必要だとされた。男女ともにネイションの不可欠の構成員だとされているが、行為空間・役割・アイデンティティは異なっていた。男女が相補的に関連し、機能的に補完しあってこそ、強力な共同体=ネイションが形成されるのである。ナポレオン戦争期には、一八世紀後半から形成されてきた近代的ジェンダー観が再生、強化されるとともに、男性の戦闘性という新しい要素が加わり、それらを組み込む形でのネイション形成が目指された。あらたに呼びかけられたネイション形成は、ジェンダー形成と相互に絡み合いながら、ジェンダー化された形で推進されたのである。

そして、そのネイションにはジェンダー間で明確なヒエラルキーが存在した。祖国を、そして妻や子どもを守る男性の戦闘性にもっとも高い価値が与えられ、ネイションは男性的性格を持たなければならなかったのである。それを象徴的に表しているのが、すべての男性を対象とする兵役義務の導入である。そのための議論がプロイセンで一八〇八年から開始されたが、徴兵制は文化や稼ぎの破壊につながるとして市民層の反対は強かった(Frevert 1996: 75)。それゆえ、ネイションのために戦う男たちに、その意味を実感させるべく祖国を与えなければならないという見解が登場し、実現にはいたらなかったが、男性の政治的な自由権と兵役義務が結びつけて考えられるようになったのである(Frevert 1996: 78)。兵役義務は、一八一三年のフランスへの宣戦布告を背景に暫定的に導入され、一四年に恒常的なものとなった。

一八一三年の戦いは、もはや一八〇六年までのような領主のための臣民としての戦いではなく、われわれのネイションのための戦争となっていた。それは、徴兵制には反対した人たちも、一時的で自発的な祖国防衛のための戦いと考え、義勇兵として戦争に参加したことに示されている。兵役義務は、祖国防衛がネイション全体の問題であることを制度として定めたのである。

二、ネイション活動への女性の参加

ナポレオン戦争期の女性協会の結成

ナポレオン戦争時にジェンダー化されたネイションのイメージが誕生したとはいえ、まだジェンダー形成の過渡期にあたっており、そのイメージにそぐわない実例も多数存在した。義勇兵として戦場に赴く息子を、涙を流して見送る父親(Schilling 2002: 90)。戦うことを躊躇(ちゅうちょ)する男たち。女性だが男装して義勇軍に加わった女たち——名前がわかっているだけでも二三名で、「ドイツのジャンヌ・ダルク」として英雄視されたエレオノーレ・プロハスカは、戦死してはじめて女性だと判明した(Hagemann 2002: 384f)。

戦闘に参加した女性は例外だったが、祖国が危機に瀕したとき、女性たちはけっして家庭の範疇にとどまっていたわけではなく、愛国的な福祉活動を展開して祖国のために熱心に活動した。戦費調達のための支援を求めるプロイセン政府の要請に応え、一八一三年三月二三日にホーエンツォレルン家の一二人の王女たちが、女性の協力を求めて「祖国の繁栄のための女性協会」の結成を呼びかけた(Hagemann 2000: 92)。女性たちは、それ以前にも隣人愛の精神から宗教活動や慈善活動を行なっていたが、戦時に祖国のために社会活動をするのははじめての経験だった。ナポレオン戦争期に、ネイションへの奉仕という、以前とは次元の異なる社会活動の機会が誕生したのである。

男性とともに女性も愛国的な熱狂を分かち合い、祖国の運命を担って祖国のために尽力するという目的は同じだったが、女性協会は男性とは別個に組織され、その果たすべき課題も武器をとる男性とは異なり「女性にふさわしい」とされるものであった。女性協会には助言者として男性が参加している場合もあったが、男性の指導下で与えられた任務を遂行するのではなく、大抵、女性が決定権をもっていた(Reder 1998: 207)。彼女たちの活動は、兵士たちの装備をまかなうために募金や貴金属などの供出物品の収集を行なうことから始まり、バザーを開催しての資金集め、兵士たちのための靴下編みや腹巻き作り、下着、シャツ、軍服の縫製をした。そのさい兵士の身支度を調えるだけではなく、彼らを戦いへと鼓舞したのである。傷病兵の救護は女性協会の中心的な任務となり、この活動に特化した組織も数多く誕生した。彼女たちは野戦病院で熱心に働いた。大挙して運ばれる負傷者を収容する臨時の施設設営にも携わり、医薬品や食料、生活必需品の調達、救護、在庫管理や簿記と、多様な業務を担当した(Reder 1998: 211)。戦場に置き去りにされている負傷兵に、温かいスープを飲ませたりもした。寡婦や孤児となった出征兵士家族の世話も女性協会が行なっている。フィヒテの妻のように救護の最中にチフスなどの感染症を患った女性も多く、文字通り祖国に命を捧げる奉仕活動となった。

女性たちの活動は活発で、一八一三年から一五年の間に五七三の女性協会が誕生し、プロイセン地域には少なくとも四一四の女性協会があって、ベルリンはその中心となった。協会の規模は最低で一〇人、最大は四〇〇人を超え、中間的なものは一〇〇人位だった(Hagemann 2000: 93f.)。いかに多くの女性が愛国的な活動に取り組んだかは、この女性協会の数と規模に示されている。彼女たちの活動は、協会の数でも社会的な影響力においても、男性がイニシアティヴを取った愛国的な協会を凌駕していたのである。

この時期の女性の愛国的な女性協会活動の特徴は、あらゆる階層の女性たちを組織化したことである。たしかに会員の中心は教養市民層だったが、貴族層、手工業者ら下層市民、数こそ少なかったが下層の家事使用人なども参加していた(Reder 1998: 206)。下層の女性たちも、わずかな収入のなかから募金に協力した。父親や夫、兄弟たちが出征していたため、彼女たちにとって戦争は決して他人事ではなかったのだろう。

ネイション活動とジェンダー秩序

ナポレオン戦争期に愛国的な活動に参加した女性たちは、既存のジェンダー秩序を受容し、日頃、家庭で夫や子どもたちにしている世話や献身を祖国のために行なうと考えていた。男たちを戦いへと鼓舞することも、女性の重要な課題である道徳の遵守の一環だった。彼女たちは家庭の外に出て活動したとはいえ、ジェンダー化された領域と役割の範囲を守ることによって、ジェンダー化されたネイション構築と強化に寄与したのである。愛国的な活動という形での女性の戦争への関与は、ネイション全体の愛国心を高めるためにも、戦争遂行のためにも、不可欠のものであった。女性の戦争貢献は、女性がネイションの一員であることを示し、ネイションの一体感を強めたのである。もちろん女性たち自身もネイションへの統合を望んでいたし、戦争はその機会を提供した。

自発的な祖国への貢献という意味で、女性協会での愛国的な活動は男性の義勇軍への参加と対をなすものと解釈され、国民の熱狂のシンボルとみなされた(Reder 1998: 216)。戦時の出版物では、女性協会による「愛国主義の実践」は「女性の英雄主義」だとくりかえし讃えられ、幅広い住民層が「祖国愛への神聖な衝動」にかられていることの表現だと評価された(Hagemann 2002: 426)。しかし、こういった肯定的な論評をするのは戦時福祉の必要性を痛感していた政府高官や軍隊中枢、また士気高揚を煽っていた出版界が中心だった。女性の活動に関する世論の評価は分かれ、とくに日常の実務レベルで女性協会と向き合うことの多かった下位の軍隊関係者や役人たちは、教護活動や遺族福祉をめぐってしばしば女性協会と対立し、彼女たちを脅威に感じていたのである(Hagemann 2002: 426)。

ジェンダー秩序を守って活動したとはいえ、女性たちは祖国のためという大義名分によってジェンダーの境界を越え、公的な領域に参加し、活動範囲を広げていった。実際、彼女たちは自律的に活動し、男性と対立しても自分たちの思いを通すことが多かった。これをジェンダー秩序への抵触とみなす男性たちも多く、彼らは戦時という例外時には甘受しても、平時には女性の活動領域は家庭に限定されるべきだと考えていた。それゆえ戦後には、女性の愛国的な活動について取りあげることもなくなっていったのである。

戦後、多くの女性協会が解散したが、他方で、恒常的な福祉活動の形で継続して活動しようとした協会もあった。戦時中に兵士家族と接触したことが契機となり、上層の女性たちが貧困に苦しむ下層の人びとに救いの手をさしのべたいと考え、貧民救済事業の立ち上げに意欲を燃やしたのである。しかし、こうした試みに対する抵抗は強かった。支配的な女性像に反する女性の社会活動は受け入れられなかった。ウィーン体制下で保守主義が強まり、自由主義的な活動が抑圧されるなかで、ナポレオン戦争後に数年間活動を継続できた女性協会は一〇%にも達しなかったのである(Reder 1998: 206)。

ナポレオン戦争期の女性の活動それ自体はほぼ断絶したが、この時期に形成された「女性の領域」でのネイション活動という形は、一八四八年革命時、一八六〇年代以降のドイツ統一戦争から第一次世界大戦にいたるまで、時代に適合的な形に修正されながら有事における女性のネイション活動スタイルの原型となった。名誉の戦死や負傷を誇りに思う英雄の母や兵士の妻、夫が戦死した花嫁、犠牲的精神で献身的に世話をする女性といった、ネイションの愛国的な女性像も、受け継がれていった。

一九世紀後半以降のナショナルな女性組織の結成

一八六〇年代にドイツは新時代の幕開けをむかえ、ドイツ統一に向けた歩みが加速するとともに、政党や社会主義・労働運動が誕生し、社会対立が激化していった。「全ドイツ女性協会」(一八六五年結成)などフェミニズム的な組織の女性運動も登場し、女性協会の活動がふたたび活発になる。もっとも多くの会員を集めたのは、ナショナリズム系の組織だった。ただし、カトリック系の組織だけは例外だったが、政治的対立が明確化してきた、この時期以降は、ナポレオン戦争期のような階層横断的な女性組織はもはや結成されず、政治的中立を掲げていても政治性は刻印されていた。

一八六六年に普墺戦争が始まると、女性たちはナポレオン戦争期の「祖国の安寧のための女性協会」の伝統にのっとり、結成されたばかりのドイツ赤十字の指揮下で自発的に活動した。赤十字の理念を支援していたプロセイン王妃アウグスタは、停戦日の同年一一月一一日に、救護活動に従事した女性たちの活動を平和時にも恒常的に維持するために「愛国女性協会」の結成を呼びかけた。ベルリンからはじまった協会の結成は、プロイセン王国全体へ、さらに北ドイツ連邦やその他の地域へと広がっていった。「愛国女性協会」の会員数は、一八七〇年に二九〇支部、二万三六一六人を数え、普仏戦争(一八七〇―七一年)後に減少するが、八〇年代に増加に転じて一九〇〇年には一〇〇〇支部を超え、一九〇九年には三九万五〇五四人、一三年には五五万七〇〇〇人と大きく増加している(Süchting-Hänger 2002: 35)。大衆政治化の時代に入った世紀末には、フェミニズム系、宗教系、ナショナリズム系など、新しく結成される女性団体が増加し、それぞれの団体が第一次世界大戦まで会員数を伸ばしているが、「愛国女性協会」はすべての女性団体のなかで最大の会員数を誇ったのである。

「愛国女性協会」の特徴は、幹部に貴族や政府および軍部高官の妻が数多く就任し、アウグスタ王妃をはじめ各邦で領邦君主夫人の庇護を受けるなど、現存の支配体制と強く結びついていたことである。各地域の支部でも、社会的エリートの妻が幹部職を占め、会員には名士の妻たちの名前が並ぶ(Süchting-Hänger 2000: 132)、女性版名望家組織であった。協会の主要な課題は戦時支援と戦争への備えで、国家や軍隊との協力関係を重視してスムーズに連携するため、書記や会計主任などの要職を正規会員にはなれない男性に委ねている(Süchting-Hänger 2002: 31)。戦時支援のなかでも、「協会」はとりわけ傷病兵の看護を重視し、赤十字と連携しながら看護教育や看護の職業化にも尽力した。

普仏戦争では、平和時に蓄積した戦争への備えが実を結び、ただちに組織の力を発揮して精力的に活動した。ナポレオン戦争時と同様に募金などによる戦費調達、衣服や繊維製品など軍隊および病院で必要とされる物資の供給や食事の世話、そして何よりも看護活動のために奔走した。軍隊や赤十字と結びついた「協会」の活動は、ナポレオン戦争時の女性の活動の範囲を超え、野戦病院を設立して運営・監督し、男性看護要員が担当していた領域のフランス前線にまで出向いて、傷病兵の看護や世話、移送を担当した(Quataert 1998: 250)。女性たちは戦時支援の実質的な手足となっただけではなく、軍隊の移動のさいの休憩所の設営(Quataert 2001: 79)など、さまざまな支援活動を自らのイニシアティヴで企画し、業務の指揮にも携わったのである。戦時のもう一つの重要な課題となった兵士の遺家族への福祉に関しても、ナポレオン戦争時よりも進展し、遺家族に対する金銭的・物的支援はもとより、戦争犠牲者のためのバザーの開催、遺家族や兵士の妻に有償で戦時に必要な繊維製品の縫製を委託するなどの活動をした(Quataert 1998: 252; Quataert 2001: 79)。こうした「愛国女性協会」の戦時の献身的な働きは、政府の側からも諸手を挙げて歓迎されていた(Quataert 1998: 258)。

「愛国女性協会」は、普仏戦争後も遺家族への支援や世話を続け、救貧活動、自然災害や病気で苦しむ人の援助を本格的に行なうようになった。一八八〇年以降には、工業化の進展による社会問題の顕在化によって社会福祉への必要性が高まり、自治体など公的な福祉の拡充とともに、それと連携しながら福祉活動をするフェミニズム系の女性組織が著しく増加した。「愛国女性協会」も自治体の救貧システムに参加している。ジーン・カータートは、ドイツの女性運動の研究史で、フェミニズム的な傾向をもつ組織が福祉に果たした役割は高く評価されているのに対して、救貧活動の先駆者であるナショナルな女性組織「愛国女性協会」は軽視されていると指摘し、ドイツ統一戦争が後の女性による福祉活動の拡充を実現するためのレールを敷いたと主張する(Quataert 1998: 268)。女性は、ナポレオン戦争以前からキリスト教的隣人愛にもとづく慈善活動を行なってはいたが、遺家族を支援したナポレオン戦争時、そして、とりわけ戦後も継続的に遺家族支援や一般的な救貧活動が行なわれるようになったドイツ統一戦争、という戦時の女性のネイションのための活動は、女性が家庭という狭い領域を飛び出して社会活動をはじめ、その後大規模な福祉活動を展開する起点となったといえる。また戦時の女性の愛国的な活動は、ネイションでの女性の居場所を定めることにもなったのである。

「愛国女性協会」とジェンダー・ネイション秩序

普仏戦争時の女性の支援活動で、最大の働きをしたのは「愛国女性協会」である。他にフェミニズム的な傾向をもつ組織もネイションのための活動を展開したが、両者のめざす意図は異なった。後者は、女性のネイションのための活動を地位向上と結びつけようとし、愛国的な義務をよりよく果たすためには女子教育の改善が必要だと主張した(Quataert 1998: 256)。しかし、「愛国女性協会」はそうした要求は出さず、奉仕し、支援し、祈るという「協会」の考える理想の女性像にしたがい、家庭という女性の領域を基盤としながら、名誉職として行なう看護で、また支援を必要とする病院や子ども、寡婦などの世話で、骨身を惜しまず献身する精神を発揮しようとした(Süchting-Hänger 2000: 135)。

「愛国女性協会」は、自分たちの組織を政治的なものではなく、階級間や政党間の対立の彼方に存在する、もっぱら人道的なものとみなしていた(Süchting-Hänger 2002: 44)。たしかに彼女たちの活動は、人道的な側面をもっていた。しかし、「愛国的で王に忠実」(Süchting-Hänger 2000: 133)を信条とする彼女たちの活動は、きわめて政治的であった。彼女たちは軍隊活動への参加を誇りに思い、軍隊を一つの柱とする統治形態を守り、君主制という現存の支配体制に女性たちを統合して国家形成の一翼を担い、その維持・強化に貢献しようとした。女性の地位向上は要求せずに、ネイションの女性部隊としてネイションのために有用だと考える活動をすることは、彼女たちにとって「王冠と祖国という祭壇」を守るために重要だったのである。「愛国女性協会」が熱心に救貧事業を推進したのも、それが社会的秩序の維持に大きな意味があると認識していたからである。

ところで皇帝ヴィルヘルム二世の妻で熱心なプロテスタントである皇后アウグステ・ヴィクトリアの婚姻・家族生活は、夫と家族のためにのみに生きる生粋のドイツ的なものだと保守的な人びとの間で称賛されていた(Süchting-Hänger 2002: 45)。「愛国女性協会」にとって、「王冠への奉仕者」である皇后は、女性たちが見習うべき「協会」活動の至高の模範とされた。皇后は彼女たちに祖国へのアイデンティティを抱かせてくれる存在であり、皇后を中心に男性とは別個の「奉仕とケア」の世界を作り上げていった。「協会」は、下部の地域支部にいたるまで彼女の誕生日に祝典を主催し、あらたな会員の獲得につなげていったのである(Süchting-Hänger 2002: 47)。

「協会」は、自分たちの活動がネイションにとって意義のあるものとして社会的に認められることを望んだ。実際、一九一三年の解放戦争一〇〇周年記念の祝祭では、男性の英雄的な行動だけではなく、同じように勇気ある女性の支援も想起されたのである(Süchting-Hänger 2000: 139)。しかし、「協会」は女性の地位向上を目指さず、女性の政治的権利の獲得も否定した。彼女たちは、既存のジェンダー秩序を維持し、家庭内での母としてのケアや配慮をネイションのために行なうことが男性の兵役に匹敵する女性のナショナルな義務と考えていたのである。彼女たちが作りあげたジェンダー化されたネイションは、ナポレオン戦争時の男性=戦闘/女性=家の守りの拡大版で、男性は戦闘、女性はケア、すなわち看護と福祉であった。このような形で女性はネイションのなかで、家庭を基盤としながら、家庭外にも居場所と役割を獲得したのである。

三、覇権的ナショナリズムとジェンダー

男性的な植民地

ナショナリズムはわれわれと他者を差異化し、われわれの共同体に帰属する人びとは包摂するが、それ以外の人びとは排除する。この構造それ自体は、ナショナリズムの勃興時のナポレオン戦争期から変化していない。しかし、世紀転換期になると、かつての愛国的ナショナリズムは覇権的ナショナリズムへと変化した。ドイツのナショナリズムは人種主義的色彩を帯びるようなり、国内では反ユダヤ主義が強まり、ポーランド人労働者が排斥された。世界進出がはじまったこの時期、ドイツ人やドイツ性という意味合いに対しても、帝国内に居住する人びとだけではなく、帝国の国境を越えた総体的な「ドイツ」が対象となって、ドイツ性の保持を主張する声が高まっていく。ナショナリズムは、植民地主義と密接に結びついていくのである。

列強に遅れて植民地獲得にのりだしたドイツは、一八八四年に南西アフリカ、トーゴ、カメルーン、八五年に東アフリカを領有、九八年には膠州湾(こうしゅうわん)を租借し、南太平洋の島々も支配下に置き、一九〇〇年にサモアを獲得した。ハインリヒ・フォン・トライチュケが、白人人種のエリート支配の創造という権力的な競争への参加、「植民地への意欲を示すことは偉大なネイションの死活問題」(Treitschke 1918: 121)と述べたように、当時の列強にとって植民地の獲得は、ナショナルな名誉と世界強国であることの証しであり、ナショナルな文化の優位性を示すことであった。植民地領有は強者の弱者に対する、文化民族の自然民族に対する当然の権利であり、ネイションの男性性を証明するものだと考えられたのである。植民地言説においては、征服者である文明的な強者は男性、自然で弱者である被植民地は女性にたとえられている。

植民地獲得当初、ドイツ人在留者の圧倒的多数は男性だった。以前から、当地で生活していた宣教師や商人たちに加えて、兵士たちが駐留するようになり、南西アフリカでは入植者も増加した。当初、女性は気候的理由や物質的困難、戦争の脅威などから植民地へ行くことは期待されず、宣教師の妻たちやカトリックのミッション女性たちが僅かばかり現地に滞在していただけだった。

ドイツ人男性のセクシュアリティと異人種婚の禁止

植民地に滞在していた多くの男性たちは、ドイツ的な市民モデルに従う必要はないと考え、現地人女性たちと婚姻外の性交渉をもっていた。両性が合意した性関係もあれば、性暴力や抑圧的な関係も多く、暴力的な関係は原住民からの訴えという形で明らかになっていった(Wildenthal 2003: 204)。ドイツ人と原住民との異人種婚に関しては、南西アフリカでは当初、多くの宣教師が、文化の架橋、植民地の高度な発展、現地での生活の便宜などの理由で肯定的に捉えていた(Kundrus 2003: 239f.)。しかし、支配人種であるドイツ人と原住民の間に厳格な境界線を引くべきという声が次第に強くなっていく。ドイツ女性が不在の状況のなかで現地人との性関係や非婚同居は「必要悪」として黙認されたが、二〇世紀への転換期には性の自由より人種の純粋さを優先すべき、という主張が勝るようになった。それゆえ男性の自由意志を制限し、ドイツ人と現地人との正式な婚姻締結を禁止しようとする動きが出てきたのである。

そのさい植民地主義者たちは、ドイツ人男性が「人種的・文化的に果てしなく大きな差がある」アフリカ人女性と結婚すれば、あるいは彼女たちと性関係をもっただけでも、ドイツ性が喪失され「カフィール化」[1]される、と危機感を煽った。アフリカ人女性はドイツ人男性を低い教養水準へと引き下げるが、彼女たちがドイツ人男性並みの水準へと引き上げられることは絶対にない、というのである(Kundrus 2003: 231)。ドイツ人と原住民との結婚は、白人種の生物学的な質を低下させ、不道徳で品位を汚し、政治的主導的立場に疑問を投げかけ、ネイションの名誉を毀損する、とみなされたのである。

婚姻による国籍問題も、異人種婚反対の原因となった。植民地基本法によって、一八八六年から原住民とドイツ人には二つの法的カテゴリーが別個に適用されていた。しかし、原住民女性がドイツ人と結婚すると、ドイツ家族法の父系原則に従い妻と子どもはドイツ国籍を得る。植民地主義者はドイツ人国籍をあくまで白人と結びつけて捉えたかったし、混血児の存在は「支配者としての白人／支配される者としての黒人」という植民地秩序を脅かす危険な存在になるとみなしていた。彼らは、混血児が自身を黒人種の指導者と感じる、という想像すらしていたのである（Axster 2005: 45）。一九〇四―〇五年にかけての南西アフリカでのヘレロ・ナマの蜂起、〇五年の東アフリカでのマジマジ蜂起は、こうした懸念を一層強くした。

人種分離政策を推進した植民地当局は、一九〇三年に南西アフリカで副総督ハンス・テッケレンブルクの政令によってすべての混血児を「原住民」と定め、〇五年には彼の指令でドイツ人とアフリカ人の結婚を禁止した。しかし、こうした婚姻禁止は、数的にははるかに多かった婚姻外の結びつきにほとんど影響を及ぼすことはなく、親密な関係は禁止とは無関係に存続した。

加えて一九〇九年の自治体令によって、異人種と婚姻ないし事実婚をしているドイツ人は、ナショナルな名誉ないし白人の名誉を損傷し、個人の品位を落としたために市民権を失うという論理で、選挙権を剝奪された（Kundrus 2003: 260f.）。もっとも、異人種婚をしていた多くのドイツ人男性の抗議によって、一九一二年三月に、一八九三年一月一日以前に教会で、一九〇五年一〇月一日以前に戸籍役場で結婚の承認を受けていた男性は、倫理的観点から高く評価できる家族生活を送り、公的な権利を託せる品位が保証できるさいには、総督が選挙権を与えることができる、と定められた（Kundrus 2003: 264）。

ドイツ人女性の植民地への派遣とドイツ性の維持

一八八二年にドイツ人の植民地への関心を増大させることを目的に結成された「ドイツ植民地協会」は、白人女性の不在ゆえに、とりわけ保安部隊がアフリカ人女性と性関係を持っていることを憂い、すでに一八九六年にドイツ人女性の植民地への移住の組織化を提案していた(Kundrus 2003: 78)。ドイツの植民地のなかでは唯一のドイツ人入植植民地だった南西アフリカ総督はこの提案を歓迎し、まずドイツ人在住者男性の妻や婚約者、親戚の女性などを渡航させた。しかし、こうした女性は数少なかったので、結婚相手として女性を渡航させる案も出されたが、女性を商品化することになるという否定的見解が出て実現しなかった。解決策として実行されたのが、家事使用人として女性を渡航させ、自分の選択で結婚する機会を与えるという案だった(Kundrus 2003: 82f.)。「ドイツ植民地協会」は、現地の女性不在をもっとも重要な問題と捉え、数百人、数千人の女性を植民地に派遣することに成功しなければ、精神的にも倫理的にも価値が低く、ナショナルにも信頼できない「雑種住民」が増大して優位に立つ、と危惧していたのである(Kundrus 2003: 77f.)。

ドイツ本国でも植民地への関心が非常に高まっていた一九〇七年に、「ドイツ植民地協会」員や植民地政治家の妻、さらに軍隊将校の妻たちといった貴族や上層市民を中心に「ドイツ植民地女性連盟」が結成された。「女性連盟」は翌年、「協会」の協働組織となり、組織名を「ドイツ植民地協会女性連盟」(以下、「連盟」と略す)へと変更した。貴族の軍人家系の出身で将校の寡婦、保守的な軍事主義者であり、「連盟」の初代会長(〇九年まで)となったアッダ・フライフラウ・フォン・リリエンクローンの「苦労して手に入れた国が、何もかもブール化〔ブール人はオランダ系白人〕しカフィール化するという危機に瀕している〔中略〕というのも、成長している混血種族がドイツ性を萌芽のうちに摘み取ってしまうからである」(Wildenthal 2003: 207より引用)という発言に示されているように、「連盟」の女性たちは、「人種混淆によるドイツ性の衰退」論を共有し、南西アフリカへドイツ人女性を移住させることに熱意を燃やした。

ちなみに「連盟」は、ドイツ人男性の結婚相手としては、ドイツ人以外の白人女性も望まれない(Niessen-Deiters 1913: 58)とし、ヨーロッパ諸国家間の競争のなかで、あくまでナショナルな観点を貫徹していたのである。

「連盟」の目的は、一九〇七年六月六日の加入への呼びかけ、すなわち「現在、植民地で暮らしている数千人の男性に代わって数千の家族が本国の外部で第二の故郷を作った時に、はじめて植民地は次第に『新しいドイツ』という成るべきもの、成ることができるものに姿を変えていく」(Kundrus 2005: 15)と記されているように、女性と男性が協力して植民地に「新しいドイツ」を創ることだった。リリエンクローンは、「ドイツの兵士はその土地を剣で征服し、それドイツの農民や商人は経済的な実用化を求め、ドイツ人女性はそこをドイツ的に維持するために招聘されたし、それができる」(Kolonie und Heimat, Jg. II, Nr. 4, 1908: 8)と述べた。またジャーナリストで「連盟」の幹部のレオノーレ・ニーセン＝ダイタースは、「男性は世界のなかでドイツ的思考のために領土を獲得し、強要することができるが、女性の粘り強さだけがドイツ的思考を本国以外で持続的に定着させ、維持することができる」(Niessen-Deiters 1913: 7)と述べ、そのために「ドイツ人女性は彼女たちのナショナルで人種的な義務を自覚」(*Ibid*.: 13)しなければならなかったのである。このように「連盟」の女性たちは、男性／女性、戦闘／出産、征服／維持、国家形成／民族形成(人種の純粋性および文化の保持)と、「男性の領域」と「女性の領域」を分離した。そして、両者は決して重なり合うことはないが、双方がいなければ支配民族としてのドイツの優位を確保してドイツ性を維持し、「新しいドイツ」を創ることは不可能だとされたのである。ドイツの「血と文化」という観点は、女性の植民地活動への関わりを正当化したし、「連盟」もこの観点を前面に押しだして、ときに「ドイツ植民地協会」と対立しながら、自らの立場を貫いて積極的かつ自律的に活動したのである。

「連盟」の活動と「ドイツ植民地協会」との葛藤

「ドイツ植民地協会」の移住女性への期待はもっぱら出産だったが、「連盟」は、生物学的な観点はもちろん、女性たちによる文化的貢献に大きな比重を置いていた。ヘートヴィヒ・ハイルが第三代会長となった一九一〇年以降は、とくに家事によるドイツ性の浸透が重視された。「ドイツの家事がそこに根付かなかったら、はるかな国は本当に領有されたとはいえない」(一九一二年のドイツ女性会議でのハイルの発言。Wildenthal 2003: 212より引用)と考えられたのである。社会改良論者で、女性の社会的地位向上をめざす彼女は、合理的・効率的で衛生的な家政を追求し、家事労働のプロフェッショナル化による女性の社会的評価の上昇を目指すとともに、家政を通じた植民地での女性の活躍の場作りに尽力した。

ハイルの指導下で「連盟」には多くの市民層の女性たちが入会し、会員数は一九〇九年に三九二五人だったのが、一四年には一万八六八〇人に増加している(Walgenbach 2005: 89)。「連盟」は、講演会や著作物を通じて植民地への関心をかき立てることによって、女性の南西アフリカへの移住にさいしても大きな成果を挙げた。「ドイツ植民地協会」が一九〇七年までの一〇年間で一一一人しか移住させられなかった(Wildenthal 2003: 213)のに対して、「連盟」は、一九〇八年から一四年の間に五六一人を送り出したのである(Wildenthal 2001: 163)。両者は、どのような女性を送るべきかについて対立した。「ドイツ植民地協会」は、必要とされているのは家事使用人だとして教育を受けた女性を拒否したが、ハイル率いる「連盟」は、文化の担い手としての課題を果たすために知識と行動力のある自立した女性を求めた。移住女性たちの渡航費用を負担していた「ドイツ植民地協会」は、「連盟」を自らの補佐的な組織と捉えていたが、ハイルらは、「協会」による萎縮させるようなさまざまな対応にもかかわらず従属的な立場での活動を拒み、渡航女性の選択にあたってイニシアティヴを発揮するとともに、独自にプロジェクトを推進していった。

それが、南西アフリカ南部のケートマンスホープに一九一〇年に設立された「故郷の家」である。この地域はドイツ人女性が不在で、バスター(原住民とブール人との間に生まれた混血)の定住地だったので、「連盟」はドイツ性の拠点を作ると主張して、この地を選んだ(Walgenbach 2001: 95)。まだ就業先の決まっていない女性たちは、この家と三カ月の労働契約を結ぶことができた。彼女たちは、「故郷の家」で植民地の家政への準備をするとともに、ここで運営資金を得るために営まれている洗濯、パン焼き、修理・修繕、縫製、女性旅行者用客室などに関連する業務に従事した。さらに「連盟」は、一九一一年に教養ある階層の娘たちのためにドイツ本国にも植民地女性学校を開校し、家事、農業、菜園、簿記など、植民地生活に必要とされる家政関連のあらゆる知識や技能を身につけさせて、主婦職ないし就業に備えさせようとした(Wildenthal 2003: 214f.)。「連盟」は、ドイツ人男性の結婚相手を移住させるだけではなく、女性のために有償の就業先を創出することも考えていたのである。

こうした志向をもつ「連盟」は、一九一一年に女性の地位向上をめざす市民的女性運動の上部組織「ドイツ女性団体連合」に加盟した。当時の「連合」は、近い将来の女性参政権獲得をめざすなど、フェミニズム的傾向はもっていたけれども、男女の本質的な違いを活動の出発点とし、男性の領域への女性の参入ではなく、女性の特性を活かす形での社会進出を目指していた。この「連合」の方向性は、男女平等ではなく、女性の領域とみなされていた家政を通じた女性の文化的貢献と家政の社会的評価の上昇をめざすハイルの目的にかなっていた。しかし、それまでも「連盟」の反抗的な態度と自律的な活動を苦々しく思い、方向性をめぐってしばしば対立していた「ドイツ植民地協会」にとって、この「女権的」な「ドイツ女性団体連合」への加盟はとりわけ許しがたいものであった(Kundrus 2005: 10; Walgenbach 2005: 102f.)。「協会」はハイルや「連盟」に激しく抗議したが、「連盟」は自らの意思を貫徹した。

このようにハイルは、女性を補佐部隊にとどめたい「ドイツ植民地協会」の意向に逆らい、時にフェミニズム的な側面を発揮しながら植民地での女性の活動余地を着実に押し広げ、「女性の領域」の価値を上昇させた。その後押しをしたのが「血と文化」の観点である。植民地でドイツ性を担保するためには、女性の存在と文化的活動は不可欠であった。こうした強みがあったからこそ、ハイルはフェミニズムとナショナリズムを融合させ、女性の影響力を強める活動を展開することができたのである。

ハイルが女性の社会的評価上昇をめざす基盤とした家事は、同時に人種の差異化、さらに他の白人諸国に対するドイツの優越性を主張する論拠ともなった。「連盟」の機関誌には、怠け者、原始的、不潔、非衛生的とステレオタイプ化してアフリカ人女性を悪質な主婦に仕立て上げる記事が書かれ、白人と黒人との空間的および社会的な境界の強化を推進した(Dietrich 2009: 186f.)。また他の白人諸国の家事と比較して、いかにドイツの主婦が働き者で、家庭を清潔かつ快適に保っているかが強調され、ナショナル・アイデンティティの拠り所とされた(Reagin 2007: 69)。市民的家政は、白人としての、そしてドイツ女性としてのアイデンティティを強化する場となった。このような形で、ナショナリズム、人種主義、ジェンダー、階層性が相互に絡み合いながら構築され、再生産された。植民地獲得競争が行なわれた覇権的なナショナリズムのもとで、ネイションのジェンダー化は、あらたな形態をとりながら推進されていったのである。

おわりに

本稿ではドイツを例にして、近代のネイション形成がいかにジェンダーと相互に絡み合いながら進展したのか、そこに女性のネイション活動がどのように関連していたのか、について三つの時期に分けて考察した。

第一は、ナショナリズムが勃興し、ネイション形成の出発点となったナポレオン戦争期である。この時期に、一八世紀末以来の男性は公的領域の担い手で女性は家族領域という役割分担に加えて、男性にはあらたに戦闘性が求められるようになった。戦う男性/家を守る女性が近代のネイション形成の基盤となり、ネイションはジェンダー化された形で構築されていく。女性の居場所は家族だったが、男女ともに公共心や祖国愛、祖国への誇りを求めたナショナリズムは、女性に社会で活動する機会を提供した。女性たちは家庭をベースに、日頃彼女たちが家庭で行なっている夫や子どもに対する世話や献身を祖国のために行なうという形でナショナルな活動を始めた。こうした女性の家庭というアイデンティティを守りながらの活動形態は、その後のナショナルな女性組織の典型となる。またジェンダー化された活動形態の実践は、ネイションのジェンダー化の強化にもつながった。

第二は、ナショナルな「女性協会」の活動が恒常的に展開されるようなる、一八六六年の普墺戦争以降、世紀転換期までの時期である。牽引したのは、普仏戦争後に戦時の活動を一般的な救貧福祉や看護の職業化へと拡充していった「愛国女性協会」である。普仏戦争時からすでに、女性のナショナルな活動を女子教育の改善と結びつけるなどフェミニズム的志向をもつ勢力も少数ながら登場していたが、保守的で君主制の擁護を至上目的とする「愛国女性協会」は女性の地位向上や参政権獲得を目指さなかった。「協会」は、既存のジェンダー秩序を維持し、家庭内でよき妻・母として行なうケアや配慮をネイションのための福祉活動として行なうことを男性の兵役に匹敵する女性のナショナルな義務と考えていた。彼女たちは、ネイションのなかに福祉活動という女性の居場所と役割を定着させ、ネイションのジェンダー化をあらたな地平へと導いたのである。

第三は、ヨーロッパ諸列強の覇権競争が本格化し、ドイツも植民地獲得にのりだしていた世紀転換期以降、第一次世界大戦までの時期である。この時期には、ドイツのナショナリズムに人種主義的な要素が加わり、排他性とドイツ優位の主張が一層強まっていた。覇権的ナショナリズムによる植民地獲得は、ナショナルな女性運動の活動範囲をさらに拡大した。「ドイツ植民地協会女性連盟」は、植民地で「女性の領域」からドイツ性を浸透させて「新しいドイツ」を創る活動にのりだし、この活動を女性の地位向上にもつなげようとした。彼女たちは「血の純粋さ」を守り、ドイツ的家政の遂行によって「ドイツ文化」を保持するというアピールによって家庭領域を民族主義的に政治化した。ネイションのジェンダー化は、人種主義的な色彩を帯びながら強化されていったのである。

本稿で触れることはできなかったが、ナショナルな市民的女性運動には、リベラル派から急進的右派まで、さまざまな潮流が存在した。参加をうながすナショナリズムは、女性をネイションのための活動へと招きいれ、家庭の外へと連れだし、女性の社会活動を活発化させた。しかし、その活動を女性の地位向上に結びつけようとする動きも、女性を「女性の領域」の枠内にとどめることには変わりなかった。剣と家族を基盤に強固なネイションを作ろうとするナショナリズムは、ネイションでの両性の領域を固定化する作用を及ぼしたのである。

ネイション形成がジェンダー化された形で行なわれるという構造は一貫していたが、時代と情勢の変化に応じて、また女性たちの主体的な働きかけによって、ネイション形成に女性がはたす内実は拡大していった。また女性のネイション活動のなかで、保守的な女性たちでさえ、女性を補佐と応援団の役割にとどめたい男性と時に対立しながら自律性を貫徹し、発言力を増していった。ナショナリズムと女性のネイション活動は、女性の政治化の触媒になったのである。

注

（1） 一九二〇年『ドイツ植民地事典』は、「カフィール化」(Verkafferung)を「ヨーロッパ人の文化水準を原住民のそれへの引き下げ、ないし白人入植者の悲しむべき退化」と記していた。この「カフィール化」という概念は、一九〇四年頃からドイツの植民地雑誌に登場するようになった。

参考文献

コリー、リンダ(二〇〇〇)『イギリス国民の誕生』川北稔監訳、名古屋大学出版会。
ダン、オットー(一九九九)『ドイツ国民とナショナリズム一七七〇―一九九〇』末川清・姫岡とし子・高橋秀壽訳、名古屋大学出版会。

Der Mensch 11. Teil 1765, Von den nötigen Eigenschaften einer Manns- und Weibsperson, 215. Stück.

Kolonie und Heimat.

Axster, Felix (2005), „Die Angst vor dem Verkaffern-Politiken der Reinigung im deutschen Kolonialismus“, *Werkstatt Geschichte*, Jg. 39.

Blom, Ida, Karen Hagemann and Catherine Hall (ed.) (2000), *Gendered Nations: Nationalisms and Gender Order in the Long Nineteenth Century*, Oxford/New York, Berg.

Dietrich, Anette (2009), „Rassenkonstruktionen im deutschen Kolonialismus: ‚Weiße Weiblichkeiten‘ in der kolonialen Rassenpolitik“, Marianne Bechhaus-Gerst und Mechthild Leutner (Hg.), *Frauen in den deutschen Kolonien*, Berlin, Ch. Links.

Frevert, Ute (1995), *„Mann und Weib, und Weib und Mann“, Geschlechter-Differenzen in der Moderne*, München, Beck.

Frevert, Ute (1996), „Soldaten, Soldatenbürger: Überlegungen zur historischen Konstruktion von Männlichkeit“, Thomas Kühne (Hg.), *Männergeschichte-Geschlechtergeschichte: Männlichkeit im Wandel der Moderne*, Frankfurt am Main/New York, Campus.(『男の歴史――市民社会と〈男らしさ〉の神話』星乃治彦訳、柏書房、一九九七年)

Frevert, Ute (2001), *Die kasernierte Nation: Militärdienst und Zivilgesellschaft in Deutschland*, München, Beck.

Habermas, Rebekka (2000), *Frauen und Männer des Bürgertums: Eine Familiengeschichte (1750-1850)*, Göttingen, Vandenhoeck & Ruprecht.

Hagemann, Karen (1996), „»Heran, heran, zu Sieg oder Tod! «: Entwürfe patriotisch-wehrhafter Männlichkeit in der Zeit der Befreiungskriege“, Thomas Kühne (Hg.), *op. cit.*

Hagemann, Karen (2000), „»Deutsche Heldinnen«: Patriotisch-nationales Frauenhandeln in der Zeit der antinapoleonischen Kriege“, Ute Planert (Hg.), *Nation, Politik und Geschlecht: Frauenbewegungen und Nationalismus in der Moderne*, Frankfurt am Main/New York, Campus.

Hagemann, Karen (2002), *»Männlicher Muth und Teutsche Ehre«: Nation, Militär und Geschlecht zur Zeit der Antinapoleonischen Kriege Preußens*, Paderborn, Ferdinand Schöningh.

Hausen, Karin (1976), „Die Polarisierung der ‚Geschlechtscharaktere‘: Eine Spiegelung der Dissoziation von Erwerbs- und Familienleben“, Werner Conze (Hg.), *Sozialgeschichte der Familie in der Neuzeit Europas*, Stuttgart, Ernst Klett.

Kundrus, Birthe (2003), *Moderne Imperialisten: Das Kaiserreich im Spiegel seiner Kolonien*, Köln/Weimar/Wien, Böhlau.

Kundrus, Birthe (2004), „Weiblicher Kulturimperialismus: Die imperialistischen Frauenverbände des Kaiserreichs“, Sebastian Conrad nud Josef

Osterhammel (Hg.), *Das Kaiserreich transnational: Deutschland in der Welt 1871-1914*, Göttingen, Vandenhoeck & Ruprecht.

Kundrus, Birthe (2005), „Die imperialistische Frauenverbände des Kaiserreichs: Koloniale Phantasie- und Realgeschichte im Verein“, Basler Afrika Bibliographien, *BAB Working Paper*, No. 3.

Langewiesche, Dieter (1995), „Nation, Nationalismus, Nationalstaat: Forschungsstand und Forschungsperspektiven“, *Neue Politische Literatur*, 40.

Niessen-Deiters, Leonore (1913), *Die deutsche Frau im Auslande und in den Schutzgebieten: Nach Originalberichten aus fünf Erdteilen*, Berlin, R. Eisenschmidt.

Planert, Ute (2000), „Vater Staat und Mutter Germania: Zur politisierung des weiblichen Geschlechts im 19. und 20. Jahrhundert“, Planert (Hg.), *op. cit.*

Quataert, Jean H. (1998), „»Damen der besten und besseren Stände« »Vaterländische Frauenarbeit« in Krieg und Frieden 1864-1890“, Karen Hagemann und Ralf Pröve (Hg.), *Landsknechte, Soldatenfrauen und Nationalkrieger: Militär, Krieg und Geschlechterordnung im historischen Wandel*, Frankfurt am Main/New York, Campus.

Quataert, Jean H. (2001), *Staging Philanthropy: Patriotic Women and the National Imagination in Dynastic Germany, 1813-1916*, Ann Arbor, The University of Michigan Press.

Reagin, R. Nancy (2007), *Sweeping the German Nation*, New York, Cambridge University Press.

Reder, Dirk Alexander (1998), „»... aus reiner Liebe für Gott, für den König und das Vaterland« Die »patriotischen Frauenvereine« in den Freiheitskriegen von 1813-1815“, Hagemann/Pröve (Hg.), *op. cit.*

Schilling, René (2002), *»Kriegshelden«: Deutungsmuster heroischer Männlichkeit in Deutschland 1813-1945*, Paderborn, Ferdinand Schöningh.

Süchting-Hänger, Andrea (2000), „»Gleichgroße mutige Helferinnen« in der weiblichen Gegenwelt: Das Vaterländische Frauenverein und die Politisierung konservativer Frauen 1890-1914“, Planert (Hg.), *op. cit.*

Süchting-Hänger, Andrea (2002), *Das „Gewissen der Nation“: Nationales Engagement und politisches Handeln konservativer Frauenorganisationen 1900 bis 1937*, Düsseldorf, Droste.

Treitschke, Heinrich von (1918, 4. Aufl.), *Politik: Vorlesungen gehalten an der Universität zu Berlin*, Max Cornicelius (hrsg.), Bd. 1., Leipzig, S. Hirzel.

Trepp, Anne-Charlott (1996), *Sanfte Männlichkeit und selbständige Weiblichkeit: Frauen und Männer im Hambuger Bürgertum zwischen 1770 und 1840*, Göttingen, Vandenhoeck & Ruprecht.

Walgenbach, Katharina (2005), *»Die weiße Frau als Trägerin deutscher Kultur«: Koloniale Diskurse über Geschlecht, »Rasse« und Klasse im Kaiserreich*, Frankfurt am Main/ New York, Campus.

Wildenthal, Lora (2001), *German Women for Empire, 1884–1945*, Durham/London, Duke University Press.

Wildenthal, Lora (2003), „Rasse und Kultur: Frauenorganisationen in der deutschen Kolonialbewegung des Kaiserreichs“, Birthe Kundrus (Hg.), *Phantasiereiche: Zur Kulturgeschichte des deutschen Kolonialismus*, Frankfurt am Main/New York, Campus.

問題群｜*Inquiry*

移民の世紀

貴堂嘉之

一、「移民の世紀」と国民国家再考——人の移動史からみる「長い一九世紀」

本稿の目的は、「移民の世紀」と呼ばれる一九世紀の世界史像を、より広範なグローバルな人の移動史の観点から問い直し、本巻のテーマである「国民国家と帝国」といった問題群を探究することにある。近代世界において人間が移動し、移住するとはいかなる意味を持っていたのか。「移民」とは一体誰のことで、一九世紀はなぜ「移民の世紀」となったのだろうか。本稿で扱う時代設定は、フランス革命から第一次世界大戦勃発までの時期をひとまとまりの時代として「長い一九世紀」(一七八九—一九一四年)と呼んだイギリスの歴史家エリック・ホブズボームの論にならうことにする。この「長い一九世紀」に、五五〇〇万もの人びとがヨーロッパから南北アメリカ大陸やオセアニア、アジア・アフリカの植民地などへと移住したのはなぜなのだろうか。

二〇一九年末から二〇二三年の現在まで、新型コロナウイルス感染症(COVID-19)の感染拡大が引き起こしたパンデミックは、人、モノ、カネ、情報が国境を越えて大規模に移動するグローバル時代において、人の移動の自由を制限することが、世界経済や一国の政治情勢に甚大な影響を与えることを知らしめた。世界各地で都市のロックダウンが行われ、日本でも人流抑制が実施され、密閉・密集・密接の「三密」を避けるという感染予防のための「新しい生活様式（ニューノーマル）」が提言された。国境を越える遠距離移動も出入国制限が厳格化されたことで、世界中の空港は乗降客が激減した。私たちは、人流・物流が一時的にほぼ完全にストップする、たぐいまれな経験をしたのである。その過程で逆説的に明らかになったのは、どのような国家や地域であれ、自由に人が移動できることが、どれほど社会生活の基盤となっているかということだった。

大量の人、モノの移動が常態の現代世界でも、ひとたび感染症が広がれば、社会活動は停滞してしまう。そもそも、人の長距離移動の歴史は感染病との戦いの歴史であった（クラウト 一九九七）。「検疫 quarantine」という言葉は、イタリア語で四〇日を意味し、語源は一四世紀のヨーロッパで大流行した感染症のペストに由来する。「黒死病」として恐れられたペストでは、飛沫感染によるヒト−ヒト感染が爆発的に起きてヨーロッパの人口の三分の一が死亡した。当時の医学的知識と経験則から、ヴェネツィアでは入港前四〇日（イタリア語で quarantena）の間、船を沖に停泊させ、感染症の潜伏期間を見守り乗客が発症していないことを確認してから上陸させた。これが「検疫」の言葉の由来である。

二一世紀の飛行機の移動に際して空港で行われる入国審査や検疫システムも、この一四世紀の船の時代の延長線上に捉えることができるだろう。現代の「空港」という言葉が「空」の港であり、機長をキャプテン、客室をキャビンと呼ぶ点など、飛行機にまつわる用語は、前近代の船旅に由来するものが多い。客室を一等から三等まで（ファースト／ビジネス／エコノミー・クラス）、等級に分けるのも同じだ。だが、決定的に異なるのは、一八世紀末から一九世紀に成立した近代国民国家と、その国家機構が目指した「国民」管理や「国境」管理の漸次的達成――門衛国家 gate-keeping nation としての近代国民国家の誕生――が、人びとの長距離移動（必然的に国境を越える行為を含む）、越境の流儀を変えていったことである。

私たちが飛行機で海外に行く際には、パスポートが必携である。この国家により保障された写真付き身分証明書で身元確認をし、場合によっては指紋などを使った生体認証を行って、出入国審査に臨む。だが、近代社会の国境管理がはじめからこのように体系化されていたわけではない。国家間での移動で国籍・身分を保証するパスポート・システムが世界各国に普及したのは、第一次世界大戦後、一九三〇年代以降のことである。国境を跨ぐ人びとの人流を管理するための「身元確認の革命」は、アメリカ合衆国のような移民国家においてまず一九世紀末以降に進展し、国家が合法的な移動手段を独占する時代が始まるが、それが世界中の国民国家の規範となるまでには時間がかかった(トーピー 二〇〇八、Pegler-Gordon 2009)。要するに、国民国家が成立し、(形式的には)国境線で囲まれた領土で世界が覆われる近代になっても、国家は人の移動を管理・統制することができず、彼らを「国民」として囲い込むまでにはかなりの時間と労力を必要としたのである。

国民国家と「長い一九世紀」

こうして人の移動や越境の観点から「長い一九世紀」を捉え直すと、これまで見えてこなかった論点がみえてくる。一九世紀史は、これまで「国民国家の時代」と総括され、その原理のもとで近代国家や近代社会が形成されたと描かれてきたが、その抜本的な問い直しが必要なのではないか。近年の国民国家論としては、制度論的な国家論(領域・国民・主権)を批判したベネディクト・アンダーソンの『想像の共同体』(一九八三年)が日本では知られている。「国民とはイメージとして心に描かれた想像の政治共同体」であると述べ、「国民」の境界をめぐる包摂と排除の政治に焦点を当て、ナショナリズムの暴力性について研究の裾野を広げた。

だが、これに対して『パスポートの発明』の著者で社会学者のジョン・トーピーは、国民を「想像」するだけでは国民国家は成立しないと、アンダーソンの議論を否定する。むしろ、国境での出入国記録が文書化されること、つまり実質的な出入国管理の移民行政と監視システムの確立をもって、国民国家成立の指標とすべきだとして、新しい分析視角を提示している。かつては、「国境」概念の成立史は、三十年戦争を契機に結ばれたウェストファリア条約(一六四八年)が転換点とされ、この条約が主権国家体制への変化をもたらしたと叙述されてきた。だが、それは決して具体的な国境管理の開始を意味していなかった。

信じがたいことではあるが、一九世紀中葉まで、アメリカの移民受入港に出入国をチェックする連邦の移民行政官はおらず、検疫のための検査体制も脆弱であった。これはアメリカに限らず、他地域の多くの移民船でみられたことだが、一等・二等客室(キャビン)を利用する中産階級以上の人びとは何の審査もなく上陸が許され、三等客室(スティアレジ)を利用する労働者階級の人びとのみが検疫を受けるのが一般的であった。その後、アメリカで連邦管轄の移民入国審査施設ができるのは、後述するように東海岸で一八九二年(エリス島)、西海岸では一九一〇年(エンジェル島)のことである。ヨーロッパでは、さらに遅れて第一次世界大戦において国家単位での総力戦を経験してはじめて、パスポートによる出入国管理が整備されることになる。

つまり、「長い一九世紀」を「移民の世紀」たらしめたのは、近代国民国家が成立しながらも、主権国家として領域内の住民や国境線を越境する住民に対して国籍や市民権の枠組みで彼らを「国民」として位置づけることが追いつかず、越境者を統制する国境管理システムの整備が遅れたことが、大量の人流を可能にしたからなのである。近代とは、このように猛烈なスピードで進行する人の移動を国家が後追いで統制しようとする時代であったともいえる。特定の民族の血縁的連続性にもとづいて多くのヨーロッパ諸国がナショナリズムを立ちあげ、民族国家として国民の均質化を求め、住民の「国民化」が図られたことが強調されるが、実際には他地域から多くの移民集団を受け入れ、植民地化により異質な人種・民族集団を抱え込んだのが近代であり、規範的単位としての国民国家像を当時の実態であるかのように議論することには慎重でなければならない。大規模な人の移動のなかで、「国民」そのものの境界(包摂と排除)が長い時間をかけて定められていったのであり、またこのように門衛国家として国民国家が不完全であることが、植民地形成における労働力のグローバルな流動性を保証したのである。

さらに、「長い一九世紀」との対比のために二〇世紀世界についても付言すれば、第一次世界大戦を機に、ヨーロッパは今日的な意味での「国境」と「国民」の管理を厳格化していった。それが結果的には自由放任的な施策に保障された「移民の世紀」を終わらせたともいえる。第一次大戦によってオスマン帝国や多民族を抱えるオーストリア＝ハンガリー帝国が崩壊し、帝政ロシアの革命と内乱を通じて大規模な難民が流出し、これを起点に二〇世紀は「難民の世紀」となる。民族問題が残り、難民流出が多かったこの地域の多くは、近年の研究で「礫岩国家」や「複合国家」と呼ばれる近世国家的特徴を有した国家群が「長い一九世紀」に残存していた地域でもあり、典型的な「国民化」が進行した国民国家とは異なる点にも注意が必要である。これら旧帝国の解体が新たな国民国家の成立を促し、同時に多くの少数民族が国民国家の形成過程で民族浄化の対象となり、ユダヤ人のような「国民」に属さない人びとは無国籍者として追放の対象となっていった(ホブズボーム 一九九六、ナイマーク 二〇一四、滝澤・山田 二〇一七)。アメリカで一九二四年移民法が制定されたことに象徴されるように、以後、二〇年代から第二次世界大戦後までは全世界的に移民の人流は停滞し、「移民の世紀」はここで終止符が打たれることになった。

「移民の世紀」とは何か

「移民の世紀」という言葉を誰がいつ使い始めたのかは定かではない。だが、アメリカでは移民行政を管轄する労働省長官が早くも一九二三年の年次報告書("A Century of Immigration" 1924)でこの言葉を使っている。「移民の世紀」という呼称は、大西洋を船で渡りヨーロッパから南北アメリカ大陸へと移住した人流(大西洋移民)の規模の大きさとともに、史上最多の移民を受け入れ、急速な産業化・工業化を達成した「移民国家アメリカ」の誕生を、一九世紀の

表1　ヨーロッパの国・地域別移民数(1846-1920年)

	1846-1860	1861-1880	1881-1900	1901-1920	合計
イギリス(アイルランドを含む)	2,308,223	3,250,748	3,138,325	5,278,839	13,976,135
ドイツ	804,083	1,260,423	1,869,274	365,192	4,298,872
スウェーデン	26,070	224,959	532,018	310,062	1,093,109
ノルウェー	48,070	183,339	281,542	252,379	765,330
イタリア	25,900	395,249	2,570,980	5,809,286	8,801,415
オーストリア・ハンガリー	33,190	150,841	1,159,718	3,130,333	4,474,082
ロシア(ポーランドを含む)	935	60,853	768,643	1,331,355	2,161,786
スペイン	14,700	96,835	1,363,429	2,396,630	3,871,594
ポルトガル	67,455	210,292	451,215	725,770	1,454,732
その他	665,769	286,176	1,843,866	1,490,854	4,286,665
合計	3,994,395	6,119,715	13,979,010	21,090,700	45,183,820

出典：歴史学研究会編『講座世界史4 資本主義は人をどう変えてきたか』(東京大学出版会，1995年169頁．原典はW. F. Wilcox (ed.), *International Migrations* (New York, 1929), 230-231)

表2　南北アメリカ大陸，オセアニアの移民受入数(1821-1920年)

	1821-1840	1841-1860	1861-1880	1881-1900	1901-1920	合計
アメリカ合衆国	715,247	4,204,084	4,582,521	8,535,414	13,341,140	31,378,406
カナダ	331,280	623,269	503,097	595,970	2,187,669	4,241,285
アルゼンチン		20,000*	420,455	1,489,448	2,969,022	4,898,925
ブラジル	10,261	128,542	316,699	1,674,808	1,481,292	3,611,602
オーストラリア			259,321	459,728	1,491,449	2,210,498
その他	27,670	50,695	588,021	469,353	1,645,671	2,781,410
合計	1,084,458	5,026,590	6,670,114	13,224,721	23,116,243	49,122,126

出典：上掲書，168頁．原典はWilcox (ed.), *op. cit.*, 236-238
＊1856-1860の数値

世界史を特徴づける歴史現象として捉えたものであろう。**表1・2**(推計値)に示されるように，ヨーロッパ各国・地域からの出移民[**表1**]と，南北アメリカおよびオーストラリアなどが受け入れた移民数[**表2**]は，前者が約四五〇〇万人(一八四六―一九二〇年)，後者が約四九〇〇万人(一八二一―一九二〇年)となっており，大西洋を越える長距離の国際移動がかつてない規模で展開したことがわかる。

なぜこれほど大規模な移民の人流が一九世紀に生まれたのか。移民たちが海を渡って移住するメカニズムは，出身国側で移民を押し出す「プッシュ要因」(対外戦争，内戦，政情不安，人口急増，自然災害，社会不安，不況，危害の恐れ，宗教弾圧など)と、受け入れ国側で移民を引きつける「プル要因」(高い労働需要、一攫千金の夢、平穏な生活、誘致活動、社会的流動性など)とで説明されることが多い。

移民研究で広く用いられてきたこのプッシュ・プル要因の二国間モデルに従って、具体的に移民送出国や移民受け入れ国の諸要因を組みこめば、国際的な人流の説明が可能となる。例えば、ヨーロッパ側のフランス革命やナポレオン戦争、経済不況、アイルランドのジャガイモ飢饉、一八四八年革命前後の混乱、アジア・アフリカでの植民地建設などと具体的な出来事を想起していけば移民の歴史は理解でき、それはもはや各国史の域を超えて、移民の歴史を描くことは、すなわち世界史を描くことと直結することがわかる。

さらに、ヨーロッパ史における研究史のこれまでの語りを確認するのであれば、ホブズボームの「長い一九世紀」の時代整理はその典型であろう。彼はこの時代を、「革命の時代」(一七八九―一八四八年)、「資本の時代」(一八四八―一八七五年)、「帝国の時代」(一八七五―一九一四年)として総括した。一九世紀半ばまでの、市民革命と産業革命が同時進行した「二重革命の時代」に、それまで民衆を土地に縛っていた封建的な遺制が解体され、人びとの移動が始まり流動性が高まった。産業革命による工業化・都市化は、農村から都市への人びとの移動を加速させ、労働者階級となった彼らが移民予備群となった。また、一九世紀後半の「帝国の時代」に、ヨーロッパはアジア・アフリカの植民地化に熱狂し、植民地に移住する人びとが増大していった。ホブズボームの論は、このようなヨーロッパ近代の歴史の流れにそって、移民の人流を解説するものである。

二、「長い一九世紀」における人の移動のグローバル・ヒストリー――越境論的転回後の歴史学

だが、こうした従来の移民研究の枠組みや歴史叙述は、ヨーロッパ近代の規範的な国民国家像(近代化・産業化・工

業化)や一国史を分析の軸にしている点で厳しく批判されるようになっており、これらは大西洋移民を中心に据えた西洋中心主義的な偏りを持つ歴史像であるともいえる。

一九九〇年代後半から二〇〇〇年代以降には、こうした国民国家を分析の軸に据えた視座ではなく、都市や地域、海域、国家、帝国にまたがる人や制度、思想の移動・伝播に焦点を当て、特定の国民/国家を脱中心化した分析視角から歴史像を描く「越境論的転回」(トランスナショナル・ターン)という研究動向が生まれ、隆盛となっている。

リン・ハントはこの研究潮流を「下からのグローバル・ヒストリー」と呼び、その成立の背景を、資本主義vs.共産主義という対立の構図が冷戦の終結により終わり、そこに醸成されたイデオロギー的空白をグローバリゼーションが埋めたからだと説明する。グローバル・ヒストリーは資本主義社会の勝者を描く「トップダウン型」の研究を量産した一方で、ハントは上から一つのシステムが作られる過程をみるのではなく、多様な場所の歴史が接続され、相互に依存していくトランスナショナルなプロセスに着目する「ボトムアップ型」の歴史研究の重要性を指摘している(ハント 二〇一六、貴堂 二〇一七)。

グローバリゼーション研究は、社会科学や社会学分野の研究ではもっぱら一九七〇年代以降の現代に注目が集まるが、歴史学ではヨーロッパによる地理上の「発見」以降(一五世紀末—)、イマニュエル・ウォーラーステインの言う「世界システム」(世界=経済)が創出されて、征服活動や植民地化により世界が一体化されるプロセスそのものへと焦点が集まった(秋田ほか 二〇一六、羽田 二〇一六)。このグローバルな相互連関、越境の視点を導入することは、ナショナル・ヒストリーの分析の枠組み解体を意味するのではなく、その歴史を相対化して描くことに主眼がある。米国史であれば、それを大西洋史、太平洋史、西半球史などの文脈から人、制度、思想の国際連関に着目した優れた研究が生み出されている(ギルロイ 二〇〇六、ベイリン 二〇〇七、ティレル 二〇一〇、牧田 二〇一六)。この立場からすれば、国境内の永住・定住モデルの静態的な国民国家像は大きな修正を余儀なくされ、移民や植民地などをナショナル・ヒストリーの逸脱部分として位置づけてきた叙述は一八〇度転回し、超国家的空間から把握し直すことで、「移民の世紀」とされた一九世紀史像は大きく塗りかえられることとなる。

一国の国民史をベースとした内的発展を捉えるのではなく、多様な越境者が作り出したトランスナショナリズムやインターナショナリズムに着目すれば、「長い一九世紀」の人流・物流がその移動・移送のインフラとなる鉄道の敷設や蒸気船の運航を活発化し、その航路となるスエズ運河やパナマ運河の開通を後押しし、時間と空間の圧縮を作り出す交通革命の駆動源となったともいえる。これ以外にも、国際的な電信網、世界時間の標準化をもたらし、遠距離の船旅(奴隷制時代の経験を含む)が伝染病にかかわる医学の進歩、公衆衛生の観念を生み出したともいえる。また、近代の外交ネットワークは、通商の要衝や自国民の移住先に領事館や大使館が設置されることで切り開かれたものである。

次節で詳しくみるが、ヨーロッパ中心、大西洋世界中心に神話化されてきた「移民国家」論が前提とする「移民」概念や分析手法には多くの問題がある(ガバッチア 二〇一五、貴堂 二〇一八、ナイ 二〇二一)。「移民」とはいったい誰なのか。アメリカ移民史であれば、「移民」とは自由意思に基づく渡航者とされ、黒人奴隷や年季契約奉公人といった強制移動ないし契約労働者とは明確に区別された特権的な役割を担わされてきた。そうした移民史では、「移民」とは帰化・同化・忠誠・アメリカ化といった一連のあらかじめ敷かれた国民化のレールの上を歩むことが宿命づけられている。だが、こうして「移民の歴史=アメリカ史」や「一九世紀=「移民の世紀」」として定型化して語ることが、実は一九世紀史の実像を覆い隠すヴェールの役割を果たしてきた点には注意が必要であろう。

まず「移民の世紀」と呼ばれる一九世紀史像を再考するために必要なのは、「移民」以外のより多様な近代の人流を組み込み、統合して考察する「人の移動のグローバル・ヒストリー」の視座であろう。近代の人流パターンは多様であるが、歴史研究で対象化されてきたものとそうでないものとに二分される。大西洋移民のような遠距離移動やユダヤ系移民史などには大きな注目が集まる一方、国内の近距離移動、農村から都市への移動などは長らく研究対象にならなかった。

一見すると、移動・移住の概念はシンプルで定義も簡単にみえる。だが、その裏には多様で複雑な問題が隠されている。移動研究は、強制的／自発的、一時的／永続的、合法的／非合法、国内移動／国外移動、熟練／非熟練などの二元論に悩まされてきており、その違いは曖昧で判別し難いものもある。「移民」がみな片道切符を握りしめて、最初から定住目的で海を渡るわけではないのだ。出稼ぎ目的が途中で定住志向に変わることもあるし、近年の研究では移民の多くは出身国とホスト国を何度も往来する回遊型の人びとである。「移民」とは誰かを決めるのは、ホスト社会の政府や国際社会の政治的名づけのポリティクスの結果なのであって、厳密に「移民」を特定して研究対象にすることなどできない。この用語の政治性や曖昧さについては、日本政府が外国人材を「移民」と呼ばず今も移民政策を持たずにいることや、ウクライナからの難民をときに「避難民」と呼称する事例を想起すれば理解はたやすいだろう。

では、「人の移動のグローバル・ヒストリー」の観点から一九世紀史像を見直す際、どのような視座が必要で、いかなる展望が見いだせるのか。三点にまとめて、最初に整理しておきたい。

「長い奴隷解放期」の国際労働力市場

第一に、「長い一九世紀」の人の移動には、決して自由意思に基づく移民だけではなく、奴隷や年季契約奉公人、契約移民、苦力(クーリー)など、不自由で強制的な人流が混在していたということである。一六世紀から一九世紀末までにアフリカ大陸から流出した黒人奴隷は一二五二万人に達するが、「長い一九世紀」に相当する期間の輸送数は五八八万に上り、全体の四七%を占めている(貴堂 二〇一八：六七―六九頁)。歴史学は、近代における人流をこれまで移民に焦点を当て、「奴隷のいない世界」として近代を措定する傾向にあった。しかし、実際には黒人奴隷取引の約半数は、一八世紀後半以降の近代世界で行われていた。

その後、イギリス帝国が先鞭をつけた国際的な奴隷貿易廃止運動により、一九世紀に各国は奴隷制廃止という世界史的共通体験をすることになった(鈴木 二〇二〇)。だが、黒人がすぐに抑圧的な隷属身分から解放されて完全なる「自由」を享受できたわけではない。即時無償解放に近いかたちで奴隷解放が達成できたのは、ハイチと、南北戦争(一八六一―一六五年)の惨禍を経験したアメリカのみである。他の大多数の国々では、有償方式の漸次的解放が目指された。各国政府は、世界商品の生産継続と奴隷制廃止による労働力喪失の補塡のため、経営者に対しては有償対応し、そこに導入されたのが契約労働制であり、その典型的なものが中国人労働者(苦力)であった。

要するに、「移民の世紀」の人流については、大西洋移民のみならず、一部に年季契約奉公人や黒人奴隷などの不自由な人流が残り、さらに第三の人流として、一九世紀から二〇世紀前半にかけて、インドや中国から流出した三〇〇〇万人を超える大波があったことを前提に全体像を理解する必要がある。自由と不自由の人流が共存した近代世界における国際労働力移動とその相互連関を問うことが重要となる。

この時代は「長い奴隷解放期」とも言える時代であり、世界の労働形態が「不自由労働」から「自由労働」へと不均等に移行していく時代であった。近代の海は決して「自由」や「移民」のみでは語れず、現代にまで遍在する「不自由」や「隷属」が混在するものだった。奴隷解放期にプランテーションに導入された新たな労働形態は、「再版奴隷制」とでもいうべき奴隷制の新たな形態であり、その分析には大西洋世界と太平洋世界をつなぎ、黒人奴隷史と移民史、アジアの契約労働者の人流史をつなぐことが喫緊の課題となる。

また奴隷解放問題は、移住労働者のみならず、ヨーロッパの労働者階級の行く末にも影響を与えていた。カール・マルクスは、新しく誕生したばかりの共和党の綱領にある「自由な土地、自由な労働、自由な人間」というスローガンを労働者階級が解放されるための正しい第一歩と受けとめ、南北戦争中、奴隷解放宣言を布告した後、再選を果たしたリンカン大統領にお祝いのメッセージを送っている。南北戦争で四〇〇万人の黒人奴隷が解放されるか否かを、マルクスはヨーロッパにて劣悪な労働環境で働く労働者階級の地位改善の問題と結びつけて捉えていた。同時代的には、一八六一年にロシアの農奴解放があり、イギリスでは一八六七年と八四年の選挙法改正で段階的に、労働者への選挙権付与がなされていく時代でもあった。

入植者植民地主義と帝国の航路

第二は、これまで研究史上で統合されずに分断されてきた「植民」(入植者 settler)と「移民」の歴史をつなげて把握し、近代世界のグローバルな帝国の連鎖を浮かび上がらせる作業である。これは一九世紀が「国民国家の時代」である以上に、「植民地帝国の時代」(「移民国家」は植民地起源の国家)であり、一九世紀世界の人流はこの帝国が作り出した「自由」空間の往来、その帝国航路を辿っての移動であったことを確認する作業である。

日本近現代史の先行研究では、日本の非勢力圏である南北アメリカ大陸や太平洋諸島に向かうのが「移民」であり、勢力圏である台湾や朝鮮半島、満州に向かうのが「植民」というように政治的に峻別され、研究史上も分断されてきた。これら「移民」と「植民」を「越境者」としてつなぎあわせ、日本からの出移民研究と東アジアにおける植民地支配の研究を統合して分析する本格的な研究が登場したのは近年のことである。これに帝国という視座を組み込めば、日米という二つの帝国に挟まれたハワイの日本人移民のトランスナショナリズムの研究となる(東 二〇一四、塩出 二〇一五、東 二〇二二)。

このように入植・移民を総合的に扱うことで、帝国の尖兵としての人流(宣教師や兵士、教師などの人流の組み込み)の歴史的意義づけや、入植者植民地主義(settler colonialism)という問題群に向きあうことも可能となる。先住民の土地を「無主の地」と措定して暴力的に強奪してきた植民地時代の記憶を忘却し、開拓者としての移民を国民史の中心に据える移民国家の自画像は、国内植民地主義の視座から問い直されなければならない。

また、ヨーロッパを起点としたアジア・アフリカ・南北アメリカ大陸への人流のルートは、決して先述のプッシュ・プル要因の二国間モデルで説明できるものではなく、より大きな世界史的展開、すなわちヨーロッパ近代における膨張、アジア・アフリカの植民地化や近代化、地域間での経済格差など、世界が中心と周縁に構造化されていく世界システムの力学の結果として作られた帝国の航路である。

ヨーロッパから大西洋移民が辿った航路は、砂糖や綿花、コーヒー、タバコなどの「世界商品」が奴隷という「黒い積荷」とともに交易された航路と重なっており、新大陸の多角的な貿易構造の発達に裏打ちされた大西洋システムの存在が大西洋移民の背景にはあった。黒人奴隷を運搬するビジネスモデルがあったからこそ、国内貧困問題解決のための年季契約奉公人や流刑囚の人流は生まれたのだ。移民たちの交通手段は、一九世紀初頭に蒸気船が実用化されたものの、一九世紀中葉までは大西洋航路では危険な帆船が主に用いられていた。アイルランド移民の場合は「棺桶船」とも呼ばれ、航海の環境の劣悪さは奴隷船に匹敵した。だが、一九世紀後半からは蒸気船が一般化し、船舶が大型化して船賃が比較的安くなったことで、貧しい階層の遠距離移動も可能となった。一八七〇年代にはロンドン―ニューヨーク間が片道八日前後で航行可能となるなど、世界的な交通革命が大量移民の時代を準備したのである。

この交通手段の革新は、大西洋世界のみならず、太平洋世界にも及んだ。一九世紀中葉の同時代にゴールドラッシュを経験したカリフォルニアやオーストラリアのヴィクトリアには世界中から移民が押し寄せ、未開拓地に即席都市ができあがり、前者であればアメリカ東海岸からの最短ルートとしてパナマ地峡鉄道の開設、大陸横断鉄道の建設構想へとつながった。ラテンアメリカ世界とアジアは、古くからメキシコのアカプルコとフィリピンのマニラを結ぶガレオン貿易の歴史があり、一九世紀からは商業捕鯨の操業エリアが拡大していったことで、海のネットワークも緊密化していた。

また、一九世紀にはイギリスのインド進出が本格化し、アヘン戦争を契機に中国に拠点を持ったことで、一八四〇年代からはイギリス―アレクサンドリア間(一八四〇年)、スエズ―カルカッタ間(一八四二年)、セイロン―ペナン―シンガポール―香港間(一八四五年)、香港―上海間(一八五〇年)、上海―長崎間(一八五九年)、香港―上海―横浜間(一八六七年)などの帝国航路での定期船運航が開始された(木畑 二〇一八)。この航路がハワイや米西海岸とも接続され、日本人や中国人、インド人の人流の経路となっていったのである。

人種資本主義という視座

第三に、先述の三つの大きな人流を統合した「人の移動のグローバル・ヒストリー」の観点から一九世紀史像を見直すのであれば、これらすべての移住労働者の人流が、近代世界が築いてきた人種資本主義の問題として捉えられるという論点を出しておきたい(貴堂 二〇二二)。前近代の奴隷のいる世界と分けて、奴隷のいない世界として近代を理解するのでなく、三つの人流の連関を読み解きながら、資本主義の連続的な生成・発展の問題として捉えるべきであろう。人種資本主義とは、人種的に中立と思われてきた資本主義の原型が、実は徹底的に人種化されているという観点から世界史を問い直すべきとの論であり、セドリック・ロビンソンは大西洋奴隷貿易と南北アメリカ大陸の植民地化が始まったときから、すべての資本主義は、物質的な収益性とイデオロギー的な一貫性において、人種資本主義によってできていたのではないかと問う(Robinson 2000[1983])。二〇二〇年のブラック・ライヴズ・マター(Black Lives Matter)運動は瞬く間に全世界的な反人種差別の抗議運動へと展開したが、そこで問われたのは、黒人奴隷は一世紀以上前に解放されたはずなのに、依然として人種マイノリティが搾取され続ける構造が維持され、構造的レイシズムによる暴力が止むことがないのはなぜかということだった(ミシェル 二〇二二)。

人種資本主義の視座が有益なのは、四〇〇年にわたる大西洋黒人奴隷貿易だけでなく、アジア・アフリカの植民地支配や低開発、人種マイノリティの収監(刑罰国家)や排除など、人種の差異を用いて実施された近代以降の資本蓄積の暴力的な収奪の連続性の観点から、近現代世界史を眼差す新たなレンズが提供される点にある。この視座は、これまで正面から問われることのなかった、なぜ「白人」が国際社会の覇権を握り続けているのか、という世界史の問いと向きあうことでもある(川島 二〇〇五、藤川 二〇〇五、ストーラー 二〇一〇、藤川 二〇一一)。一九世紀後半に「中国人移民問題」をきっかけに、アメリカがまず排華法制定へと動き、それがオーストラリアやニュージーランド、カナダへと連鎖的な反応を引き起こし、世界大の排華防波堤の形成を生み出した。二〇世紀転換期のイギリス帝国が唱えた「白人の責務」、白人共同体としてのグローバルなレイシズムは、アジアからの移民・苦力の流入が契機になって形成されたのであり、これが植民地支配の正当化に利用されていったのである。

三、ヨーロッパとアジアからの人の移動史――「移民国家」という歴史像の再検討

ヨーロッパ移民史は、現在のEU圏内の域内移動を含めて各国別の通史が邦語文献でも読めるようになってきている(駒井 二〇〇九、ノワリエル 二〇一五、パナイー 二〇一六、北村 二〇二〇、バーデ 二〇二一)。それゆえ、ここでは移民国家への遠距離移動に絞って比較史的に考察することにする。ヨーロッパを離れた移民の人流は、七割強が北米へ、二割弱が南米へ、一割弱がオーストラリアやニュージーランドへと向かった[表2参照]。このヨーロッパから海を渡った移民たちが作った「移民国家」とはいかなるものだったのかを本節では検証する。

「移民国家アメリカ」の神話と歴史

アメリカ合衆国は世界最大の移民受入国である。連邦政府が移民統計を取り始めた一八二〇年から二〇〇九年まで

の約二〇〇年で移民総数は七五三六万人に達する(貴堂 二〇一八：七頁)。ハーバード大学の歴史家オスカー・ハンドリンは、アメリカ史の古典『根こそぎにされた者たち』(一九五一年)の冒頭で、「私はアメリカの移民の歴史を描こうとし、移民こそがアメリカ史そのものであることがわかった」と書いた。以後、アメリカ史は長らくこの「移民の歴史＝アメリカ史」という等式を自明のものとし、移民が主役の国、アメリカは「抑圧されし者の避難所」という自画像を核心に据えてきた。

一九世紀に始まる近代歴史学には、自らの国家や国民がどのような起源を持ち、発展してきたのか、国民国家の正統な来歴を明らかにする目的があった。近年になって、一国史的な国民国家パラダイムを問い直す視座が登場しているが、移民国家アメリカの国家的伝統はその枠組みの基層部分に深く組みこまれており、今もなおアメリカ史を呪縛し続けている。

アメリカは「民族国家」としてではなく、移動・移住が作り出した世界史上にも特殊な「移民国家」として誕生したとされる。それは、民族的紐帯をもとにナショナリズムを立ちあげたヨーロッパの国々と比べ、アメリカには国民国家として政治的単位の人的土台となるべき「民族的単位」が欠如していたからである。英領植民地起源の国でありながら、イングランド出身者は建国当時の白人人口の六割に満たず、総人口の約二割は黒人奴隷であった。総人口に占めるイギリス系の割合は、一九二〇年代には四割弱、今日では一割強にまで減少している(古矢 二〇〇二)。

それゆえにアメリカは、国民が共有可能な、独立宣言や合衆国憲法に謳われた共和主義や自由・平等といった啓蒙主義的な「理念」を統合の核とするシビック・ナショナリズムの国と位置づけられる。この「理念国家」に世界中の移民たちが引きつけられて国が発展してきたと語られてきた。そうした歴史像が、旧世界ヨーロッパの「腐敗」に対置されるかたちで、「約束の地」「人類の避難所」として自らを聖地化してきた移民国家アメリカの国家的伝統により補強されてきたのである。

だが、実際にはアメリカは独立直後から「移民国家」だったわけではない。南北アメリカ大陸の歴史でも、一五〇〇年から一八二〇年までに新世界に渡ったアフリカ出身の黒人奴隷の総数とヨーロッパからの移住者の総数の割合は四対一であり、新大陸は圧倒的に奴隷労働に依存した空間であった。アメリカが輸入した黒人奴隷は三〇万人強で、密輸入を含めても五〇万人以下であるとされるが、一八〇八年に奴隷貿易を廃止したあとも、黒人奴隷は自然に増え続け、南北戦争前には四〇〇万人に達した。

しかも、建国後の連邦政治は、親奴隷制の南部奴隷主の政治家たちによって担われていた。第二代と第六代のアダムズ親子を除くと、半世紀の間、すべての大統領が奴隷所有者であり、初代ワシントン大統領は三〇〇人以上、第三代ジェファーソンは約六〇〇人の奴隷を所有していた。このような一握りの特権的な奴隷所有者が南部の政治経済を完全に支配し、連邦政治の権力の中枢に居続けたのである。こうした観点から、南北戦争前の合衆国を「奴隷国家」「奴隷主国家」と呼ぶ研究が登場している(貴堂 二〇一九)。

たしかに、アメリカ独立宣言(一七七六年)からして、「この地への移住を妨げた」ことをイギリス国王ジョージ三世の犯した許されざる失政の一つとして告発しており、旧世界からの移住の促進は、新生国家アメリカの発展や開発に不可欠の政策と位置づけられてきた。ジェファーソン大統領も一般教書(一八〇一年)で、ナポレオン戦争による混乱を考慮して、「私たちは不幸な亡命者を拒むのか」「抑圧された人類はこの地球上に避難所を見つけられるのか」と問うている。

独立以来、移民国家たらんとする為政者による理念の表明は確認できるのだが、実際には、独立から一八二〇年までの約四〇年間、二五万人ほどの移民しか入国していない。植民地時代に遡っても、ニューイングランド以南の入植者の半分以上は白人年季契約奉公人であり、入植者からして自由意思に基づく渡航者ばかりというわけではなかった(川北 一九九〇)。

「奴隷国家」から「移民国家」へ——移民国家アメリカの二つの顔

アメリカで最初に移民の大波が押し寄せたのは、ジャガイモ飢饉（一八四五—四九年）の影響でアイルランド人移民が急増したときである。次に一八四八年革命の影響でドイツ系移民が増え、カリフォルニアのゴールドラッシュを契機に世界中から三〇万人強の移民が殺到したが、そこには少数ながらアジア初の中国人移民がいた。

一八二〇年から六〇年の移民総数は五〇〇万人に達し、南北戦争期の六〇年代は移民が減少するものの、八〇年代には五二五万人が入国した。出身地別でみると、八〇年代まではアイルランド、イギリス、ドイツ、オランダ、北欧からの「旧移民」が中心だったが、ポーランド、ハンガリー、イタリアなど東・南欧からの「新移民」が九〇年代には急増し、「旧移民」をはるかに凌駕するようになった。

米国が「奴隷国家」から「移民国家」へと移行した分水嶺は、未曽有の内戦となった南北戦争である。共和党リンカン政権が戦局打開のため奴隷解放宣言を出し、戦争は連邦維持を目的とするものから奴隷解放という社会革命を目指すものへと変質した。他方、リンカンは戦時中、農民への公有地無償給付を実現するためのホームステッド法を制定し、太平洋鉄道法で大陸横断鉄道の建設を約束することで、北部や西部の移民労働者からの支持を集めた。リンカン政権は、積極的な移民奨励策を打ち出した最初の政権であり、六四年の共和党綱領には「あらゆる国の抑圧されし者の避難所」という移民国家アメリカの常套句が登場した。

こうした「移民国家」への移行は歴史教育にも現れた。北米で最初に誕生した恒久的入植地はヴァージニアのジェームズタウン（一六〇七年）なのだが、一六二〇年、メイフラワー号でプリマスに宗教的迫害を逃れてやってきた「ピルグリム・ファーザーズ」（巡礼始祖）が一九世紀に「再発見」され、移民国家の建国神話として歴史教育に組み込まれた。一六一九年に最初の黒人が上陸した南部の入植地ではなく、移民国家に相応（ふさわ）しい地としてプリマスが選ばれた結果だった。

南北戦争後のアメリカには、西部開拓や急速な都市化・工業化により無尽蔵な労働需要があった。大陸横断鉄道は「東半分はアイルランド人移民が、西半分は中国人移民が作った」と言われるが、政府は大資本からの要請があれば清朝とも条約を締結し、中国人移民奨励策を取った。だが鉄道完成後、中国人労働者がサンフランシスコのチャイナタウンに集住し始めると、排華運動が始まった。

西海岸の排華問題はまもなく連邦議会に持ち込まれ、自由移民の原則を堅持してきた米政府にとって初の移民制限立法である排華移民法が一八八二年に制定され、中国人労働者は全面入国禁止となり「帰化不能外国人」というレッテルが貼られた。これは再建期における人種平等を目指した共和党急進派の政治の終焉(一八六五—七七年)とも連動していた。二級市民としてのこの烙印は、米国市民権の要件である「自由な白人」(一七九〇年の帰化法で確立)に東洋人は該当しないと判断されたことを意味し、以後、アジア系移民は何年アメリカに居住しても、外国籍のまま市民権が得られない外国人性を背負うことになった。「非白人」としてのこのレッテルは日本人移民にも影響を与え、一九五二年のマッカラン=ウォルター法で撤廃されるまで一世への人種差別は続いた(貴堂 二〇一二)。

さらに、排華移民法が「移民国家」アメリカの誕生において決定的に重要なのは、同法から「帰還証明書」や「身分証携帯」など身元確認による出入国管理、移民行政が始まった点である。書類上で親族関係を偽造する「紙息子paper son」の出現など、入国審査での身分証明をめぐる問題から訴訟も多発したが、こうして連邦移民行政は洗練されていった。

世紀末になると、ヨーロッパ移民の玄関口として、連邦管轄の移民入国審査施設がエリス島に設けられ、一八九二年から一九五四年の期間、一二〇〇万人以上が入国した。現在の米国民の四〇%に相当する人びとがその子孫にあたると推定されている。また、アジア移民の玄関口として、サンフランシスコ沖にあるエンジェル島にも連邦施設が設置された。一九一〇年から四〇年まで、約五五万人の移民が入国を果たしたが、実質的にはアジア系移民収監のための施設といってよく、そこには長期拘留を余儀なくされた中国人が書き刻んだ悲痛な詩文が残されている。両施設を比べてみると、エリス島では強制送還される者はほとんどおらず、ヨーロッパ系移民は有用な産業市民として歓迎された一方で、エンジェル島では排華法の影響もあり、アジア系移民を制限・拘留し、実質的には帰化阻止を目的とする施設となっていた。このように移民国家アメリカには、移民を遍く包摂するヨーロッパ系向けの顔と、使い捨て労働力としてアジア系を眼差し、「不法」入国ではないかと被疑者扱いし続ける強面の二つの顔があったのである(Fairchild 2003; Lee 2010; Lee 2015)。

移民国家の比較史——アルゼンチン・ブラジル・カナダ・オーストラリア・ニュージーランド

『国際移民の時代』の著者S・カースルズとM・J・ミラーは、「先住民を犠牲にしながら発展してきた大規模移民の歴史の結果生まれた」国を「古典的移民国家」と呼び、アメリカ合衆国以外にカナダ、オーストラリア、ニュージーランド、アルゼンチンなどを挙げている(カースルズ、ミラー 二〇一一:九頁)。

ヨーロッパからの移民受入数の多い南米の二つの国から概観しよう。一八一六年にスペインから独立したアルゼンチンは、建国時の人口がわずか五〇万人ほどであったため、国家建設過程でヨーロッパ移民を積極的に受け入れた。一八五六年から一九三二年の間に六四〇万人、二〇世紀半ばまでに一〇〇〇万人の移民が流入した。最大の移民集団は四割を占めたイタリア人で、次いで三割をスペイン人が占めた。移民奨励の背景には、先住民や黒人奴隷の存在に対抗して、北・西欧からの移民を受け入れて白人人口を増やす企図があった。一九世紀末には、出生地主義に基づく国籍法が制定され、移民向けの国民化教育が推進された。だが、最大集団のイタリア人は「白人性」が自明ではなく差別的な処遇を受けることも多かった。ゆえに、アルゼンチンは移民大国でありながら、二〇世紀後半まで移民不在で公的歴史が描かれる傾向にあった(北村 二〇〇五、大場 二〇一五)。

他方ブラジルも、ポルトガルから独立を宣言した一八二二年時点で、推計三〇〇万人の人口の内、一〇〇万人が黒人奴隷であったことからヨーロッパ移民の大量入植を図った。ブラジル帝政時代(一八二二―八九年)は奴隷制が存亡の危機にあり、一八八八年に奴隷制廃止を決めた後も、コーヒー農園の奴隷の代替労働力確保は喫緊の課題であった。頻発する地方反乱や、アルゼンチンなど隣接国家との戦争は、国土防衛の必要から広大な国土の隅々まで移民を入植させることを促した。ヨーロッパ移民の導入に際しては、帝政時代の支配層に広まった人種主義思想の影響で、黒人奴隷や混血者の存在を劣等と捉え、住民の「脱アフリカ化」、「白人化 branqueamento」のイデオロギーが台頭し、「先進的な」ドイツ系やスイス系の住民導入が試みられたのだが、労働条件が劣悪なため、プロイセン政府は移民派遣を制限した。その穴を埋める形でイタリアやポルトガルの移民、約八〇万人が入植するが、奴隷と変わらぬ過酷な待遇ゆえに逃亡する者があとを絶たなかった(丸山 二〇一五)。

次はイギリス帝国下のカナダとオセアニアである(レヴァイン 二〇二一)。英仏の入植活動を起源とするカナダは、フレンチ＝インディアン戦争の結果、ケベックは英領として併合された。米独立戦争では、カナダの英仏系が結束して英側に立って侵攻を撃退し、十三植民地からは約五万人の王党派が同国に流入し、イギリスへの忠誠を基盤とする国家形成が行われた。一九世紀前半には西部開拓需要があり、アイルランド系など英帝国内移民が八〇万人ほど移住し、太平洋沿岸地域では金鉱発見があり中国人移民の流入も見られた。

イギリス系がカナダ人意識を芽生えさせ、フランス革命で本国との心理的紐帯を失ったフランス系がカナダ人としてのナショナリズムを先鋭化させた結果、両者は二つの建国民族として一八六七年にカナダ連邦を成立させた。背景には併合を狙う米国への警戒感があり、先住民の存在は完全に無視された。だが、一九世紀後半のカナダでは、入移民よりも出移民のほうが圧倒的に多く、行き先は米国であった。カナダが移民誘致策を強力に推進したのは一九世紀末以降で、ロシアでの迫害を逃れてきたウクライナ人、ポーランド人などが大平原地域に入植し、エスニシティの多様化が進んだ。こうした移住者の受け入れで、カナダ国内では文化的多様性を称揚する用語として「モザイク」(米国の「坩堝(るつぼ)」への対抗)が使われ始め、それが現在の「多文化主義」の源流とされる。だが、米国同様、アジア系への移民政策は白人至上主義的なレイシズムを孕むものであった(細川 二〇〇七、細川 二〇一二、ノールズ 二〇一四)。

一八世紀末から一九世紀にかけて太平洋に出現した白人入植地オーストラリアとニュージーランドは、アメリカ十三植民地の喪失後、米国への移民を英政府が奨励しないなか、英帝国領内の移住先として推奨された地域である。一八六〇年代にはカナダに続いて責任自治政府を与えられ、その後、両大戦間期に作られたコモンウェルスでも成長構想の中心であり続けた(レヴァイン 二〇一一:五五頁)。

オーストラリアの先住民、アボリジナルの土地へのイギリス人の入植は、一七八八年以降に開始された。伝染病により先住民社会が壊滅的な被害を受け弱体化すると、入植者は「無主の地」として土地の暴力的な収奪を始めた。オーストラリアはヨーロッパから最遠の大陸で、北米・南米行きと比べ渡航費も高額であったため、ニューサウスウェールズに向かった半世紀の人流はほぼ流刑囚であり、完全な政府支出による渡航であった。ナポレオン戦争で一時的に浮浪者や犯罪者の吸収先となっていた軍隊が戦後解散すると、流刑囚移送は本格化し一八一五年からの五年で人口は二倍に膨らんだ。流刑囚や民間主導の補助移民は、みなイギリスとアイルランド出身の者であった。また、流刑囚の男女比は八五:一五で圧倒的な男性社会として形成された(クラーク 一九七八、藤川 二〇〇五)。

一八五一年にヴィクトリアなどで金が発見されると、世界中から多様な移民集団が流入し、一〇年後には七万四〇〇〇人の女性を含む約二〇万人のヨーロッパからの移住者と二万四〇〇〇人の中国人が集まった。そこでは、米国のゴールドラッシュ時と同じく、中国人労働者が排斥対象となり、排華暴動が惹起された。米国の排華がカナダに飛び火したように、九〇年代にはオーストラリアへも広がり、連邦結成へ向けてアングロ・ケルト系のオーストラリアン・ナショナリズムが形成されるなか、排華が利用され白豪主義が唱えられた。一九〇一年のオーストラリア連邦成立後、連邦議会が最初に取り組んだのが移住制限法であった。これにより中国人や日本人、インド人など非白人住民の権利は制限され、一九五八年に廃止されるまで同法が国家創設の理念として「白豪」を守る安全装置として機能した。オーストラリアが「移民国家」を名乗るのは、第二次大戦後、白豪主義を廃止し、移民が増え人口構成が多様になってからである。

他方、一七六九年のイギリス人ジェームズ・クックによる探検を経て、一八四〇年に英領植民地となったニュージーランドでは、オーストラリアとは異なる入植者植民地主義が見られた。白人入植者の増加は、先住民マオリの土地の収奪へと帰結し、マオリの人口は二〇万から一〇万人へと半減した。だが、一八九三年に世界初の女性参政権が付与された一カ月後に、マオリにも選挙権が与えられた。先住民への選挙権付与と、一八六〇年代からマオリに四議席が保障されていた点は、オーストラリアとは大きく異なる点であった(レヴァイン 二〇二一：七二―七三頁)。

アジアからの人流――「移民の世紀」の契約労働者たち

最後に、アジアから流出した大規模な人流についてまとめたい。前節まででも言及してきたように、「移民の世紀」はヨーロッパの大西洋移民だけではなく、それに匹敵する規模でアジアから輩出された契約労働者の人流も一緒に捉えなければならない。大西洋移民は前述の移民国家の国家建設過程での移民奨励策に呼応する動きをしたが、アジアからの人流はより大きな国際労働市場の再編や帝国主義的国際秩序のもとで作り出されたといえる。

一九世紀世界における黒人奴隷制の段階的な廃止過程は、南米行きのヨーロッパ移民の動向にも影響を与えたが、アジアの人流にはより一層大きなインパクトを与えた。それは黒人奴隷制の廃止とセットの奴隷代替労働力としての移動だったのである。一九世紀中葉からインドや中国の契約労働者が、カリブ海諸島や南米、東南アジア、モーリシャスなどに向かった。ラテンアメリカ諸国は一九世紀前半に一斉に独立した後、奴隷解放を漸次達成するなかで多くの場合、世界商品の生産を維持するため、黒人奴隷に代わって「苦力」の導入を実施した(貴堂 二〇一八：七〇頁)。奴隷制と苦力の連関は、人種資本主義の観点からその労働搾取の共通性が問われるべきであり、太平洋世界とは奴隷と自由移民の狭間に位置づけられた人びとの移動空間だったのである。世紀末以降になるとアジアからの人流は、セイロンやビルマ、マラヤなど、比較的短距離で帰国率の高い、出稼ぎ型の移民へと変わっていった(杉原 一九九九：三六―三九頁)。

苦力貿易の輸出港は、アヘン戦争後の一八四二年の南京条約の結果、イギリスの直轄植民地となった香港やポルトガル領マカオ、福建省の厦門(アモイ)がその役割を果たし、キューバやペルーへと五〇万人が輸送された(渡航日数平均九〇日)。積出港には「バラクーン」と呼ばれる監獄式の建物(元は黒人奴隷収容施設の名前)が作られ、駐米公使補としてペルーの苦力貿易の実態を調査した容閎の自伝には、「中国人労働者は一生奴隷となってしまう。(中略)思えば、一八五五年に私がマカオに行って最初に見た光景の一つは、一列の貧しい中国人苦力がめいめいの弁髪でたがいに数珠つなぎにされて」いる姿だったと描かれている(容 一九六九：第一八章)。

同時代に広東から太平洋を渡り、サンフランシスコに上陸した中国人移民は半世紀の間に三六万人に上る。渡米には平均四五日かかったが、その船旅が劣悪だと告発する記事などは見当たらない。この移民／苦力の二分法は、一八五五年にイギリスが苦力貿易から撤退し、奴隷貿易廃止の国際的な運動と連動させ苦力貿易規制を開始して以降、急増する。つまり、この移民／苦力の二分法は労働実態に基づく区分ではなく、イギリスの奴隷／苦力撲滅運動に米国が加わり、それによって国際社会における道徳的優位を勝ち得た英米の基準により、「自由」労働と「不自由」労働が峻別されたからに他ならなかった。

日本移民史において、最初にハワイ王国へ向かった「元年者」(一五三名の労働者の一団)は「天竺行きの人夫募集」

との触れ込みで海を渡ったものの、過酷な労働状況は「黒奴売買の所業に均しき事」として不満が噴出し、明治政府は国家の威信に関わる問題として対応し、渡航者の一部を本国送還するに至った。当時は、このように中国人苦力だけでなく、日本人移民までもが実態としては「奴隷の亜種」として眼差されていたのである。

このような太平洋世界における「移民」とは誰のことなのだろうか。一八七〇年にハワイに渡った華工の労働契約書には、「契約当事者である〈氏名〇〇〉は中国生まれで、サンドウィッチ諸島への自由で自発的な船客です。私は本日から向こう五年間、明記された範囲内の条件と方法で〔中略〕仕事に従事することを誓います」とある(タカキ 一九八五:四八頁)。米国行きの労働者も、一八六八年に米清間で締結されたバーリンゲイム条約にて、契約移民が排除され、「完全な自由意思にもとづく」移民のみとすると定められた。これが、清朝が各国と締結する移民条約のモデルとなったため、以後はアジア系契約労働者はみな、誓約書を書いて「自由意思による労働者」であると名乗ることを強いられたのである。これが「移民の世紀」が作り出した太平洋世界における「移民」であり、帝国主義的な一九世紀的世界が作り出した「自由」だったのである。

参考文献

秋田茂ほか編(二〇一六)『「世界史」の世界史』ミネルヴァ書房。

東栄一郎(二〇一四)『日系アメリカ移民 二つの帝国のはざまで――忘れられた記憶一八六八―一九四五』飯野正子監訳、明石書店。

東栄一郎(二〇二二)『帝国のフロンティアをもとめて――日本人の環太平洋移動と入植者植民地主義』飯島真里子・今野裕子・佐原彩子・佃陽子訳、名古屋大学出版会。

アンダーソン、ベネディクト(一九九七)『増補 想像の共同体――ナショナリズムの起源と流行』白石さや・白石隆訳、NTT出版。

大場樹精(二〇一五)「二〇世紀初頭アルゼンチンにおける国家建設をめぐる問題提起――移民コミュニティとの関係を手がかりに」『ラテンアメリカ研究年報』三五号。

カースルズ、S、M・J・ミラー（二〇一一）『国際移民の時代〔第四版〕』関根政実・関根薫監訳、名古屋大学出版会。

ガバッチア、ダナ・R（二〇一五）『移民からみるアメリカ外交史』一政（野村）史織訳、白水社。

川北稔（一九九〇）『民衆の大英帝国――近世イギリス社会とアメリカ移民』岩波書店。

川島正樹編（二〇〇五）『アメリカニズムと「人種」』名古屋大学出版会。

北村暁夫（二〇〇五）『ナポリのマラドーナ――イタリアにおける「南」とは何か』山川出版社。

北村暁夫・田中ひかる編（二〇二〇）『近代ヨーロッパと人の移動――植民地・労働・家族・強制』山川出版社。

貴堂嘉之（二〇一二）『アメリカ合衆国と中国人移民――歴史のなかの「移民国家」アメリカ』名古屋大学出版会。

貴堂嘉之（二〇一七）「下からのグローバル・ヒストリーに向けて――人の移動、人種・階級・ジェンダーの視座から」、歴史学研究会編『第四次 現代歴史学の成果と課題 一新自由主義時代の歴史学』績文堂出版。

貴堂嘉之（二〇一八）『移民国家アメリカの歴史』岩波新書。

貴堂嘉之（二〇一九）『南北戦争の時代 一九世紀』〈シリーズ アメリカ合衆国史②〉、岩波新書。

貴堂嘉之（二〇二二）「人種資本主義（レイシャル・キャピタリズム）序説――BLM運動が投げかけた世界史的問い」、荒木和華子・福本圭介編著『帝国のヴェール――人種・ジェンダー・ポストコロニアリズムから解く世界』明石書店。

木畑洋一（二〇一八）『帝国航路（エンパイアルート）を往く――イギリス植民地と近代日本』岩波書店。

ギルロイ、ポール（二〇〇六）『ブラック・アトランティック――近代性と二重意識』上野俊哉・毛利嘉孝・鈴木慎一郎訳、月曜社。

クラーク、マニング（一九七八）『オーストラリアの歴史――距離の暴虐を超えて』竹下美保子訳、サイマル出版会。

クラウト、アラン・M（一九九七）『沈黙の旅人たち』中島健訳、青土社。

コーエン、ロビン（二〇二〇）『移民の世界史』小巻靖子訳、東京書籍。

駒井洋・江成幸編（二〇〇九）『叢書グローバル・ディアスポラ4 ヨーロッパ・ロシア・アメリカのディアスポラ』明石書店。

塩出浩之（二〇一五）『越境者の政治史――アジア太平洋における日本人の移民と植民』名古屋大学出版会。

杉原薫（一九九九）「近代世界システムと人間の移動」『岩波講座 世界歴史』第一九巻、岩波書店。

鈴木英明（二〇二〇）『解放しない人びと、解放されない人びと――奴隷廃止の世界史』東京大学出版会。

ストーラー、アン・ローラ（二〇一〇）『肉体の知識と帝国の権力――人権と植民地支配における親密なるもの』永渕康之ほか訳、以文社。

タカキ、ロナルド(一九八五)『パウ・ハナ――ハワイ移民の社会史』富田虎男・白井洋子訳、刀水書房。

滝澤三郎・山田満編(二〇一七)『難民を知るための基礎知識――政治と人権の葛藤を越えて』明石書店。

ティレル、イアン(二〇一〇)『トランスナショナル・ネーション――アメリカ合衆国の歴史』藤本茂生ほか訳、明石書店。

トーピー、ジョン(二〇〇八)『パスポートの発明――監視・シティズンシップ・国家』藤川隆男訳、法政大学出版局。

ナイ、メイ・M(二〇二一)『「移民の国アメリカ」の境界――歴史のなかのシティズンシップ・人種・ナショナリズム』小田悠生訳、白水社。

ナイマーク、ノーマン・M(二〇一四)『民族浄化のヨーロッパ史――憎しみの連鎖の二〇世紀』山本明代訳、刀水書房。

ノールズ、ヴァレリー(二〇一四)『カナダ移民史――多民族社会の形成』細川道久訳、明石書店。

ノワリエル、ジェラール(二〇一五)『フランスという坩堝(るつぼ)――一九世紀から二〇世紀の移民史』大中一彌・川﨑亜紀子・太田悠介訳、法政大学出版局。

バーデ、クラウス・J編(二〇二一)『移民のヨーロッパ史――ドイツ・オーストリア・スイス』増谷英樹・穐山洋子・東風谷太一監訳、東京外国語大学出版会。

パナイー、パニコス(二〇一六)『近現代イギリス移民の歴史――寛容と排除に揺れた二〇〇年の歩み』浜井祐三子・溝上宏美訳、人文書院。

羽田正編(二〇一六)『地域史と世界史』ミネルヴァ書房。

ハント、リン(二〇一六)『グローバル時代の歴史学』長谷川貴彦訳、岩波書店。

藤川隆男編(二〇〇五)『白人とは何か?――ホワイトネス・スタディーズ入門』刀水書房。

藤川隆男(二〇一一)『人種差別の世界史――白人性とは何か?』刀水書房。

古矢旬(二〇〇二)『アメリカニズム――「普遍国家」のナショナリズム』東京大学出版会。

ベイリン、バーナード(二〇〇七)『アトランティック・ヒストリー』和田光弘・森丈夫訳、名古屋大学出版会。

細川道久(二〇〇七)『カナダの歴史がわかる25話』明石書店。

細川道久(二〇一二)『「白人」支配のカナダ史――移民・先住民・優生学』彩流社。

ホブズボーム、E・J（一九八六）『市民革命と産業革命——二重革命の時代』安川悦子・水田洋訳、岩波書店。
ホブズボーム、エリック・J（一九八一—一九八二）『資本の時代——一八四八—一八七五』一・二、柳父圀近・長野聰・荒関めぐみ訳、みすず書房。
ホブズボーム、E・J（一九九三—一九九八）『帝国の時代——一八七五—一九一四』一・二、野口建彦ほか訳、みすず書房。
ホブズボーム、エリック（一九九六）『二〇世紀の歴史——極端な時代』上・下、河合秀和訳、三省堂。
牧田義也（二〇一六）「広域圏・国際連関・越境空間——国際的視座の課題と展望」『歴史評論（特集 越境空間から読み解くアメリカ）』七九二号。
丸山浩明（二〇一五）「ブラジル帝政時代におけるヨーロッパ移民の導入と移住地建設」『立教大学ラテン・アメリカ研究所報』第四七号。
ミシェル、オレリア（二〇二一）『黒人と白人の世界史——「人種」はいかにつくられてきたか』児玉しおり訳、明石書店。
容閎（一九六九[一九〇九]）『西学東漸記——容閎自伝』百瀬宏訳注、平凡社。
レヴァイン、フィリッパ（二〇二一）『イギリス帝国史——移民・ジェンダー・植民地へのまなざしから』並河葉子・水谷智・森本真美訳、昭和堂。
"A Century of Immigration" (1924), *Monthly Labor Review*, 18-1.
Fairchild, Amy L. (2003), *Science at the Borders: Immigrant Medical Inspection and the Shaping of the Modern Industrial Labor Force*, Baltimore and London, Johns Hopkins University Press.
Handlin, Oscar (1951), *The Uprooted: The Epic Story of the Great Migrations That Made the American People*, New York, Grosset & Dunlap Publishers.
Lee, Erika, and Judy Yung (2010), *Angel Island: Immigrant Gateway to America*, New York, Oxford University Press.
Lee, Erika (2015), *The Making of Asian America: A History*, New York and London, Simon & Schuster.
Pegler-Gordon, Anna (2009), *In Sight of America: Photography and the Development of U. S. Immigration Policy*, Berkeley, University of California Press.
Robinson, Cedric J. (2000 [1983]), *Black Marxism: The Making of the Black Radical Tradition*, Chapel Hill, University of North Carolina Press.

焦　点　|　*Focus*

焦点 *Focus*

海域から見た一九世紀世界

金澤周作

一、壮大な過渡期

近世から近代へ

一八世紀までの世界は、海を介して互いに(ゆるやかに)結合されてはいても(緊密には)統合されていなかった。それぞれの地域が歴史に根ざした個性を有し、近海では和船、ジャンク船、ダウ船、サンパン船、丸木舟、ヨーロッパの帆船やガレー船が、海域の潮流や風や地形に規定されて、交通を担っていた。ヨーロッパの諸列強は、海軍や特権会社の仕立てた船団で大西洋やインド洋、アジアの海へ進出したが、決して支配的ではなかった。また、近世の海を長距離輸送される人間の最大集団は「奴隷」であった。

これに対し一九世紀、海は、世界とともに大転換を遂げた(Osterhammel 2014)。もちろん土着の船は近海の移動や交易を担い続け、奴隷貿易も根絶されなかった。しかし、長距離輸送される人は移民に替わってゆき、海を往く船の形姿は変容し、世界は良かれ悪しかれ海を通じて統合されていった。

一八世紀にイギリスのニューコメンやワットが実用化に成功した陸上での固定式の蒸気機関を船舶の推進用に改良する試みは、本格的にはアメリカのR・フルトンのクラーモント号がハドソン川での運航を開始した一八〇七年に、新しい段階に入った。イギリスでもH・ベルのコメット号が一二年にクライド川での定期サービスを開始した。こうして、蒸気機関を移動手段に用いるアイデアは、陸上の鉄道よりも約一〇年先んじて水上の船舶で実現されたのである(Deeson 1976; 杉浦 一九九九)。

蒸気船は風と潮流に左右されにくい長所の反面、エンジンとボイラーと石炭が積載スペースを狭め、燃料補給の費用(コスト)もかかるゆえ長距離輸送に向かないという短所があった。そのため当初蒸気船が運航されたのは河川や湖、短距離の近海だった。軍事目的にはすぐ転用された。イギリスは汽走砲艦を一八二〇年代に配備し始め、東インド会社とビルマ間の戦争に活かし、チグリス・ユーフラテス川やガンジス川にも就航させた(ヘッドリク 一九八九)。

木造船体で、外輪で推進させる初期の蒸気船は、ニッチな用途しか担うことができなかった。新技術への根深い偏見の壁も高かった。しかし、蒸気船は次々に「発展」を遂げていく。エンジンは一八五〇年代から高圧気筒の排気を低圧気筒に再利用して燃料効率を劇的に向上させる連成機関(コンパウンド・エンジン)になり、八〇年代には二段から三段膨張、二〇世紀初頭には四段膨張の連成機関が実用化された。ボイラーの改良も進み、五〇年代頃からは海水ではなく真水を循環供給する表面復水器(コンデンサー)が普及し、故障やメンテナンスの手間が減り、蒸気圧が格段に上昇した。木材では船体を構造的に全長三〇〇フィート以上にできず、腐食・腐敗しやすかったので、防水区画が設けられる、頑丈で、大きさの限界を突破できる鉄材に転換する試みも、早くから続けられた。鉄は水より重いことによる忌避感にさらされ、錆や磁気コンパスへの悪影響、加工の難しさといった短所もあったのだが、それらは漸次克服され、木鉄交造船や鉄製の船舶が増えた。八〇年代からは従来の錬鉄から鋼鉄への移行も起こる。外輪ではパドルが水をかかないロスが起きがちで、軍艦にすると攻撃力と防御力を弱める欠点があったのだが、三〇年代末から船体後部の水面下にスクリュープロペラを備える革新が一挙に進み、これにより、商船のみならず軍艦にも次第に鉄製船体と蒸気機関が採用されていく(グリフィス 一九九八、Marsden & Smith 2005)。

右記の技術の精髄は、イギリスのI・K・ブルネルが一八五八年に建造したグレート・イースタン号である。錬鉄製の船体に一〇の防水区画を備え、全長六八九フィート、幅八二・八フィート、一万八九一五総トンで、当時世界最大の船舶だった。過渡期の性質を表しており、外輪用とスクリュー用のエンジンを両方装備し、数本の煙突と並んで帆走用のマストが六本建っていた(同船を含む一九世紀後半の巨船のスペックは、Kludas 1975)。

一九世紀はなおも木造帆船の時代でもあった。新旧の技術の置き換わりに時間がかかったというのではない。帆船自体が技術的に長足の進歩を遂げたのである。その牽引者は国内に豊かな森林資源を擁していたアメリカの造船業であった。また、世紀半ばには英米で建造ブームが起きた、積載量より速度を重視した快速帆船クリッパーは、ヨーロッパやアメリカ東海岸に向けた、遠い中国からの新茶の輸送や、オーストラリアからの羊毛の輸送で速さを競った(吉田 二〇二〇)。しかし、その華やかな時代は今もグリニッジに展示されるイギリスのティー・クリッパー、カティ・サーク号誕生の一八六九年——アメリカ大陸横断鉄道の開通年でもある——を境に急速に幕を閉じる。

スエズ運河と給炭港

一八六〇年代までに、蒸気船の領分は次第に拡大してきた。旅客・郵便部門や、沿岸貿易では優勢になり、北大西洋の運輸でも帆船と激しく競合した。しかし、ヨーロッパにとってインドや極東、豪州方面は距離の制約ゆえ蒸気船では採算がとれず、帆船のほぼ独占状態であった。そのような中、フランスのF・レセップスによって着工されたスエズ運河が六九年に開通し、シナイ半島西部、地中海側のポート・サイードから紅海側のスエズの間一〇一マイルがつながった。ここを航行するには、帆船の場合余計にコストのかかる曳航が必須になり、紅海の航行の難しさも加わって、運河は蒸気船に利した。これによって、大幅に距離(航海時間)が短縮された(Fletcher 1958; Hattendorf 2007)。なお、パナマ運河もレセップスが着工し(一八八一年)、一九一四年、アメリカの管理下で開通する。

蒸気船は石炭を必要とするため、帆船よりも運賃がかさみ、さまざまな制約を受けた。ここでもイギリスに有利な条件が働いた。一九世紀、世界最大の石炭産出国だったからである。とりわけ、高価だが高品質のカーディフ産の石炭は、蒸気船燃料として巨大な需要があり、同国の船舶に供給されるだけでなく世界中に輸出された。嵩の低い工業製品を輸出して大量の原材料と食糧を輸入するイギリスにとって、石炭は輸出を量的に補う商品でもあり、そのことが運賃の低下にも寄与した(山崎 二〇〇八)。

石炭は、世界中の給炭港に備蓄された。一九一二年、主要な給炭港は一三六あり、地中海、紅海のそれにはイギリス炭、日本には日本炭、香港・上海には中国炭が備えられた。これらのインフラが、スエズ運河とともに、改良を続ける蒸気船による世界進出を可能にした(Kirkaldy 1970; ポーター 一九九六)。そして、一九世紀の海域は、さらに二つのインフラを整備し、世界を不可逆的に変えた。

海底電信ケーブルと灯台

一八三二年、アメリカのS・F・B・モースが電気式テレグラフを考案し、後にモールス信号を確立した。ヨーロッパでもイギリスのW・F・クックがモースからやや遅れて電気式テレグラフを考案した。五〇年代初頭には欧米各国で陸上電信が普及してゆく。他方、海を越えて電線をつなぐには、海水との絶縁の工夫が不可欠であった。これを可能にしたのが、東南アジアに産する常温では硬いが温水に浸けると容易に変形できる樹脂グッタペルカ(ガタパーチャ)である。これで被覆したケーブルは、四〇年代末から五〇年代にかけて、ホルシュタイン公国(ドイツ連邦)

のキール港や英仏を結ぶドーヴァー―カレー間などに敷設され、通信実験に成功した。

格段に壮大な規模の試みは、大西洋横断海底電信ケーブルの敷設であった。アメリカの企業家C・フィールドが主導して、英米合同の会社が設立され、英米両政府の補助金と支援も得て、一八五八―五九年に英米海軍の二隻の蒸気軍艦による二度の試行の後、六五―六六年、先述のグレート・イースタン号によって敷設が完遂した。ケーブル船で敷設を進めた海底電信ケーブルは世界をオンライン化した。七〇年にはイギリスとインドがつながり、翌年にはシンガポールからオーストラリア、そしてインドから香港、上海を経て長崎まで結んだ。南米やアフリカにも広がり、一九〇二年にはカナダとオーストラリアもつながった。性能も劇的に向上した(スタンデージ 二〇一一、Bright 1898)。

海底電信ケーブルは、商業に革命的な変化をもたらしただけでなく、政治・外交の通信や軍事通信のあり方を根本的に変えた。一八八四年からのグリニッジ標準時の国際的普及にも帰結した(ハウス 二〇〇七)。イギリスは一九〇四年、この約四一万キロメートルの「見えない武器」のうち約六〇%を握っていた(ヘッドリク 二〇一三)。

海底電信ケーブルに並ぶインフラは灯台である。もちろん、灯台は有史以来各地に建てられた。しかし、炎を鏡に反射させる基本技術は古代からほぼ不変であり、光の届く範囲は限られていた。それゆえ、夜間の航海は危険であった。これを転換させたのが、フランスで開発されたレンズの屈折を利用して光束を一本化するフレネルレンズで、光の強度が従来比で数十倍に向上した一方、燃料は半分で済んだ(レヴィット 二〇一五)。フランスの歴史家J・ミシュレは『海』(一八六一年)において、フランス由来の「フレネルの光線」を発する灯台――「人知が地上に創りだした救いの天球」――が、世界中で「闇に包まれていた」海を照らすようになったと絶賛した(ミシュレ 一九九四)。

アジアの沿岸部にも、欧米船の国際航路の拡大に伴って次々に灯台が設置された。一八四〇年代には東南アジアに灯台が建ち始め、六五年には中国で呉淞(ごしょう)灯台(上海)、虎蹲島(こそんとう)灯台・七里嶼(しちりしょ)灯台(寧波(ニンポー))、ギア灯台(澳門(マカオ))が建設された。日本では、フランス人F・L・ヴェルニーが観音崎灯台(横須賀)を建てたのが西洋式灯台のはしりであったが、その後はイギリスのお雇い外国人R・H・ブラントンが七六年までに二六基の灯台を建造した。灯台は、完成が近づくとそのスペックや経度緯度情報が国際的に公開され、一種の公共的な知になったが、他方で、これは西洋的な空間認識に非西洋が包摂されるプロセスでもあった(谷川 二〇一六、Findlay 1879; Bickers 2013)。

二、海における生

会社と経営

帆船に比して安定した速度の出せる蒸気船の出現は、長距離の定期航路という、これまでにない海のルートをつくりだした。蒸気船による定期航路が最初に開かれたのは一八一八年、スコットランド北西部グリーノックからアイルランド北東部ベルファストを結んだロブ・ロイ号の定期便で、その後数年のうちに、さまざまな会社によってトリエステーヴェネツィア、ドーヴァーーカレー、ダブリンーボルドーなど、短距離定期航路が開かれた。

長距離定期汽船航路はいくつかの海域で進行した。大西洋では、一八三九年にロイヤル・メイル定期汽船会社が設立されてイギリス政府の補助金(郵船契約)を獲得するに及び、採算の目途が立った。翌年設立のキュナード・ラインは、やはり郵船契約を獲得して大きな存在感を示した。地中海および紅海・インド洋では、三六年に前身が設立されたペニンシュラ&オリエント汽船会社(P&O)が、七〇年までサウサンプトンからインド洋に至るルートを独占した。極東については、大洋汽船会社(ブルー・ファンネル・ライン)やスワイヤ・ラインなどが知られる(野間 二〇一八)。

イギリス以外でも一九世紀半ばには各地に汽船会社が誕生する。ハプスブルク帝国のオーストリア・ロイド社(一八三三年)、ドイツ圏のハンブルク・アメリカ定期船会社(HAPAG社、四七年)とブレーメンで創業された北ドイツ・ロイド社(五七年)、フランスでは極東航路に力を入れた国営のメッサジュリ・マリティーム社(五一年)が重要である。

日本でも郵便汽船三菱会社(七五年)が英米の汽船会社と上海―横浜の航路をめぐって競争を繰り広げ、地歩を築いた。なお、岩倉使節団は七一年に横浜からアメリカの「太平会社飛脚船」でサンフランシスコへ行き、二年後、マルセイユから「仏国郵船」に乗り、開通して間もないスエズ運河を経由して帰路についている(久米 一九七八)。

定期汽船会社の主な収入源は、定期性が求められる郵便、旅客、そして高価値の嵩の低い荷の輸送であった。この定期船が常態化するのに対応して、随時注文に応じて船を出し、主にばら荷(嵩の高い低価値商品)を運ぶ不定期船の役割も増大する。海底電信ケーブルの拡張は荷のあるところに不定期船を呼び集めることを可能にしていた。ばら荷は、石炭、鉱石、木材、穀物、砂糖、コットン、羊毛、コーヒー、ワイン、塩などであった。冷蔵船が始まる一八七〇年代からは食肉、タンカーが本格的に就航する八〇年代からは石油もこれに含まれた。当初は帆船が不定期船の大半をなしたが次第に蒸気船が食い込んでくる(Craig 1980; Lew & Carter 2006)。また、定期貨物汽船を扱う会社も叢生したが、同一航路での競争で利潤の縮小に悩まされた。そこで複数の定期貨物汽船会社が同盟を結び、輸送量を規制して運賃を固定し、非同盟船に対して価格競争を仕掛けて退場させることを目的にした海運同盟(シッピング・カンファレンス)が、六〇年代末以降各地で作られた(Deakin 1973)。

会社は競合他社だけでなくストライキの脅威にも対処しなくてはならなかった。一八九〇年にイギリスで結成された海運連合(シッピング・フェデレーション)は業界の利害団体で、一九〇九年に国際化し、国の別を問わず海運利害が一致して各地の船員・港湾労働者のストを粉砕すべく動いた(Fink 2011)。厳しい資本主義的競争の世界で、船会社は生き残りを賭けて闘争した。個々の海港都市のレベルでも激しい競争と盛衰がみられた(Darwin 2020)。さらに小さな港では、相当数の女性を含む船主たちが木造帆船を共同所有して不安定な海運業に従事する例もあった(Doe 2009)。

労働者

厳しいのは海に関わる労働者も同様であった。彼らは低賃金、低待遇で過酷な労働を求められたが、一九世紀に新職種、火夫と石炭運搬夫が誕生した(航海士に対応する高級船員としては機関士も)。帆船の船乗り(セイラー)の主業務は甲板上での帆(セイル)の操作だった。しかし、蒸気船は日の射さない甲板下、ボイラー室で石炭をくべる火夫と、燃料庫とボイラー室の間を手押し車で往復する石炭運搬夫を必要とした(Kennerley 2008; Kennerley 2014)。船員はマルチエスニックであった。イギリスでは航海法によって乗組員の四分の三以上はイギリス人という原則が一九世紀半ばまで続いたとはいえ、同国も含め、主要国の船にはさまざまな出自の船員が乗り組んだ。一九世紀半ば以降、イギリスでは黒人船員が増え、インド洋やスエズ経由のヨーロッパ航路ではインド系の船員(ラスカー)がかなりの割合を占めた(Balachandran 2012; Costello 2012)。自身も主にイギリス船の船乗りとして暮らし、世界の海を経験したポーランド出身の小説家J・コンラッドの船員仲間も、約三分の一が外国生まれだった(Jasanoff 2017)。太平洋を往くアメリカ船には日本や中国系の船員が入ってきた。

彼らは危険な職場を共にする連帯感を持つため、一九世紀の半ばから労働組合という形での結束がみられるようになる。最大の海運国イギリスでの最初の全国船員組合は一八八七年に結成された(全英船員・火夫統合労働組合――九四年から全国船員・火夫労働組合)。この組合設立を主導したJ・H・ウィルソンは、九六年に国際船舶・港湾・河川労働者連合を結成し、二年後に鉄道・路面電車の労働者を加えて国際輸送労働者連合を立ち上げた。この団体が二〇世紀初頭にかけ、先述の海運連合に対抗して熾烈な労働運動を展開する。しかし、船員の国際連帯には限界もあった。二〇世紀初頭の国際輸送労働者連合の国際会議では、各国代表の利害が対立する場面もあったし、「有色船員」にも組織化の宣伝を拡大すべきという英独代表の意見に対して、アメリカやスウェーデンの代表は「オリエンタルの集団」や「黄色人種」の進出が白人の仕事を奪う懸念を表明した。グローバル規模での雇用外注の結果としての船内労働のマルチエスニック化は、労働運動に内在する差別構造を明るみにだしたのである(Fink 2011)。

旅客

船での長距離移動を購入した移民や旅客は、どのような経験をしたのであろうか(女性についてはGreenhill & Giffard 1970)。インドや中国、日本からの移民はもちろん、ヨーロッパ大陸から新大陸やオーストラリアなどへの移民も多く、世紀を通じて数千万人に達した(Gabaccia & Hoerder 2011)。ヨーロッパ系移民は、世紀前半、帆船で大西洋を渡った。後に「棺桶船」として記憶される移民船の環境は劣悪で、船舶熱がたびたび発生した。一八四〇年代後半のアイルランド大飢饉の際にも、この地を逃れた人々は英米の不定期貨物帆船で輸送され、多数の乗客が死亡した(Spray 2003)。

世紀後半から定期汽船による移民輸送への転換が始まる。大規模な会社としては一八五〇年設立のインマン・ラインが最初である。すでに帆船での移民輸送を展開していたカナダ・アラン・ラインは五四年、HAPAG社も五六年から蒸気船を導入するなど、総じて、帆船で実績のある会社が蒸気船を就航させ事業を長く続けた。他方、キュナード・ラインや北ドイツ・ロイド社のように最初から蒸気船で成功した例もあった。七〇年代初頭には、移民輸送の九割は蒸気船で行われる(野間 二〇一八、Boyd 2020)。

巨大蒸気客船は社会の縮図であった。一等・二等客には個室が割り当てられ、特別の食堂と豪華な食事、高級調度品で飾られた談話室や読書室、甲板上の遊歩道での社交など、優雅な時間が提供された。船内設備は一八七〇年代以降急速に向上した。ランプやロウソクに代わりガス灯が点灯し、冷凍装置が新鮮な食材の常時提供を可能とし、世紀末には白熱電球が導入された(Greenhill & Giffard 1972)。他方、三等客はドミトリーに寝泊まりし、サービスは限定的であった。香港—シンガポール—ペナン—コロンボ間を航行する船にはさらに安価な甲板船客の区分があり、彼らのほとんどはインド人と中国人であった。

イギリス留学の途次にあった川路太郎は一八六六年、乗っていた船で、イギリス人が幅を利かせ給仕の者はヨーロッパ人にはよく仕えるのに日本人に対しては一段粗略な扱いをする、中国人は大金を積んでも一等船室に入れてもらえない、といった観察を残している(木畑 二〇一八)。客船の下層で働く海の労働者と同じく、乗客にもグローバル資本主義化を象徴する階級・人種的な格差が顕在化していた。

海難と予防

海難は、地域時代を問わず最大の災厄だった。不注意や荒天や過積載で座礁・沈没したり、火の不始末や積荷の摩擦、落雷などで火災に見舞われたりといったことは、一九世紀にも変わらず見られた。新しいのは、救命艇など海難救助手段の充実、満載喫水線の表示義務化など予防措置の向上、そして、速度ゆえに頻発した蒸気船衝突事故に対する国際的な対策形成である。イギリスでは一九世紀半ばの一連の制定法によって、正対時には互いに右舷方向に回避、夜間や霧中では灯火やシグナルで合図という原則が確立した。

イギリス商務省が諸外国に働きかけた結果、一八六三年から翌年にかけて、衝突規則は国際化し、英、仏、墺、伊、蘭、葡、西、露、米、デンマークと北欧諸国、ドイツ諸都市、ギリシア、オスマン帝国、南米諸国といった批准国の船には同じ規則が適用された。明治日本もこのシステムを受け容れた。衝突回避ルールをはじめとして、海での係争に国際的に統一された法に基づいて対処できるよう、九七年にはブリュッセルに万国海法会が設立された。一九〇一年には日本海法会が設立され、万国海法会に加入した(松波 一九一六)。少し後、一九一二年のタイタニック号沈没事故を受け、翌年にロンドンで一三カ国代表が集まり、第一回「海上生命安全(SOLAS)国際会議」が開催され、一四年にSOLAS条約が採択された(金澤 二〇〇八、金澤 二〇一三、岸本 二〇一七)。

三、普遍知と国家間競合

蒸気船がきっかけとなって整備された運航システムとインフラ、新種の会社や労働者、国際的諸規則に立脚し、世界の国々は海軍と海運を用いて支配拡大や生き残りのチャンスを求めた。海はグローバルな規模で知的、軍事的、経済的、政治的な争いの舞台となる。

捕鯨と科学

捕鯨は、魚やラッコなどの漁と並び、世界各地で行われてきた。それは、日本の一六世紀末からの「鯨組」による陸海協働での突き捕り式ないし網捕り式の捕鯨にもみられるように、ほとんどは近海で操業された(森田 一九九四)。仕留めた鯨を、陸地で解体処理しなければならなかったからである。しかし、ヨーロッパでは一八世紀のうちに船上で解体・鯨油精製のできる装置が開発され、遠洋捕鯨が可能になった。そしてセミクジラと並び、マッコウクジラがターゲットになる。この捕鯨を一八世紀後半以降約一〇〇年にわたってリードしたのが、アメリカの捕鯨業者である(ドリン 二〇一四)。一八四六年のピーク時には世界の捕鯨船総数九〇〇隻のうちアメリカ船が七三五隻を占めたという。最盛期の東岸のナンタケット島やニューベッドフォードの鯨捕りの活躍は、H・メルヴィルの『白鯨』(一八五一年)に活写されている。この頃の捕鯨船はたいてい帆船で、一度出港すると三―五年にわたる長期の航海になったため、妻子を同行する船長もいた。

アメリカ式捕鯨は、鯨を見つけると本船からボートを複数おろして追跡し、ロープのついた銛(もり)をいくつも打ち込んで仕留め、本船に曳航して横づけし、解体して(照明の燃料――室内、街路、灯台――や潤滑剤として重宝される)鯨油と、ヒゲクジラ類であれば（コルセットやクリノリン、傘の骨などになる）鯨鬚（げいしゅ）を採取し、油は精製して樽詰めするというものだった。捕鯨船は経験知とデータに基づいて鯨の出没海域に移動を繰り返す。太平洋にもアメリカ捕鯨船は進出し、ハワイ沖や日本近海でも操業するようになった。一八四五年に、鳥島で救出した日本人難船者一一人を伴って浦賀に来航したマンハッタン号以来、日本に捕鯨船の保護と定期汽船などへの石炭供給をさせるため、また交易も視野に入れて、アメリカ政府は開国を迫ることになる。この文脈は、後述の海洋科学調査とあわせて、五三年のペリー来航の背景として重要である（後藤 二〇一七）。

アメリカの捕鯨は、ラード生産の増大、ガス灯や灯油の普及、南北戦争といった諸要因が重なって世紀後半に急速に衰退する。かわって台頭したのは、爆薬を装塡したロープ付きの銛を発射する捕鯨砲を高速動力船の船首に備えて行うノルウェー式捕鯨で、ナガスクジラを主要ターゲットに、南氷洋に日本を含め各国の捕鯨船団が向かっていく。

世紀前半のアメリカ捕鯨業は、海の新知識の開拓に大きな役割を果たした。早くも一八世紀後半、B・フランクリンがメキシコ湾流の存在を知ったのは、鯨捕りの経験を持ついとこのT・フォルジャーの情報からであった。また、海が想定されていたよりもはるかに深く、高圧下で生物が存在することも、マッコウクジラの潜航を見ていた鯨捕りが知っていた。その鯨捕りのための「危険な航路の安全化」を最重要任務として、アメリカの探検遠征隊は大西洋を測深した（一八三八―四二年）。五三―五六年には、北太平洋探検遠征隊が海洋科学調査を行った。捕鯨船や中国貿易の船が行き交うベーリング海峡、北太平洋、東・南シナ海での調査には軍事的、商業的な意図が込められていた（Rozwadowski 2005）。後者の遠征は海軍士官の海洋学者M・F・モーリーが主導したのだが、海底電信ケーブルの敷設を企画した先述のフィールドは彼に問い合わせをし、大西洋海底の深さや地形について、計画実行を後押しする見解を得た。迂遠ではあるが、近代海洋学は世界のオンライン化を促進した。

海図も格段に精緻化した。一八世紀末に設立されたイギリス水路局は積極的に海図を作成し、これを国内の諸団体・研究機関だけでなく諸外国の海軍・水路局に提供して、情報を公共に資した。日本近海の測量も一八四〇年代から進めるが、明治政府ができた頃から海軍予算減に対応するべく対日技術支援に転換し、日本(七一年に兵部省水路局発足)が自前での測量ができるようにした(石橋 二〇一五)。

海図と天気

世紀半ばには世界で用いられる海図の大半はイギリス水路局製であった。しかし、そのような地形に特化した海図だけでは、航海の安全は確保できない。世紀初頭、イギリスのL・ハワードは雲の形状を区別して命名し、F・ビューフォートは、風を静穏(凪、〇)から颶風(ぐふう)(ハリケーン、一二)に分類する風力階級を考案した(一八三一年に後出のビーグル号で初めて公式に採用された)。そして、先述のモーリーは四七年から風配潮流図の発行をはじめた。これは大西洋、太平洋、インド洋について、商船や軍艦や捕鯨船の航海日誌から収集した膨大なデータをもとに詳細な風力・風向き・潮流など複数の情報を統合した画期的な一連の海図で、諸外国の船もこれを利用した。

一八五三年にはモーリーが主導し、海で気象データを収集するシステムを検討する国際海洋会議がブリュッセルで開催され、統一的な観測手法と記録日誌の定型が合意された。それをイギリスで実施するため翌年設置されたのが商務省気象局(後の気象庁)であった。初代局長R・フィッツロイは、ダーウィンを乗せたビーグル号の船長として有名だが、特筆すべき功績を残している。モーリーの風配潮流図は過去のデータの集積物であったが、フィッツロイはさらに一歩進み、電信ケーブルを駆使して各地の同日同時間の気象データを集め、六一年、『タイムズ』紙上に世界初の科学的な天気予報を掲載した。港に情報を送り近くの船に暴風警報を発するシステムも稼働させた(Halford 2004)。

海軍

海洋科学調査におけるアメリカのリードは、海軍の歴史が浅く、その任務が一八八〇年代まで沿岸防衛と通商破壊に集中していたことからすると、一種の代理的な国威発揚の手段、知識の領域における海の征服活動といってよい。そのアメリカ海軍のA・マハンが九〇年に『海上権力史論』を公刊したのは、アメリカ海軍が「シーパワー」の戦略的重要性に開眼する大きなきっかけとなった。九八年には米西戦争でマニラ湾やキューバでスペイン海軍を撃破できたことも手伝って、二〇世紀、アメリカは海軍大国になっていく。

しかし、一九世紀の制海権を握っていたのは、マハンが認める通り、イギリスだった。ナポレオン戦争終結時にヨーロッパの中で圧倒的な海軍力を持っていたが、その後も砲艦だけでなく主力艦も次第に鉄製蒸気船に移し、海軍用の石炭補給基地を各地に置き、唯一、どの海域にも実戦配備できる実力を維持した(横井 一九八八、田所 二〇〇六)。グローバル列強国――グローバル列強諸国の海軍関連総支出の五%以上を占めるか、それらの戦艦保有総数の一〇%以上を占める国――の海軍力比データによれば、一八一六年、英六六%、仏一七・五%、露一三%、米三・一%であったが、一九一六年になっても英は四二・四%を占め、第二位の独二四・二%、第三位の米一四・一%、その後に仏と日七・一%、露五・一%が続く(Modelski & Thompson 1988)。

木造の帆走戦艦が至近距離で船腹の砲を撃ち合う一八〇五年のトラファルガー海戦(ナポレオン戦争)から、鋼鉄製の汽走戦艦が遠距離から甲板上の長距離砲を撃ち合う一九〇五年の日本海海戦(日露戦争)までの間、大きな海戦はほとんどなかった。それでも、違法奴隷貿易船や海賊船、欧米の船を襲い虜囚化する北アフリカの「バーバリ諸国」に対して、英米をはじめ諸国の海軍は矛を向けた(桃井 二〇一五)。アヘン戦争後に中国沿海で海賊が跋扈(ばっこ)した際には、まずはイギリス帝国の海軍が、後には清朝の水師が抑え込みを図った(村上 二〇一三)。清朝の水師は近代化を図ったものの清仏戦争で大敗し、李鴻章の北洋艦隊も日清戦争の際、薩英戦争や下関戦争で同じく欧米の海軍力に圧倒されその艦船を導入することから始まった日本の海軍によって、壊滅させられた。東南アジアでは、一八一九年にイギリスがシンガポールを開港すると、海峡域で海賊行為が増大し、ヨーロッパ船や中国ジャンク船が襲撃され、イギリス海軍などが対応に苦慮した(弘末 二〇〇四、Wadsworth 2019)。パックス・ブリタニカの海は平穏ではなかった。

平穏でなかったのは、国際的な軍拡競争においてもはっきりしていた。ドイツは一八七一年の建国時に海軍を設立したが、当初は沿岸防衛以上の機能を期待していなかった。それが、ヴィルヘルム二世の即位以降、イギリスに対抗し得る海軍の増強が目指され、世紀末に海軍予算は大幅に増額された。一九〇六年にイギリスでドレッドノート級戦艦が建造されると即座にドイツも同じ等級の巨大戦艦を建造・就航させ、本格的に両国間で「建艦競争」が勃発した。両国では新造軍艦は国威発揚の象徴となる(Rüger 2007; Epkenhans 2016)。この軍拡の果てに、第一次世界大戦は勃発した。

海　運

一九世紀前半にはアメリカ帆船が競争力を有したが、全般的にはイギリス海運優位であり、後半にその傾向はより明瞭になった。一八五〇年、イギリスの帆船・汽船の純トン数合計は世界シェアの四六・八六%であった。六九年のスエズ開通はイギリス海運の優位をさらに堅固にした。同国は八二年にはエジプトと運河を占領し、エジプトは保護領となった。その海運世界シェアは一九〇〇年になっても四一・〇二%だった。同年、イギリスの帆船は三〇一万一五九四純トン、蒸気船は七七三万九七九八純トンだったが、たとえば、ロシアの帆船は五五万六六一四純トン、蒸気船は四一万七九二二純トン、ドイツの帆船は五九万三七七〇純トン、蒸気船は一三四万七八七五純トンであった(Kirkaldy 1970)。

国の海運力を民間で競う機運が生じた。世紀半ばから盛んになった定期汽船会社間のスピード競争(最速の船には

「ブルーリボン」の栄誉)も、国家間競争の様相を呈した(グリフィス 一九九八、野間 二〇一八)。ロシアでは、列強への対抗から世紀後半にロシア商船会社や輸送船団「義勇艦隊」、東亜汽船や北方汽船が設立され、第一次大戦勃発時までに帝国の三つの辺境海域(バルト海、黒海、日本海)を結んだ(左近 二〇二〇)。同時期、オスマン帝国も官営汽船「特別局」の育成に尽力した(小松 二〇〇二)。

ドイツでは、二〇世紀初頭、建艦競争の商船版ともいえる現象がみられた。一九一二年五月、HAPAG社のインペラトル号の進水式がハンブルクで挙行された。この豪華客船は五万二一一七総トン、全長九一九フィートで乗客四五九四人、乗員一一八〇人をニューヨークへ運ぶ、当時世界最大の船であった(前月沈没のタイタニック号をしのぐ)。同社は一三年にはファーターラント号、翌年にビスマルク号を就航させ、これら三隻のインペラトル級船舶はドイツの国民的な記念碑として認識された(Russell 2020)。

海の支配と領海

近世ヨーロッパの海は、戦時には私掠の舞台となり交戦国の商船が拿捕の標的となった。敵国に関わる船の臨検や港の封鎖も常態化していた。そのため中立国は自由航行を妨害されて経済的な損害を被った。ナポレオン戦争後にしばらく大きな戦争がなかったため、私掠は行われなくなっていた。クリミア戦争後の一八五六年のパリ宣言で、英・仏・墺・露・普・サルデーニャ・オスマン帝国は、私掠の禁止、中立船の「自由船、自由貨」の権利の確認、戦時の海上封鎖条件の明確化に合意した。イギリスは中立国としてこの権利を行使したが、封鎖条件の厳格化には反対し、第一次大戦時には国際法的にグレーな海上封鎖によってドイツに大きな損害を与えた(Davis & Engerman 2006; 薩摩 二〇一八)。パリ宣言に加わっていなかったアメリカ合衆国では、南北戦争の際、南部連合が私掠戦を仕掛けた(リンカン政権はこれを海賊行為とみなし、海上封鎖で応じた)。とくにイギリスで造船されたアラバマ号は北部諸州の商船を多数拿捕して勇名を馳せた。そのため外交問題に発展し、終戦後、アメリカはイギリスから多額の賠償金を得た(中野 二〇二三)。

近世には領海観念は曖昧であった。ヨーロッパ諸国は平時の関税水域を沿岸からの射程距離とみなしていた。一九世紀初頭からは平時の関税水域や漁業水域は異論は多いが次第に三カイリ(一リーグ)に収斂(しゅうれん)していく。世紀後半にトロール漁法による沿海の漁業資源の枯渇の脅威を受けて、沿岸三カイリおよび入り口が一〇カイリ以下の湾内での漁業を自国民に留保する取り決めが進み、一八八二年に英・仏・独・蘭・ベルギー・デンマーク間で北海漁業条約が締結された(高林 一九八七)。日本が領海を意識させられたのは七〇年の普仏戦争の折で、局外中立の要請を受け「港内及内海ハ勿論ニ候ヘ共、外海之儀ハ距離三里以内両国交戦ニ及ビ候儀ハ不相成」との太政官布告を発した(飯田 二〇二一)。

近代から現代へ

一九世紀の海域は蒸気船の登場を軸にして根本的に変容した。海での人間活動のありかたと世界の姿が変わった。船舶と諸種のインフラに乗ってグローバル資本主義と帝国主義が世界を包摂した。人知により馴致された海洋を介しモノ・技術や情報・思想、さまざまな階級、宗教、エスニシティの人々が統合された空間を行き交った。そして、国際的協調——割愛したが港での防疫も重要(永島 二〇二二)——が進むとともに、経済・軍事的な諸国間の争いの緊張度も増した。二〇世紀以降、海の世界には無線通信と航空機と潜水艇が加わり、さらなる変容が生じることになる。

参考文献

飯田洋介(二〇二一)『グローバル・ヒストリーとしての独仏戦争——ビスマルク外交を海から捉えなおす』NHKブックス。

石橋悠人(二〇一五)「一九世紀後半の日本近海測量をめぐる日英関係――対日技術支援の展開を中心に」『日本史研究』六三四号。

金澤周作(二〇〇八)『チャリティとイギリス近代』京都大学学術出版会。

金澤周作(二〇一三)「海難――アキレスの腱」、同編『海のイギリス史――闘争と共生の世界史』昭和堂。

岸本宗久編著(二〇一七)『海上衝突予防法史概説』成山堂書店。

木畑洋一(二〇一八)『帝国航路(エンパイアルート)を往く――イギリス植民地と近代日本』岩波書店。

久米邦武編(一九七八)『特命全権大使 米欧回覧実記』第二巻、岩波文庫。

グリフィス、デニス(一九九八〔原著一九九〇〕)『豪華客船スピード競争の物語』粟田亨訳、成山堂書店。

後藤敦史(二〇一七)『忘れられた黒船――アメリカ北太平洋戦略と日本開国』講談社選書メチエ。

小松香織(二〇〇二)『オスマン帝国の海運と海軍』山川出版社。

左近幸村(二〇二〇)『海のロシア史――ユーラシア帝国の海運と世界経済』名古屋大学出版会。

薩摩真介(二〇一八)『〈海賊〉の大英帝国――掠奪と交易の四百年史』講談社選書メチエ。

杉浦昭典(一九九九)『蒸気船の世紀』ＮＴＴ出版。

スタンデージ、トム(二〇一一〔原著一九九八〕)『ヴィクトリア朝時代のインターネット』服部桂訳、ＮＴＴ出版。

高林秀雄(一九八七)『領海制度の研究――海洋法の歴史〔第三版〕』有信堂高文社。

田所昌幸編(二〇〇六)『ロイヤル・ネイヴィーとパクス・ブリタニカ』有斐閣。

谷川竜一(二〇一六)『情報とフィールド科学2 灯台から考える海の近代』京都大学学術出版会。

ドリン、エリック・ジェイ(二〇一四〔原著二〇〇七〕)『クジラとアメリカ――アメリカ捕鯨全史』北條正司・松吉明子・櫻井敬人訳、原書房。

永島剛(二〇二二)「感染症・検疫・国際社会」小川幸司ほか編『岩波講座 世界歴史』第一一巻、岩波書店。

中野博文(二〇二三)「内戦が生み出した国際海洋秩序――南北戦争下の軍艦輸出問題と極東の動乱」田中きく代他編『海のグローバル・サーキュレーション――海民がつなぐ近代世界』関西学院大学出版会。

野間恒(二〇一八)『客船の世界史――世界をつないだ外航客船クロニクル』潮書房光人新社。

ハウス、デレク(二〇〇七〔原著一九九七〕)『グリニッジ・タイム――世界の時間の始点をめぐる物語』橋爪若子訳、東洋書林。

弘末雅士(二〇〇四)『東南アジアの港市世界——地域社会の形成と世界秩序』岩波書店。

ヘッドリク、D・R(一九八九[原著一九八一])『帝国の手先——ヨーロッパ膨張と技術』原田勝正・多田博一・老川慶喜訳、日本経済評論社。

ヘッドリク、D・R(二〇一三[原著一九九一])『インヴィジブル・ウェポン——電信と情報の世界史一八五一—一九四五』横井勝彦・渡辺昭一訳、日本経済評論社。

ポーター、アンドリュー・N(一九九六[原著一九九一])『大英帝国歴史地図——イギリスの海外進出の軌跡 一四八〇年〜現代』横井勝彦・山本正訳、東洋書林。

松波仁一郎(一九一六)「日本海法会小史」『海法会誌』一。

ミシュレ、ジュール(一九九四[原著一八六一])『海』加賀野井秀一訳、藤原書店。

村上衛(二〇一三)『海の近代中国——福建人の活動とイギリス・清朝』名古屋大学出版会。

桃井治郎(二〇一五)『「バルバリア海賊」の終焉——ウィーン体制の光と影』風媒社。

森田勝昭(一九九四)『鯨と捕鯨の文化史』名古屋大学出版会。

山崎勇治(二〇〇八)『石炭で栄え滅んだ大英帝国——産業革命からサッチャー改革まで』ミネルヴァ書房。

横井勝彦(一九八八)『アジアの海の大英帝国——一九世紀海洋支配の構図』同文舘。

吉田勉(二〇二〇)『一九世紀「鉄と蒸気の時代」における帆船』渓水社。

レヴィット、テレサ(二〇一五[原著二〇一三])『灯台の光はなぜ遠くまで届くのか——時代を変えたフレネルレンズの軌跡』岡田好惠訳、講談社ブルーバックス。

Balachandran, G. (2012), *Globalizing Labour?: Indian Seafarers and World Shipping, c. 1870-1945*, Oxford, OUP.

Bickers, Robert (2013), "Infrastructural Globalization: Lighting the China Coast, 1860s-1930s", *The Historical Journal*, 56-2.

Boyd, James (2020), "Mechanising Migration: Transnational Relationships, Business Structure and Diffusing Steam on the Atlantic", *International Journal of Maritime History*, 32-1.

Bright, Charles (1898), *Submarine Telegraphs: Their History, Construction, and Working*, London, Crosby Lockwood and Son.

Costello, Ray (2012), *Black Salt: Seafarers of African Descent on British Ships*, Liverpool, Liverpool UP.

Craig, Robin (1980), *The Ship: Steam Tramps and Cargo Liners 1850–1950*, National Maritime Museum.

Darwin, John (2020), *Unlocking the World: Port Cities and Globalization in the Age of Steam, 1830–1930*, London, Allen Lane.

Davis, Lance E. & Stanley L. Engerman (2006), *Naval Blockades in Peace and War: An Economic History since 1750*, Cambridge, CUP.

Deakin, B. M. (in collaboration with T. Seward) (1973), *Shipping Conferences: A Study of their Origins, Development and Economic Practices*, Cambridge, CUP.

Deeson, A. F. L. (1976), *An Illustrated History of Steamships*, Bourne End, Spurbooks.

Doe, Helen (2009), *Women and Shipping in the Nineteenth Century*, Woodbridge, Boydell Press.

Epkenhans, Michael (2017), "Germany, 1870–1914: A Military Empire Turns to the Sea", Christian Buchet & N. A. M. Rodger (eds.), *The Sea in History: The Modern World / La Mer dans L'Histoire: La Période Contemporaine*, Woodbridge, The Boydell Press.

Findlay, Alexander George (1879), *A Description and List of the Lighthouses of the World, 1879*, London, Richard Holmes Laurie.

Fink, Leon (2011), *Sweatshops at Sea: Merchant Seamen in the World's First Globalized Industry, from 1812 to the Present*, Chapel Hill, University of North Carolina Press.

Fletcher, Max E. (1958), "The Suez Canal and World Shipping, 1869–1914", *Journal of Economic History*, 18–4.

Gabaccia, Donna R. & Dirk Hoerder (eds.) (2011), *Connecting Seas and Connected Ocean Rims: Indian, Atlantic, and Pacific Oceans and China Seas Migrations from the 1830s to the 1930s*, Leiden and Boston, Brill.

Greenhill, Basil & Ann Giffard (1970), *Women under Sail: Letters and Journals Concerning Eight Women Travelling or Working in Sailing Vessels between 1829 and 1949*, Newton Abbot, David & Charles.

Greenhill, Basil & Ann Giffard (1972), *Travelling by Sea in the Nineteenth Century: Interior Design in Victorian Passenger Ships*, London, Adam & Charles Black.

Halford, Pauline (2004), *Storm Warning: The Origins of the Weather Forecast*, Stroud, Sutton Publishing.

Hattendorf, John B. (2007), "Suez Canal", John B. Hattendorf (ed.), *The Oxford Encyclopedia of Maritime History*, vol. 4, Oxford, OUP.

Jasanoff, Maya (2017), *The Dawn Watch: Joseph Conrad in a Global World*, New York, Penguin Press.

Kennerley, Alston (2008), "Stoking the Boilers: Firemen and Trimmers in British Merchant Ships, 1850–1950", *International Journal of Mari-*

time History, 20-1.

Kennerley, Alston (2014), "Global Nautical Livelihoods in the Late Nineteenth Century: The Sea Careers of the Maritime Writers Frank T. Bullen and Joseph Conrad, 1869-1894", *International Journal of Maritime History*, 26-1.

Kirkaldy, Adam W. (1970), *British Shipping: Its History, Organisation and Importance*, Newton Abbot, David & Charles; A reprint with an introductory note by Professor Ralph Davis; first published in 1914 by Kegan Paul, Trench Trübner & Co. Ltd.

Kludas, Arnold (trans. Charles Hodges) (1975), *Great Passenger Ships of the World, vol. 1 1858-1912*, Cambridge, Patrick Stephens; first published in German in 1972.

Lew, Byron & Bruce Carter (2006), "The telegraph, co-ordination of tramp shipping, and growth in world trade, 1870-1910", *European Review of Economic History*, 10-2.

Marsden, Ben & Crosbie Smith (2005), *Engineering Empires: A Cultural History of Technology in Nineteenth-Century Britain*, Basingstoke, Palgrave Macmillan.

Modelski, G. & W. R. Thompson (1988), *Seapower in Global Politics, 1494-1993*, Basingstoke, Macmillan Press.

Osterhammel, Jürgen (2014), *The Transformation of the World: A Global History of the Nineteenth Century*, Princeton and Oxford, Princeton University Press.

Rozwadowski, Helen M. (2005), *Fathoming the Ocean: The Discovery and Exploration of the Deep Sea*, Cambridge (Mass.) and London, The Belknap Press of Harvard University Press.

Rüger, Jan (2007), *The Great Naval Game: Britain and Germany in the Age of Empire*, Cambridge, CUP.

Russel, Mark A. (2020), *Steamship Nationalism: Ocean Liners and National Identity in Imperial Germany and the Atlantic World*, Abingdon, Routledge.

Spray, William A. (2003), "Irish Famine Emigrants and the Passage Trade to North America", Margaret M. Mulrooney (ed.), *Fleeing the Famine: North America and Irish Refugees, 1845-1851*, Westport (Conn.), Praeger.

Wadsworth, James E. (2019), *Global Piracy: A Documentary History of Seaborne Banditry*, London, Bloomsbury Academic.

コラム｜*Column*

欧米諸国における科学の制度化と発展

石橋悠人

一九世紀の欧米諸国では、国民国家や市民社会における科学・技術の存在感が格段に増した。もちろん、近世の「科学革命」や啓蒙期における科学思想の進歩、イギリス産業革命期の創造的な発明文化の意義を過少評価するわけではないが、一九世紀に科学・技術と社会の関係に明瞭な変化が現れたことは間違いない。

その特徴としてまず注目すべきは、科学の場所の多様化と実験文化の拡大である。学術団体、植物園、動物園、天文台、博物館、軍隊、探検などを例示できるように、科学的な観察や計測、収集と分類、方法や理論の探究は多方面に広がっている。一見すると、科学が実験室の外側に出ていったかのようであるが、実際には実験の場が増大した点に留意したい。ファラデーが活躍したロンドンの王立研究所のように、自然のメカニズムを聴衆に伝える公開実験は諸国で広く普及していた。実験は高等教育にも浸透し、とくに世紀中葉のドイツ諸邦は大学における実験文化の確立という点で他国をリードする。後に世界有数の物理学の拠点となるケンブリッジのキャヴェンディッシュ研究所や、政府・科学・産業が連動するベルリン近郊の帝国物理学・技術研究所など、各国で実験を主軸にする重要な施設も相次いで設立された。各種産業における企業内研究所の導入も、新たな事象に数えられる。

専門職業として科学・技術に従事する人々（「科学者」や「工学者」）が登場したことも、新しい時代を画する変化として重視したい。アマチュア学者や愛好家の貢献が後退したわけではないが、各分野の専門性や社会における科学・技術の役割が増す中で、教育機関における担い手の養成が定着した意義は大きい。有名な事例のみを紹介すれば、フランスではエコール・ポリテクニクが第一級の教授陣をそろえ、アラゴ、カルノー、ポアンカレなどの卓越した研究者や多数の技術官僚を輩出している。ドイツでは統一国家の成立前から、大学における研究と教育の一体的な運用が開花した。世紀後半には大半の欧米諸国が高等教育に科学・技術を含み、次世代の担い手を再生産する体制が整えられる。ただし、大学・研究所・学会において、女性への門戸開放は概して緩慢なペースでしか進まなかったことも忘れてはならない。

ついで科学・技術の進化が、公共空間やインフラの改良の主たる手段となった点を指摘したい。ガス灯や電灯の発明は、夜間の生活や娯楽の変容を強く刺激するものであった。都市社会ではコレラや黄熱などの疫病の対策と公衆衛生の改善が、人々の健康や生死を左右する重い課題となり、上下水道の整備、検疫の標準化、大気汚染の抑制、積極的な都市改造が試みられている。情報通信や移動・交通の領域での変化も著しい。電磁気学の発展は電信による迅速な伝達を可能にし、蒸気機関の研究は鉄道と蒸気船時代を到来させる。いずれも国民国家の凝集性を高め、植民地やグローバルな空間でも人間・商品・資本・情報の移動とその加速化を促す契機となった。移動性とスピードの向上は、諸社会・国家間の時間制度の差異を解消すべき問題として浮上させ、世紀後半に多くの国家が時間の標準化に着手した点もそれまでにない取り組みと言える。しかも、一八八四年にワシントンで開催された国際会議は、グリニッジ天文台を本初子午線の通過点と決議し、近・現代世界の時空間の基準を定めた。これらの事例は、科学・技術が人々の生活と経験を規定する様々な条件に、重大な影響を与えるようになったことを示している。

一八世紀にもフランスにおける国土の精密な測量やイギリス議会による経度測定方法の開発奨励のように、国家が様々な施策に科学を組み込む事例は少なくなかったが、一九世紀後半までにその関係性はさらに深化している。大学や行政、国立の研究機関の学者たちが、議会や政府に提言を発したり、政策立案に関わる機会が増した。国内情勢の分析に役立つ統計データの収集や地形・資源の把握のための測量は、公衆衛生や都市改良の施策とともに、国家による統治のための装置として諸権力と結びつきながら実践されている。政府や軍隊が関与する天文・気象・地磁気・潮汐などの観測網は、自然現象に関する法則定立の追究に加えて、航海術や貿易への貢献を期待されるものであった。

19世紀後半のグリニッジ天文台（出典：Edwin Dunkin, *The Midnight Sky*, London, 1872)

帝国主義との関係も新たに形成され、例えばイギリス帝国は海外領土に学術団体・研究所・大学のネットワークを構築し、これを媒介に科学者・知識・技術が盛んに循環したのである。多くの学問分野の研究者が、非ヨーロッパ世界を知識の収集のフィールドとする一方、科学・技術は必要に応じて植民地の統治や「文明化」、都市や海港の開発、そして帝国支配のための道具として用いられた。このような科学と「帝国」の複雑な相互作用を正しく把握することが求められる。

こうして科学が実践される場所が増加し、大学・産業・国家機構のなかで実験文化が地歩を固め、科学者・技術者を再生産するための回路が築かれた。これらの動向に加えて、社会の基盤を作動させる要素や国内の政策立案における科学・技術知識への依存、さらに帝国主義と科学・技術の共生関係などの潮流が連動し、一九世紀の世界では科学・技術と社会の接地面が顕著に拡大する。ここに近・現代の科学・技術体制の土台あるいは骨組みが誕生したのである。

焦点 | *Focus*

奴隷貿易・奴隷制の廃止と「自由」

並河葉子

二〇一五年、イギリス財務省は二〇〇年近く前の奴隷制廃止に伴う補償金の支払いで政府が負った債務の返済が終了したことを宣言した。この債務は、イギリス政府が一八三四年、奴隷の所有者に補償金を支払うことで奴隷の自由を買い上げること、つまり奴隷解放を決めたことで生まれたものである。この後、一九世紀の間に世界中の奴隷制のほとんどが廃止され、奴隷たちは解放された。これは世界に何をもたらしたのだろう。解放された奴隷たちは果たして自由になったのだろうか。

こんにち、奴隷制は不自由で非人道的な制度の象徴である。絶対に許容できないものであるのはいうまでもない。しかし、古くから世界中に存在していた「奴隷」と呼ばれる人びとが、表向きにではあれ姿を消すことになったのは一九世紀になってからであり、長い人間の歴史を考えればそれほど昔のことでもない。各国で奴隷貿易や奴隷制を廃止しようとする運動が本格的に始まってからも、それが実現するまでに、多くは数十年またはそれ以上の年月がかかった。たとえばイギリスは、一七八〇年代から一八三〇年代までの半世紀を要した。同時期に革命を経験したフランスでは、革命の理念に基づいていったん奴隷制が廃止されたが再度復活し、最終的に廃止されるのはやはりほぼ半世紀を経た一八四八年である。

一九世紀に国際的な反奴隷制運動が展開された結果として得られたのは、世界中に古くから存在してきた奴隷制は非人道的であり許容できないというコンセンサスであった。労働や生活環境に注目すれば、奴隷制の他にも苛酷なものはいくつもあった。それでも、いつの間にか「奴隷」こそが不自由を象徴するものになり、その解放は成功の物語とされるようになる。奴隷貿易や奴隷制の廃止は、いったい世界をどのように変えたのだろうか。

大西洋奴隷貿易や奴隷制とその廃止については、二〇世紀半ばから多くの研究が蓄積されてきた。イギリスの奴隷貿易廃止が人道的な要因によるものか、あるいは経済的な要因によるものかをめぐる「ウィリアムズ論争」が代表的なものである(小林 二〇〇九)。

これまでの多くは、イギリスやアメリカ、フランス、ポルトガル、スペインなど大西洋奴隷貿易にかかわったり、両アメリカ大陸の植民地で奴隷を使役していた国や帝国それぞれの歴史として研究されてきた(平野 二〇〇二、布留川 二〇二〇)。しかしながら、近代の奴隷貿易は大西洋世界のみならずインド洋世界やアフリカでも行われていただけでなく、相互に関連していた。奴隷たちの移動もときに各帝国の枠を超えていたし、その廃止に向けた動きも、国や帝国の枠を超えたグローバルな現象であった。このような事実をふまえ、近年は、越境的な視点を取り入れた研究が進められている(川分 二〇一二、川分 二〇一七、布留川 二〇一九、鈴木 二〇二〇b、小林 二〇二一)。こうした研究を可能にしたのが、奴隷貿易に関する精度の高いオンライン・データベースの公開である(Slave Voyage https://www.slavevoyages.org/assessment/estimates2)。

越境的な視点からの研究は、奴隷貿易や奴隷制廃止を単純な成功物語とする見方からの脱却を促している。一九世紀前半のイギリスやフランスなどでの奴隷貿易や奴隷制の廃止は、他の地域でのそれらの発展、いわゆる「二次奴隷制」の広がりと表裏一体であった(鈴木 二〇一八)。また、奴隷制が廃止された地域では、それに代わる「自由な」労働形態が導入されたが、かれらの「不自由な」実態についても明らかになってきている。解放された元奴隷たちのその後や、奴隷の代替労働力として導入された契約労働者たちの労働、生活実態に関する研究の進展は、奴隷とそれ以外の人びととの境界の曖昧さを明らかにしている。この結果、一九世紀の奴隷制廃止とそれに代わる不自由な労働力を総体としてとらえ、資本主義的な世界システムと不自由労働の関係をあらためて問う研究が相次いでいる(Eltis 2017; Tomich 2018; ウォーラーステイン 二〇二二)。

以下では、奴隷貿易および奴隷制の廃止の意味について、「自由」をキーワードに考えてみる。なお、本稿では基本的に近代以降に発展した大西洋奴隷貿易とアメリカやカリブ海地域の奴隷制度、および、この時期にヨーロッパが撲滅しようとしたアジアやアフリカの奴隷制を考察の対象とする。

一、大西洋奴隷貿易とその廃止

大西洋を越えてアフリカ人たちを両アメリカ地域に連れてくる環大西洋奴隷貿易が始まるのは一六世紀初頭であるが、規模が拡大するのは一七世紀後半以降である。一八世紀の第1四半期に初めて一〇〇万人を超えた後、第4四半期には二〇〇万人を超えるまでになる。奴隷貿易は次の一九世紀前半まで活発に行われたが、その後は急激に衰え、一九世紀の第3四半期にはほぼ終了する[図1]。一六世紀から一九世紀にかけて、アフリカから連れ出された奴隷の数は一二〇〇万人を超え、アメリカ側に到着した数も一〇〇〇万人を超えている。

大西洋奴隷貿易はスペインやポルトガルのアメリカ進出と同時に始まり、この二つの国が一七世紀半ばまでほぼ独占していた。一七世紀後半なると、スペインに代わってイギリスが存在感を増すようになる。大西洋奴隷貿易が急拡大する一八世紀には、ポルトガルとならんでイギリスがもっとも多くの奴隷取引にかかわるようになった。スペイン継承戦争後の一七一三年に結ばれたユトレヒト条約によって、イギリスがスペイン王室から独占的に奴隷を供給する権利(アシエント)を獲得し、年間六〇〇〇人以上を向こう三〇年にわたってスペイン領アメリカに運ぶようになった

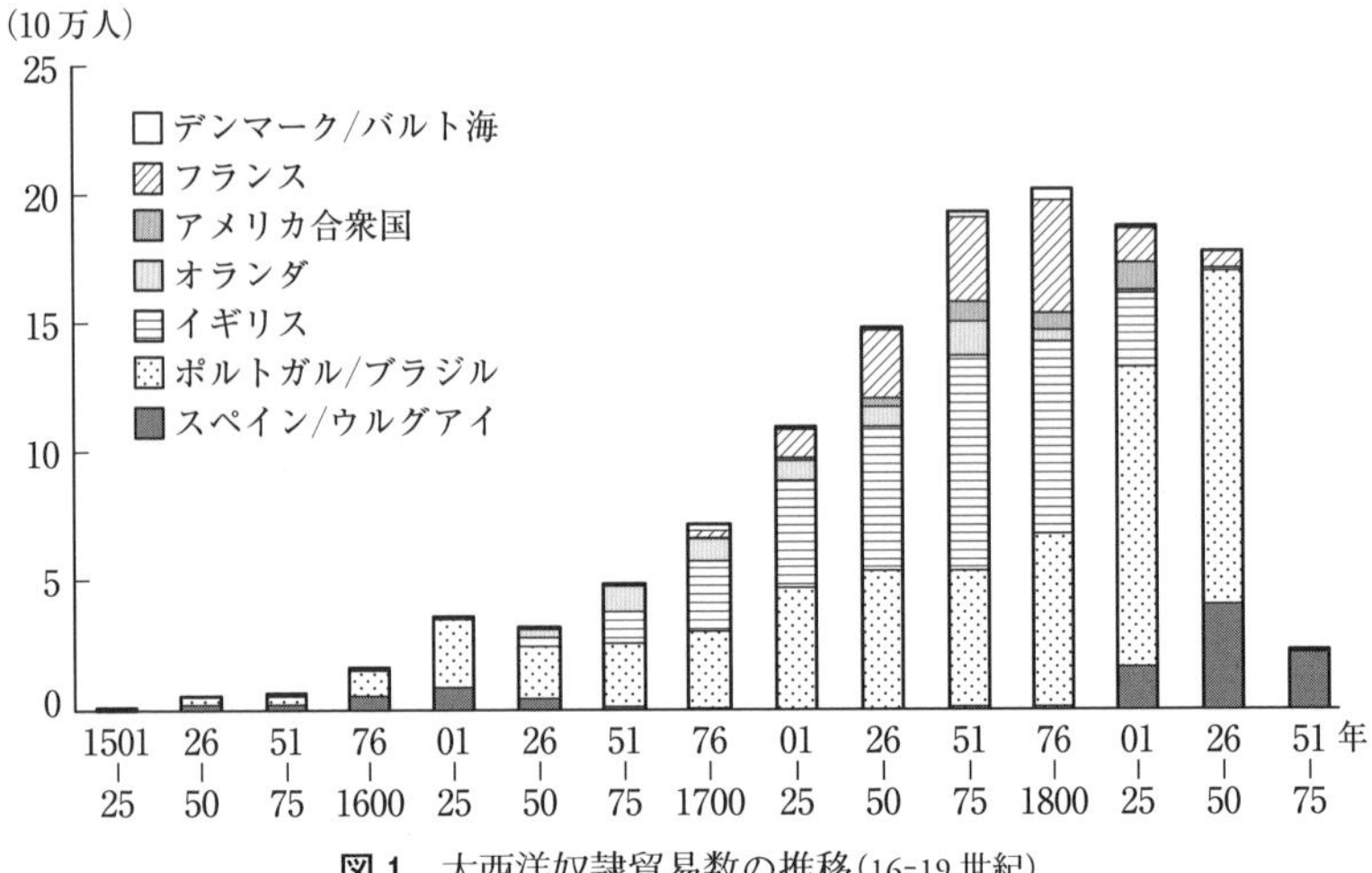

図1　大西洋奴隷貿易数の推移(16-19世紀)

＊船籍別
＊Slave Voyagesに公開された推計値より作成
https://www.slavevoyages.org/assessment/estimates(2022年11月10日最終アクセス)

こともあり、このころから、イギリスの奴隷貿易は年間一万人を超えるようになる。ロンドン、ブリストルやリヴァプールに拠点をおく商人たちが、砂糖植民地として急速に発展しつつあったジャマイカをはじめとするイギリス領西インドやスペイン領アメリカなどに向けた奴隷取引をおこなうようになった。一七三〇年代以降はボストンやセーラムなど、イギリス領アメリカ植民地の商人も奴隷貿易に参入した一方、スペインによる大西洋奴隷貿易は一八世紀末に復活するまで、表向きほぼ停止状態にあった。

大西洋奴隷貿易の最盛期は、一八世紀の第4四半期から一九世紀前半までであるが、この期間は、当時最大の奴隷制プランテーション経済が展開していたイギリス領およびフランス領植民地の奴隷制が大きく動揺した時期でもある。また、北米植民地の一部では奴隷貿易や奴隷制が廃止された。一七七七年七月二日、当時、独立した共和国であったヴァーモント共和国が、憲法で二一歳以上の男性と一八歳以上の女性の奴隷解放を定めたのが、大西洋地域における奴隷制の法的な廃止の決定としてはもっとも早いものになる。他のアメリカ合衆国北部諸州も、一八世紀末に相次いで奴隷貿易の禁止や奴隷解放を州の基本法で決定した。ただし、この地域はいずれも奴隷労働力への依存度が低く、両アメリカ大陸における奴隷貿易や奴隷制廃止において決定的な役割を果たしたとは言えないだろう。

イギリス領西インド植民地の奴隷制の動揺は、イギリス国内の反奴隷制運動の影響が大きい。一八世紀から一九世紀への世紀転換期、イギリス領西インド植民地には、大西洋奴隷貿易で取り引きされる奴隷のもっとも多くが移送されてきており、イギリスは、当時最大の奴隷貿易国であった。そのイギリスで、アメリカ独立革命後の一七八七年、「奴隷貿易廃止のためのロンドン委員会」が設立され、全国的な反奴隷制運動が開始された。もっとも、一七八〇年代に奴隷制廃止を目指す組織が立ち上がるのはイギリスだけではない。フランスでは一七八八年に「黒人友の会」が設立され、イギリスやアメリカ合衆国各地に設立されていた奴隷制廃止協会と互いに交流しながら活動していたが、大陸では運動がエリート層にとどまり、大衆からの広い支持を集めることはなかった。一方、イギリスの反奴隷制運動は、直接政治に関与することのない多くの人びとの関心を喚起することに成功した。出版物やロゴの効果的な利用、「不自由な」西インド産砂糖の不買運動によって、「消費者責任」という一般の人びとのモラルに訴求する新しい政治運動のスタイルを取り入れたことなどが功を奏したからである(並河 二〇一八：一七一―一七七頁)。議会への請願署名活動にはイギリスの男性の三分の二が参加した(鈴木 二〇二〇b：九八頁)。政治的な行動が許されていなかった女性たちも独自の組織を立ち上げ、奴隷の女性たちの救済という、男性とは異なる目標を掲げて活動した(並河 二〇一三)。この経験は、その後の女性運動に継承されていくことになる。

イギリス国内で反奴隷制運動を牽引したのは、イギリスの対外的な商業の成長とともに勢力を伸ばしてきたクエーカーをはじめとする非国教徒、トマス・クラークソンやウィリアム・ウィルバーフォース、ハナ・モアといった国教会福音派など、旧来のイギリスの支配層とは異なる人びとである。かれらは、奴隷貿易や奴隷制を「不自由」で「非人道的な」ものとして批判した。これは、都市化と工業化によって大きく変動する社会を背景に、新しい時代に適合的な価値規範が生成しつつあることを示すものであった。ただ、この運動が、奴隷貿易や奴隷制の廃止という目的を達成するまでにおよそ半世紀を要した。奴隷貿易を擁護する人びとも相当数いたためである。つまり、運動が本格化したころのイギリス社会には、奴隷貿易や奴隷制度を絶対に許容できないものとするコンセンサスが、まだ成立していなかったのである。実際、同じ時期のイギリス領西インド植民地では、「人道的な奴隷制」をめざして奴隷制の改善が模索されていた(Dumas 2016)。イギリス人が奴隷貿易にかかわることや、イギリス領に奴隷を移送することが禁止されたのは一八〇七年、イギリス領における奴隷制そのものの廃止は三三年のことである(この法律では、東インド会社所有の奴隷およびセイロン島、セント・ヘレナ島は除外されている。東インド会社所有の奴隷たちの解放は一八四三年)。これは、アメリカ喪失後に大きく揺らいだイギリス人意識に「自由の守護者」としてのイメージを与え、かれらのアイデンティティを再び強固にするのに貢献した(コリー 二〇〇〇)。奴隷制を廃止したイギリスは、その後「文明化の使命」を掲げて、世界の奴隷制廃止に向けて活動するようになる。奴隷制の廃止は一八四八年に廃止したフランスにとっても、みずからの「文明化の使命」を自負するきっかけとなった(平野 二〇〇二：一章)。野蛮な奴隷制を廃止する「文明化の使命」は、両国にとって、一九世紀末のアフリカ進出の大義名分のひとつにもなった。

イギリスでは、国際的な奴隷制廃止を支援し、「野蛮な」慣習が残る非ヨーロッパ世界における「文明化の使命」を果たすためのキリスト教ミッションの派遣に一九世紀後半、国民から大きな支援が寄せられた。また、トマス・クラークソンの後継として奴隷制廃止に尽力したトマス・フォアウェル・バクストンが中心となって一八三八年に「イギリス海外反奴隷制協会」(現 anti-slavery international)が、それに先立つ一八三七年には非ヨーロッパ世界の先住民保護のために「先住民保護協会」が設立された。両者は一九〇九年に合併し、現在も世界における人身売買や不自由労働などの非人道的な事案を撲滅すべく活動している。

イギリスは、国家としても外交、軍事力を駆使しながら、国際的な奴隷貿易の廃止に向けて圧力をかけるようになる。まずは奴隷貿易廃止の徹底を目指して大西洋上で違法な奴隷貿易の監視を開始し、海上の臨検で船から発見された奴隷たちをシエラレオネ植民地に移送し始めた。当初はイギリス船が対象であったが、一八一五年のウィーン会議で奴隷貿易の全面的廃止に関する宣言が出されると、イギリスは各国と奴隷貿易禁止に関する二国間条約を締結して、イギリス船以外も取り締まり対象とするようになった。たとえば、一八一七年にはポルトガルが赤道以北で奴隷貿易を禁止する条約を結んだ。スペインも同じ年に奴隷貿易廃止に関する条約をイギリスと締結して、二〇年に奴隷貿易を禁止すると定めた。一八二二年にポルトガルから独立したブラジルは、三一年に奴隷貿易を完全に禁止する法律を可決した。それでも、ポルトガル、ブラジルおよびスペインは、その後も一八五〇年代まで空前の規模で奴隷貿易を続けた。イギリスの取り締まりも継続され、海上の奴隷船から救出した人びとを移送する拠点には、シエラレオネのほかにリオデジャネイロやハヴァナ、ルアンダなどが加わった。各拠点に設けられた裁判所の審査で正当な拿捕であると判断された場合は彼らは正式に解放されることになった（布留川 二〇二〇：四章）。ここでは、彼らを「解放アフリカ人」とよぶ。

　解放アフリカ人たちにどの程度の自由を与えるべきかについては当時から議論があったが、彼らの多くは、いったん徒弟(apprentice)とされるか軍隊に入隊させられた。つまり、故郷に帰還したり解放された地で自給自足の生活を送ることを選んだりした少数をのぞいて、すぐに完全な自由を手に入れたわけではない。これは、完全な解放の前には彼らを教育し、「文明化」する必要があると当局側が考えていたためである（布留川 二〇二〇：四章）。イギリス領植民地での奴隷解放後は、こうした解放アフリカ人が代替労働力として期待されるようになり、一部は実際に契約労働者としてイギリス領西インド植民地などに送られた(Anderson 2013: 118-124, 131)。

　ところで、アメリカ合衆国は一八〇八年に大西洋奴隷貿易を廃止したが、アメリカ合衆国南部で奴隷労働力に依存する綿花プランテーションが発展するのは、むしろこの後である。この地域では、奴隷の再生産率が西インド地域と比べて極めて高く、奴隷貿易によって新たに労働力を域外から導入しなくても、奴隷の人口を維持するばかりか、拡大する奴隷の需要に応じることもできたためである(Hacker 2020)。もっとも、大西洋奴隷貿易廃止後にも奴隷が密輸されていたことや、アメリカ合衆国南部では、ブラジルとならんで国内で活発な奴隷取引が行われていたことも忘れてはならない。キューバやブラジルでは、砂糖やコーヒーの生産が一九世紀に入ってから急伸したが、それを支えたのが、当該地域の大規模な奴隷貿易や奴隷制である。イギリスやフランスなどにおける奴隷制廃止と相前後して拡大していった奴隷制を「二次奴隷制」とよぶことがある。

大西洋奴隷貿易は一九世紀後半になると急激に衰退するが、奴隷制度はその後もしばらく残る。両アメリカ地域で奴隷制が最後まで残るのはキューバとブラジルである。両方とも全面的な奴隷制の廃止に先立ち、子どもと高齢の奴隷を解放した。キューバは一八七〇年、ブラジルは七一年に母親が奴隷であっても、新しく生まれてくる子どもたちは自由人とするという「子宮の自由」とよばれる法律を制定した。また、キューバでは七〇年、ブラジルでは八五年に高齢の奴隷解放を決定している。さらに、奴隷が自身の労働の対価を積み立てて自分の自由を買い取る方式での解放も進められ、それぞれ一八八六年と八八年に最終的に奴隷制が廃止された。こうして、一八世紀末からほぼ一世紀をかけて両アメリカ大陸の奴隷制は廃止されていった。

インド洋地域には、古くからイスラム世界の奴隷制が存在していたが、一八世紀末からは、インド洋上のザンジバル諸島やマスカレーニュ諸島で、西ヨーロッパ市場向けの砂糖やクローヴなどのプランテーションが発展した。これに伴い、労働力としての奴隷の需要が高まったことから、インド洋西海域での奴隷貿易が拡大した。一七八七年から一八〇七年までの二〇年の間にモーリシャス島の奴隷人口は九三%も増加している(鈴木 二〇一八:二五四頁)。また、大西洋奴隷貿易を取り締まるイギリス海軍などの監視の目を逃れるため、西アフリカ沿岸からの輸出ではなく、モザンビークが新たな奴隷積出地域として発展した。ここからは、大西洋を越えてアメリカや西インド地域だけではなく、インド洋西海域に向けても奴隷が輸出されていった(Campbell 1988)。インド洋西海域やアフリカ域内の奴隷取引および奴隷制の一部は、二〇世紀初頭まで残った。

二、二次奴隷制

二次奴隷制のきっかけとなるのは、フランス領サン＝ドマングで起きたハイチ革命である。サン＝ドマングは、フランス革命当時、カリブ海地域最大の砂糖生産地であり、大西洋奴隷貿易でアフリカからもっとも多くの奴隷を受け入れていた島であった。フランスは、革命の余波で一七九一年に起きたサン＝ドマングでの奴隷蜂起のあと、一七九四年にはフランス領における奴隷解放を決定する。その後、一八〇二年にナポレオンが奴隷制を再び復活させるが、サン＝ドマングは、ハイチとして一八〇四年にフランスから正式に独立を果たした。世界で消費されるコーヒーの六割、砂糖の四割を生産していたこの島の経済は、ハイチ革命によって壊滅的な打撃を受ける。白人や自由黒人が島を出ていっただけでなく、一七八九年には四三万人ほどいた奴隷人口も内戦で多くが失われたため、プランテーションの労働力が激減した。このため、砂糖生産もこの間に八割程度減少した(浜 二〇〇七：七〇－七六頁)。サン＝ドマングをはじめ、フランス領植民地から流出した人々は、周辺の他の島で新たにプランテーションを開き、そこに奴隷の需要が生まれた。当初大きな影響を受けたのはキューバとジャマイカであった。

一八世紀中にイギリス領の砂糖植民地として大きな発展を遂げたジャマイカは、一七九二年から九九年にかけて砂糖生産高がさらに倍増し、一九世紀初頭にピークを迎えた。もっとも、その後砂糖生産は伸び悩み、奴隷制廃止以後は世紀末にかけて生産量が次第に減少していった。イギリス領全体を見ると、ガイアナなど一部新興の砂糖産地での砂糖生産の増加などもあり、一八七〇年代まで砂糖の生産高は増えていったが、その後は減少に転じる。イギリスが一八四〇年代以降、自由貿易主義の傾向を強め、砂糖貿易についても関税によるイギリス領産砂糖の保護を撤廃していくなかで、イギリス領植民地の砂糖生産は、甜菜糖や他の砂糖生産地との激しい国際競争や砂糖価格の下落に耐えられずにイギリス国内での市場も失い、次第に衰退していった(川分 二〇一七：五四八―五六一頁)。

対照的なのがキューバである。ここは新興の砂糖植民地として、後発であるがゆえに、最新の真空窯や遠心分離機を備えた大規模で機械化された効率の良い砂糖の生産システムを取り入れて急成長を遂げた。一八三七年には砂糖プランテーション内に鉄道が敷設され、プランテーションのさらなる大規模化が可能になったが、それを支えたのは、奴隷たちの労働であった。ナポレオン戦争後、キューバでは砂糖の生産量そのものが増加しただけでなく、世界の砂糖市場が拡大する中で、着実にシェアを伸ばしていった。一八五〇年には世界の生産高の四分の一であったものが、六八年にはほぼ三割を占めるようになった(Tomich 1991: 304)。移送された奴隷は一七六二年から九二年までの間は五万九〇〇〇人であったが、一八三五年から奴隷貿易の終盤の六七年までの間では三八万七〇〇〇人にのぼる。また、一八四七年から七四年にかけては、一二万五〇〇〇人の中国人契約労働者も流入し、奴隷とともに砂糖プランテーションでの労働に従事していた。ただし、中国人契約労働者は、清朝中国側の禁止によって一八七四年に受入が終了した(Scott 1983: 455)。一九世紀半ば以降のキューバの砂糖プランテーションには、奴隷に加えて中国人契約労働者も導入されていたことや、積極的に奴隷の解放がすすめられていたことなど、一九世紀前半のイギリス領やフランス領の砂糖植民地の奴隷制とは異なる特色がみられる。

二次奴隷制の時代に大量の奴隷が流入したキューバとブラジルであるが、両地域ともに奴隷の人口が自由人を凌駕することはなかった。砂糖植民地のイギリス領西インドは、奴隷解放直前、人口の九割以上が奴隷であったし、フランス領のグアドループも七割と、きわめて奴隷の比率が高い。ところが、同じく砂糖が主要産業となったキューバでは、積極的な奴隷の導入にもかかわらず、一八六二年で二九％であり、その比率はその後も低下していった。最終的に奴隷が解放される時点での奴隷の人口は、二%未満に過ぎない(Klein 1996; 川分 二〇一二:六三―六七頁)。他の奴隷に先駆けて高齢の奴隷を解放したことなどからも、所有者たちが奴隷を所有することに伴う負担をできるだけ軽減しながら、効率の高い労働力の確保を模索していたことがうかがわれる。

キューバ産の砂糖は、スペインだけでなくアメリカ合衆国やイギリスにも輸出された。一八六五年までにはキューバ産砂糖輸出の六五%はアメリカ合衆国向けとなっている。一九世紀後半、世界最大の砂糖消費国はイギリスであったが、それに次ぐ砂糖消費国として成長してきたのが、南部の綿花プランテーションの発展による経済的な活況を背景に人口が増加していたアメリカ合衆国であった。

綿製品や砂糖、コーヒーなどは一九世紀に入ると価格が低下していき、限られた人たちだけが手にできるものから、多くの人が日常的に消費するものへと変化していった。それを可能にしたのが、二次奴隷制の発展による大量生産と価格の低下であるが、その過程でこれまでの国際的な交易ネットワークは、大きく再編されることになった。中核にいたのは、自らは奴隷制から手を引いたはずのイギリスである。

ラテンアメリカ、とりわけブラジルは、イギリス産綿布の重要な輸出先であっただけでなく、砂糖やコーヒーの輸出をイギリス船が請け負っていた。キューバやブラジルの対外取引の多くはロンドンで決済されており、イギリスの金融業は、あたらしい国際交易ネットワークにおいて不可欠であった(布留川 二〇二〇:一五二頁)。

奴隷制プランテーションでは、世界的に増大し続ける需要に応じて、規模の拡大だけではなく、生産システムそのものの改善も進められた。イギリス領植民地では、一八世紀末ごろから先進的な会計制度や精緻な労務管理などのシステムも奴隷制プランテーションの運営の中で編み出されたが、一九世紀に入るとそれがアメリカ南部にも普及していった(ローゼンタール 二〇二二)。ハイチ革命以降に砂糖生産が拡大したキューバでは、後発である利点を生かした、大規模で生産性の高い砂糖プランテーションにおいて、先述のように、奴隷制と並行して契約労働者なども導入しながら、もっとも効率的な労働力の組み合わせが追求されていた。奴隷制プランテーションは、後に他の産業にも引き継がれていく同時代の先端的なビジネスモデルが構築される場でもあった。

二次奴隷制の中心となった地域でも、奴隷制は一八八〇年代までには終了するが、各地域のプランテーション経済が崩壊したわけではなく、奴隷に代わる労働力が生産を続けた。また、綿花や砂糖、コーヒーの栽培地域は世界的にさらに広がった。そこで働く人びとの労働、生活環境が、奴隷と比べてより良好なものであったとはいえない。奴隷身分からの解放は、結局人びとに何をもたらしたのだろう。最後にこれについて考えてみたい。

三、解放されることの意味

イギリス領およびフランス領西インド植民地における奴隷たちの生活や労働環境は、法令やプランテーション所有者たちが残した記録からある程度知ることができる。解放による変化は地域や時代によって異なるが、ここでは一八世紀末から一九世紀前半にかけての、イギリス領およびフランス領西インド地域で進められた奴隷制改善と、その後の奴隷制廃止による変化とを比較しながら検討する。

フランスは一六八五年に黒人法を定めるが、その中で所有者は奴隷たちに十分な食料や衣服を支給することなどがすでに定められている。黒人法はその後改正が重ねられ、一七八〇年代以降、奴隷たちの生活や労働環境の配慮事項などがより詳細に規定されるようになる。イギリス領でも、一七八〇年代ごろからプランターたちが奴隷の生活環境や労働環境を改善する試みを積極的に進めるようになり、そうした動きが法律にも反映されるようになっていった。たとえば、一七八八年のジャマイカの奴隷法は、奴隷の所有者の義務を定めているだけでなく、所有者の奴隷に対する保護責任の放棄を戒める文言が並ぶ。所有者側の行き過ぎた暴力などによって奴隷たちの身体に障害を負わせたり、プランテーションから奴隷たちを追い出したりすることは厳しく禁じられている。また、奴隷の所有者は、奴隷が病気や高齢のために働けなくなったことを理由に彼らを手放すことはできないこと、彼らが生存に必要な衣食住を保障する義務は所有者側にあることも明記されており、どちらにも、違反した場合の罰則規定があるほか、困窮した奴隷たちを救済する費用を奴隷の生涯にわたって所有者に負担させることが定められている。

イギリス領植民地のひとつ、バルバドスのプランターたちが共同で作成したプランテーションの運営手引きの中には、「何よりも配慮すべきなのは奴隷たちの人数を維持することであり、そのためにも奴隷たちに十分な食料を与え、彼らの労働が苛酷すぎないものであること、奴隷に対して思いやりをもって接することが必要である」と冒頭で述べられている(Lascelles et al. 1786: 2)。そのうえで、妊娠中や授乳が必要な子どもをもつ女性への配慮については、七時より前に畑に来なくてもよいことや、妊娠が分かれば重労働は免除し、必ず身体に負担の少ない作業に従事させるようにとの記述がある(Lascelles et al. 1786: 2, 24-25)。また、出産を促すために、当該女性だけでなく、産婆やプランテーション所有者にも報奨金が与えられたり税が免除されたりした。

フランス領でも、妊娠していたり育児中の女性の奴隷に対する配慮が定められている。一七八四年、八五年の王令は、妊娠中や授乳中の奴隷は、通常であれば一二時から二時までの昼の休憩時間を、午前一一時から午後三時までとれるとされている。このほか、彼女たちは日没の三〇分前に帰宅できることや、夜勤を免除されることなども定められている(Schmieder 2018: 225-226)。また、六人以上の子どもを育てている奴隷の女性を労働から免除する措置は、少なくとも一九世紀初頭以降はイギリス領のみならず、フランス領やアメリカ南部を含めた両アメリカ地域でも一般的になっていた。一八世紀の終わりごろから、プランターたちは、奴隷の女性に出産を促すことで労働力を維持しようとしたのである。プランテーションによっては、出産を奴隷の産婆ではなく、ヨーロッパ人の男性医師に管理させる出産の医療化も試みられた(Schiebinger 2017)。もっとも、イギリス領西インド地域では、出産する女性の奴隷の数が少なかったうえ、妊娠したとしても流産や死産などが多かったことに加え、無事に出産した場合も乳幼児の死亡率が高かったために、子どもの数はプランターが期待したようには増えなかった(並河 二〇一五)。

子どもたちに向けられていたまなざしも注目に値する。バルバドスの手引きでは、プランテーションでの労働に従事しているか否かにかかわらず、プランテーション内のすべての子どもたちに対して、大人に対するのとは異なる配慮が必要であると強調されている。プランテーションの管理者には、「暑さや寒さをしのげるような衣服がいきわたっているかを確認しておくこと、子どもの体調に合わせて必要な栄養や食べやすいように工夫した食事を与えること〔中略〕子どもたちの世話をするために、それにふさわしい女性を配置し、子ども用の食事を用意して食べさせるようにすること、朝食と夕食は子どもたちの家の戸口においておくこと」が求められていた(Lascelles et al. 1786: 26-27)。

法令やプランテーションの運営マニュアルでは、奴隷たちの生存に責任を負うのは奴隷自身(子どもの奴隷の場合はその親)ではなく、奴隷の所有者であること、それはプランテーションで労働しているかどうかにかかわらず、奴隷として所有している新生児から高齢者まですべてにおよぶことが明確に規定されている。この責任の範囲が奴隷解放後、所有者と解放された人びととの間で激しい攻防の的になった。

一八三三年のイギリスの奴隷制廃止法は奴隷解放に条件を付しており、六歳以下の子どもたちは即時解放される一方で、それ以上の年齢の奴隷たちは解放後も徒弟として所有者の下に六年(家内奴隷は四年)とどまることとされた。実際には当初の予定よりも早く、徒弟制は一八三八年八月に終了したが、この法律は、奴隷の所有者たちに奴隷を手放す代償として補償金を支払うことも定めており、奴隷の私有財産としての側面がきわめて明確に示されている。賠償金の総額は当時の国家予算の四割にものぼったが、実際の奴隷たちの評価額の六割程度でしかなかったため、徒弟として解放された元奴隷の労働が不足分を補う意味を持っていた。一方、解放された元奴隷たちは、それまで彼らに認められていた最低限の生活環境の維持をめぐって元所有者と対立することになった。

奴隷制の時代、奴隷たちの食料は、男女、年齢によって配給される分量が決められていた。それに加えて、所有者たちは、奴隷たち自身にも菜園として使える土地の使用権を与えて、かれらがある程度食料などを育てられるようにすることや、そこでの作業に必要な時間を確保するように求められていた。奴隷たちは、割り当てられた菜園で育てた食料品の余剰分を日曜日に開催されるマーケットで自由に売買してもよいことになっていた。これは、両アメリカ地域の奴隷制プランテーションに広く見られる慣習であり、イギリス領西インド植民地では、奴隷解放後の徒弟制の時代にも、そのまま認められることになっていた。ただし、これは奴隷から徒弟となった人びとに対してであり、それまでの労働時間の四分の三にあたる週四五時間、プランテーションで労働するのが条件になっていた(超過の労働時間についても規定の賃金を払ったうえで最長一五時間までと定められている)。つまり、奴隷解放と同時に自由になった六歳以下の子どもたちに対しては、食料や日用品、医療などがこれまでのように無条件では提供されなくなったことを意味した。さらに、奴隷解放の後は、徒弟としてプランテーションでの労働を継続しても、出産奨励金や子どもの養育のためにそれまで認められていた労働の軽減策や授乳時間などもなくなったため、奴隷制の時代と同様の措置を求めて女性たちはプランテーション側と争った(Teelucksingh 2006: 239)。

奴隷解放とともに六歳以下の子どもはもはや所有者の財産ではなくなったし、女性に出産を促して将来的な労働力を確保する努力も所有者にとっては意味をなさなくなった。解放と同時に補償金を手にした所有者たちは、将来的な労働力の確保よりも短期的に最大限の労働を引き出すことを選択したのである。これには、インドなどからの契約労働者という新たな形の不自由労働の導入が用意されていたことも大きい(レヴァイン 二〇二一：一三六頁、一六二頁)。ジャマイカ評議会では一八三四年一一月にヨーロッパから農業労働者を導入する法案が可決され、リヴァプールからも契約労働者として子どもを含む移民がやってきた。奴隷船から解放されたアフリカ人たちもやってきたことはすでに述べた通りである。

奴隷解放後のイギリス領西インドの状況を調査したジョセフ・スタージとトマス・ハーヴェイは、バルバドスのプランターたちの多くが、プランテーションで労働をしない子どもたちに対して食料、医療、衣服、教育などの提供を停止したことや、一八三四年以降、子どもたちの死亡率があがったことを報告している。また、奴隷制の時代には妊婦や幼い子どもを抱えた女性には免除されていた厳しい懲罰が科されるようになったことも記されている(Sturge and Harvey 1837: 132-135)。

奴隷解放後、労働条件めぐってプランターと元奴隷たちとの紛争が頻発したのはフランス領でも同様である。フランス領の場合も、奴隷解放後に元奴隷たちの一部は一日九時間、週五日労働という条件でプランテーションの所有者のもとに残り、契約労働者になった(Schmieder 2008: 226)。しかし、契約内容、とりわけ、菜園の使用権や家屋の居住権についてプランターたちと争うことは珍しくなかった。プランテーションの所有者たちは、元奴隷たちに契約労働者としてプランテーションに残るよう求めたが、多くは都市部へ移住していき、プランテーションで働く場合も長期間拘束される契約労働者になるよりも、自らの裁量の幅が大きい日給を好んだ。プランテーションには、インドや中国からの契約労働者だけでなく、奴隷制が存続していたアフリカのコンゴで奴隷として購入後に解放され、契約労働者となった人びとがあらたに送り込まれた(Schmieder 2008: 232-235)。

むすびにかえて

奴隷解放は、はたして人を「自由」にしたのだろうか。

奴隷貿易も奴隷制も、暴力的かつ強制的に労働力を確保しようとする手段であった。イギリスのプランテーションの手引きや法令に、奴隷を使う側の「行き過ぎた」暴力を戒める文言が並ぶのは、奴隷たちがそれだけ暴力のあふれる日常を生きていたからである。とはいえ、奴隷からの解放が、暴力からの解放や自由で平穏な暮らしにつながったのかといえば決してそうではない。奴隷ではなく、徒弟や契約労働者が働く農園では、変わらず厳しい監視や暴力が横行していたし、契約労働者を運ぶ船の死亡率は奴隷船と変わらなかった。

奴隷たちが所有者から与えられていた衣食住は、最低限のものでしかなかったとはいえ、生をなんとかつなぐことはできるように決められていた。奴隷の生存は、所有者にとっても資産の維持と労働力の確保という意味を持っていたからである。解放後、奴隷たちの命は、彼ら自身が守るべきものになる。自由を手にしたとはいえ、資産も持たない人びとが取ることのできる選択肢は限られたものでしかなかった。自由になった人たちは、わずかな選択肢を前に、新たに厳しい状況の中で自分たちの生を紡ぐことを余儀なくされた。バルバドスの子どもたちの経験は、解放が必ずしも自由にはつながらなかったどころか、むしろ彼らの「生」が不安定化したことを示している。

奴隷は解放されて「自由な」労働者となった。プランターたちは彼らの人格を丸ごと買い取るのではなく、時間単位で労働力のみ買うという、より効率的な経営へと舵を切った。出産や育児などの再生産は、私的な活動として経済的には評価されないものになり、女性や子どもたちは労働力として周縁化していくことになる。足りない労働力は、新しくやってくる「自由」な移民が補った。ブラックディアスポラの起点となった大西洋奴隷貿易や奴隷制の終焉は、新たにグローバルな労働力の移動を次々に生み出したが、この連鎖は現在まで続いている。二〇一五年、奴隷解放の債務支払いを終えたイギリスは、まさにこの年、現代奴隷制の廃止を求める法律を成立させている。

奴隷を解放することで所有者たちは奴隷を保護する義務から解放され、財産を手放す対価として金銭的な補償を得た。一方、解放された人びとがすべてスムーズに「労働者」となれたわけではない。幼い子どもとその養育を担う母親、高齢者など、労働市場に出ることが難しい状況にあった人たちの自由は、かれらが失ったものを補って余りあるものであったといえるだろうか。自由と不自由の境界は結局どこにあるのだろう。これは、現代社会を生きる私たちにとっての「自由」とは何かともつながる問いである。

参考文献

ウォーラーステイン・I(二〇二二)『史的システムとしての資本主義』川北稔訳、岩波文庫。

川分圭子(二〇一二)「近代奴隷制廃止における奴隷所有者への損失補償――世界史的概観」『京都府立大学学術報告』(人文)六四号。

川分圭子(二〇一七)『ボディントン家とイギリス近代――ロンドン貿易商一五八〇―一九四一』京都大学学術出版会。

小林和夫(二〇〇九)「ウィリアムズ・テーゼと奴隷貿易研究」『パブリック・ヒストリー』六号。

小林和夫(二〇二一)『奴隷貿易をこえて――西アフリカ・インド綿布・世界経済』名古屋大学出版会。

コリー、リンダ(二〇〇〇)『イギリス国民の誕生』川北稔監訳、名古屋大学出版会。

鈴木英明(二〇一八)「インド洋西海域と大西洋における奴隷制・交易廃絶の展開」、島田竜登編『一七八九年 自由を求める時代』〈歴史の転換期〉8、山川出版社。

鈴木英明(二〇二〇a)「忖度する帝国――二〇世紀前半のペルシア湾地域におけるイギリス非公式帝国と奴隷解放証明書の交付」『オリエント』六三巻二号。

鈴木英明(二〇二〇b)『解放しない人びと、解放されない人びと――奴隷廃止の世界史』東京大学出版会。

並河葉子(二〇一三)「イギリスにおける反奴隷制運動と女性」『神戸市外国語大学 外国学研究』(「文明社会」とその「他者」たち――近代イギリスにおける「他者」への態度の変容)八五号。

並河葉子(二〇一五)「イギリス領西インド植民地における「奴隷制改善」と奴隷の「結婚」問題」『史林』九九巻一号。

並河葉子(二〇一六)「反奴隷制運動の情報ネットワークとメディア戦略」南塚信吾編『情報がつなぐ世界史』〈MINERVA世界史叢書〉6、ミネルヴァ書房。

浜忠雄(二〇〇七)『ハイチの栄光と苦難――世界初の黒人共和国の行方』刀水書房。

平野千果子(二〇〇二)『フランス植民地主義の歴史――奴隷制廃止から植民地帝国の崩壊まで』人文書院。

布留川正博(二〇一九)『奴隷船の世界史』岩波新書。

布留川正博(二〇二〇)『イギリスにおける奴隷貿易と奴隷制の廃止——環大西洋世界のなかで』有斐閣。

レヴァイン、フィリッパ(二〇二一)『イギリス帝国史——移民・ジェンダー・植民地へのまなざしから』並河葉子・森本真美・水谷智訳、昭和堂。

ローゼンタール、ケイトリン(二〇二二)『奴隷会計支配とマネジメント』川端節子訳、みすず書房。

The Act of Assembly of the Island of Jamaica, to Repeal Several Acts and Clauses; Respecting Slaves, Commonly Called the Consolidated Act, was Passed by the Assembly on Dec. 19, 1787, Communicated to the public by Stephen Fuller, London.

An Act for the Abolition of Slavery throughout the British Colonies; for Promoting the Industry of the Manumitted Slaves; and for Compensating the Persons hitherto Entitled to the Services of such Slaves.

Anderson, Richard (2013), "The Diaspora of Sierra Leone's Liberated Africans: Enlistment, Forced Migration, and 'Liberation' at Freetown, 1808-1863", *African Economic History*, 41.

Beckert, Sven (2004), "Emancipation and Empire: Reconstructing the Worldwide Web of Cotton Production in the Age of the American Civil War", *The American Historical Review*, 109-5.

Campbell, Gwyn (1988), "Madagascar and Mozambique in the Slave Trade of the Western Indian Ocean 1800-1861", *Slavery & Abolition*, 9-3.

Dumas, Paula E. (2016), *Proslavery Britain: Fighting for Slavery in an Era of Abolition*, London, Palgrave Macmillan.

Eltis, David, et al. (eds.) (2017), *The Cambridge World History of Slavery, vol. 4: AD 1804-AD 2016*, New York, Cambridge University Press.

Hacker, J. David (2020), "From '20. and odd' to 10 million: the Growth of the Slave Population in the United States", *Slavery & Abolition*, 41-4.

Klein, Herbert S. (1996), "The Slave Experience in the Caribbean: A Comparative View", A. Vieira (ed.), *Slaves with or without Sugar*, Funchal/Portugal, Atlantic History Study Centre.

Lascelles, Edwin, et al. (1786), *Instructions for the Management of a Plantation in Barbadoes, and the Treatment of Negroes*, London.

Schiebinger, Londa (2017), *Secret Cures of Slaves: People Plants and Medicine in the Eighteenth-Century Atlantic World*, Stanford, Stanford University Press.

Schmieder, Ulrike (2008), "Histories under Construction: Slavery, Emancipation, and Post-Emancipation in the French Caribbean", *Review*, 31-2.

Scott, R. J. (1983), "Gradual Abolition and the Dynamics of Slave Emancipation in Cuba, 1868-86", *The Hispanic American Historical Review*, 63-3.

Sturge, Joseph, and Thomas Harvey (1837), *The West Indies in 1837: Being the Journal of a Visit to Antigua, Montserrat, Dominica, St. Lucia, Barbados and Jamaica*, London, Hamilton, Adams, and co.

Teelucksingh, Jerome (2006), "The 'Invisible Child' in British West Indian Slavery", *Slavery & Abolition*, 27-2.

Tomich, Dale (1991), "World Slavery and Caribbean Capitalism: The Cuban Sugar Industry", *Theory and Society*, 20-3.

Tomich, Dale (2018), "The Second Slavery and the World Capitalism: a Perspective for Historical Inquiry", *International Review of Social History*, 63-3.

Vasconcellos, Colleen A. (2015), *Slavery, Childhood and Abolition in Jamaica, 1788-1838*, Athens, University of Georgia Press.

焦点｜*Focus*

一八四八年革命論

中澤達哉

はじめに

一八四八年革命は、一七世紀のイギリス革命、一八世紀のフランス革命やアメリカ独立革命、二〇世紀のロシア革命と異なり、革命という語の前に国名を冠しない。名称自体が単に勃発の年を表し、なおかつ、諸地域の革命の集合(revolutions of 1848/49)であることから分かるように、全容は実に捉えがたい。実際にこの革命は、一八四八年の上半期に瞬く間にヨーロッパ全域に伝播し、大海原を越え、いとも容易にブラジルやコロンビアなど大西洋の対岸に達した。E・ホブズボームによれば、この革命は、「潜在的には最初のグローバルな革命」であったが、他の革命に比して「最も成功しなかった」(ホブズボーム 一九八一：一二一―一三頁)。同年二月のパリでの華々しい初発と、翌年八月のハンガリー独立戦争の敗北による失望感との間にある、あまりにかけ離れた落差をみれば、「諸民族の春」とは手放しに形容することができなくなる。この革命ほど評価しがたいものはない。

自由・平等・同胞愛を掲げたフランス革命から約六〇年の歳月が経っていた。すでに大革命を肌で知る世代はほぼいない。人びとはメッテルニヒ(Klemens von Metternich)の復古主義をむしろ肌で体験していた。このような中で、ともすると神話化されていた市民革命の成果を自国にも実現しようとした(特にドイツ系)知識人にとっては、一八四八年の変革は「予告された革命」であった(マルクス、エンゲルス 一九七一:九七頁)。一八一五年のウィーン体制成立以降の約三〇年が、本体の到来を想定する「三月前期」(Vormärz)と称されたのはそのためである。つまり、予告されるほどに革命は思想的に周到に準備されてきたし、期待の的でもあった。その帰結として、革命運動はしばしばイデオロギー的に統一されているかのように描かれた。実際には、諸地域の革命運動は相互に協調もすれば、逆に早くから激しく対立もしていたのだが。一八四八年革命が「不成功」だったと言われるのは、対立の側面が重視されるからであるが、一方で、この革命は新たな変革主体を登場させたという意味において、まぎれもなく「近代世界の転換点」であったとの把握も存在する(増谷 一九七九:七頁)。さらに近年は、亡命者たちの活動にも視野を広げ、一八四八年革命の長期的な余波を指摘し、失敗像の転換を迫る研究も現れている(Clark 2023)。

このように、研究史を一瞥しただけでも、一八四八年革命の多面性は明らかである。では、なぜ、これほどまでにこの革命の評価が分かれるのだろうか。同一の出来事が異なる解釈へと帰着するのは、なぜだろうか。史料の制約であろうか。あるいは、後世の国別の国民史の記述ゆえに、異なる姿をみせてしまうのであろうか。もちろん革命の多様性は、今日のフランス革命研究やロシア革命研究でも次々と明らかにされており、一八四八年革命だけを特別視することはできない。むしろ本稿のアプローチは、近世のウェストファリア期から近代後期までの長期変動の中間に一八四八年革命を位置づけ、その実態と構造を明らかにすることである。これにより、一国に限定されないグローバル革命としての性質が詳らかになるのではなかろうか。この小論では、近代史研究のほか、近世史研究の成果も踏まえた上で、従来とは幾分異なる革命理解を提示してみたい。

一、「長い近世」と「長い一九世紀」

近世史研究の変貌

一八四八年革命は今日、近世史学の巨大な地殻変動を抜きにして語ることはできない。近世史研究の変貌は、古くは一九六〇年代のポスト工業社会の到来に対応したポストモダニズムによる方法論上の問題提起に端を発する。近代の相対化の機運に対して、近世の独自性を強調することで、近代の既存認識に修正を促そうとすることに特徴がある。

近世史研究では、一九七〇—九〇年代に以下の国家論・政治社会論の二つの分野で変容が生じた。それは、かつてのアナール学派に勝るとも劣らない活況ぶりであった。①K・ケーニヒスバーガ、J・エリオットらの複合国家論と複合君主政論、②J・ポーコック、Q・スキナーらの市民的人文主義に基づく共和主義論である。特に、①の複合国家・複合君主政論は、九〇年代末に「礫岩国家」(conglomerate state)論へと歩を進め、近世国家史・国制史・政体史研究は一変した。つまり、君主権のもと税制・軍制・官僚制によって中央集権化を進め、対内的に排他的な管轄権を有し、対外的には独立性を保持した主権国家群が成立したとする、従来の絶対主義的な近世国家像は批判の俎上に載せられたのである。こうした把握が人口に膾炙すると、二〇〇〇年にS・ボーラック、〇四年にはA・オズィアンダーによって、国際関係史におけるいわゆる「ウェストファリア神話」さえ提起されることになる。

ここで「礫岩的主権国家」論に言及しよう。スウェーデンの歴史家H・グスタフソンによれば、近世国家を構成する各地域(礫)は、中世以来の独自の法と権利を根拠に、君主に対して地域独特の接合関係をもって礫岩のように集塊していた(グスタフソン 二〇一六:八六頁)。Conglomerateとは無数の礫(さまざまな色・形・大きさの小石)を含有する堆積岩であり、非均質かつ可塑的な集塊を指す。現代の国際複合企業群もまたconglomerateと呼ばれるのはその文脈においてである。ゆえにこの国家論は、国家を構成する地域の組替・離脱・変形を常に前提とする、緩やかな可塑的主権国家論といえる。その典型は、スペイン王国、スウェーデン王国、神聖ローマ帝国、ハプスブルク帝国、ポーランド＝リトアニア共和国であった。より高度な接合の事例としては、フランス王国やイングランド王国を挙げている(グスタフソン 二〇一六：一〇四―一〇五頁)。絶対王政の中央集権とは異なる、ヨーロッパ全域に及ぶ国家形態として想定されていることを重視しなければならない。一方でそれは、一六世紀以降の世界の商業化に適合的な国家形態とも言えるのであろう。

なお、筆者はこれまで、ヨーロッパにおける礫岩的主権国家の編成原理が第一次世界大戦直後まで持続したことを指摘したうえで、主権分有の動態を軸に、近世帝国と近代国民国家の相互浸潤を問題にしてきた(中澤 二〇一二：一七五―一七八頁)。その際この状況を「長い近世」と形容し、一八四八年革命から六七年のアウスグライヒまでをハプスブルク帝国史における主権再編の第四期とした(中澤 二〇一四：一三五―一六五頁)。本稿においても適宜、主権分有の動態を、一八四八年革命を検証する際の参照軸としたい。

近代史研究の相対化

近世の絶対主義的な主権国家像の相対化は、やがて近代の国民主義的な主権国家像にも修正を迫ることになる。なかでも近代史研究の認識に抜本的な変化を及ぼしたのが、一九八〇年代にE・ゲルナー、B・アンダーソン、E・ホブズボームを中心に形成された構築主義である。これは、国民国家研究に以下の三つの基盤を提供した。ネイションは近代において社会的に構築された①人工物であり、また、②想像の共同体である。この集団概念の形成は、③資本主義化・工業化に起因する。

特にホブズボームは、そうした新たに構築されたネイションにあたかも永続的実体であるかのような装いをもたせるべく、ナショナリストが試みたネイションに都合の良い伝統の創造プロセスを解明した。彼によれば、一八四八年の諸革命は、ネイションを政治的な主体とするための運動であるナショナリズムを――中産階級、自由主義、政治的民主主義、そして労働者階級と同様に――政治の世界の恒常的なプレーヤーに昇華させた(ホブズボーム 一九八一:三六頁)。それゆえ、特権階級や富裕層はもはや旧来のやり方では社会秩序を維持できなくなったと言う。プロイセンの封建領主たるユンカーは世論の重要性にようやく気付き、政治に無関心な南イタリアの農民でさえ君主を軽々に擁護しなくなった。ナポレオン三世(Napoléon III、一八〇八―七三年、在位一八五二―七〇年)など革命後の君主は、国民とともに歩む道を選択せざるをえなくなった。

工業化や資本主義の浸透とともに構築された、より下層の民衆を含む国民が、一八四八年を通じて、中央政府の意思決定において、いまや無視しえない存在になったのである。前項を踏まえるならば、君主や指導者が礫と調整しながら行う政治の最高意思決定、つまり主権の所在が変動していることに気づく。国民主権原理はフランス革命ですでに表明されているが、一八四八年革命においては、中産階級のほか、労働者階級、民族集団などの国民主権の新たな担い手が登場し、複雑に重層化していく。主権分有の動態が可視化されてきたのである。この過程で、さらに一歩踏み込み、労働者主権を唱える社会主義運動さえその姿を現しはじめた。対内的主権が高度に重層化・複雑化したものと言える。

こうした主権の新たな担い手の登場を理解しようとするとき、ホブズボームの「長い一九世紀」論は示唆的である。彼は、一九世紀をその特徴に応じて、以下の三つの時期に区分した。①「革命の時代」(一七八九―一八四八年)、②「資本の時代」(一八四八―七五年)、③「帝国の時代」(一八七五―一九一四年)である。厳密には、①は産業革命とフランス革命という一八世紀の「二重革命」の余波が及んだ一八四八年革命までの時期と理解されている(ホブズボーム 一九六八:三―七頁)。「長い一九世紀」という時代認識の有効性に疑念を差しはさむ余地はないが、一八四八年革命は、ホブズボームの意図を超えて、おもに「革命の時代」との関連の中で分析される傾向が強い[1]。これに対して本稿は、一八四八年とそれ「以降」の時代をひとまとまりの時期として、つまり「資本の時代」の観点から、そして西欧の外から、一八四八年革命を把握することの重要性を提起したい。前項で述べたように、「長い近世」の長期変動の観点に立っても、国家と主権の変容は、②「資本の時代」の、とくに植民地世界を含む非西欧世界でこそ集中して起きているからである。換言すれば、一八四八年という「長い一九世紀」の分水嶺を、「革命の時代」というより「資本の時代」というプリズムに通すとき、一八四八年革命はいかなる偏光を放つのだろうか。一八四八年革命を「長い近世」と「資本の時代」の複眼の下に捉え、以後の論述を展開したい。

二、実態

革命の二分化

一八四八年革命は一般に、ライン川の東西でその特性を二つに分けることができる。以西(おもにフランス)では、先行する市民革命と産業革命の結果、産業資本主義の発展とともにブルジョワジーの支配はほぼ確立していた。同時に、労働者階級も飛躍的な成長をみせていた。つまり、以西の革命は、基本的にブルジョワジーと労働者の対立に端を発しており、多くの場合、労働者階級が革命の担い手となった。これには社会主義者も関与していた。

一方のライン川以東(おもにプロイセン、オーストリア、ハンガリーなど)では、課題の重層性がより明示的に表れていた。それは以下の三点に集約することができる。第一に、ライン川以東はフランス革命のような市民革命を経験していない地域であり、市民的変革の課題を残していた。第二に、にもかかわらず労働者・農民大衆の社会変革の課題が同時に現れていた。第三に、これらを内包する民族運動が先鋭化していたのである。

以下では、ライン川以西の革命としてフランスの事例、ライン川以東としてプロイセン、オーストリア、ハンガリーの事例を取り上げ、この二分化の実態を確認してみたい。

ライン川以西

一八四八年二月二二日、パリでデモに参加していた労働者たちが急進化し、武装のうえバリケードを築き、王都の大部分を占拠するに至った(二月革命)。スローガンは「改革万歳！　ギゾーを倒せ！」であった。国王ルイ＝フィリップ(Louis-Philippe、一七七三―一八五〇年、在位一八三〇―四八年)は当初、甥のパリ伯に譲位することで、オルレアン朝の存続を画策した(Suffel 1948: 112)。しかしこれを知ったパリ民衆の強い反発により、国王はイギリスに亡命した。議会内の自由主義ブルジョワジーはなおも王政に固執したが、労働者や市民の一斉蜂起により、王党派は逃亡するに至る。こうして七月王政は瓦解した。二四日には穏健共和派からなる臨時政府が樹立され、翌二五日には共和政が宣言された(第二共和政)。

ライン川以西の革命の性質を窺い知ることができるのは、これ以後の出来事からである。蜂起の主体であった労働者たちは、単なる字面だけの共和政を求めず、その実質化を望んだ。共和政宣言から三日後の二八日、「労働の組織」「人間による人間の搾取の廃止」を求める大規模な労働者デモが勃発した。このデモは臨時政府の建物を取り囲み、夜を徹して行われた。この事態を重く見た臨時政府は「労働者対策政府委員会」を政府内に設置し、ルイ・ブラン(Louis Blanc)が国立作業場を設置するなど社会主義政策を実施した。労働者の福祉を約束し、民意を取り付けることに奔走したのである。つまり、ライン川以西の革命は、労働者を主体とする民衆蜂起が共和政を樹立し、かつ、その実質化をも求めたと結論づけられる。なお、労働者たちは、ポーランドなどの被抑圧民族の運動にも共感を示すことさえあった。独立や自治、政治権の拡張を求める他民族の運動に、自らの要求を重ね合わせていたからである。総じて、ライン川以西の革命はいわゆるブルジョワ革命の範疇を超えていたと言えよう。

臨時政府の性格は、一八四八年四月二七日に可決された植民地奴隷制の廃止決議に表れる。フランス植民地の奴隷制廃止は、ジャコバン政権によって、一七九四年二月に実現されていた。ナポレオン統治下で奴隷制が復活したが、七月王政下で再度廃止の機運が高まっていた。こうして、第二共和政成立後、臨時政府のV・シュルシェールの主導で奴隷制廃止法の制定が急ピッチで進められたのである。本法は以下の通りである(一部抜粋)。

「一、本法令の公布後二カ月以内に、フランス全植民地と全領土において、奴隷制は悉く廃止されるであろう。この法令の公布とともに、植民地においてすべての体罰、非自由人の売買は絶対的に禁止されるであろう。

三、共和国の総督および監督官はマルティニク諸島、グアドループ島とその従属地、レユニオン島、ギアナ、セネガル、アフリカ西部のフランス植民地、マヨット島とその従属地、およびアルジェリアにおいて、奴隷解放を整える責務を有する。

七、フランスの国土からすべての奴隷を解放するという原則は、共和国の植民地と属領とに適用される」(Procès-verbaux 1950: 186-187)。

革命の行方に少しずつ暗雲が立ちこめたのは、まさにこの奴隷制廃止法可決の前後の時期であった。四日前の四月二三日に実施された男性普通選挙では、社会主義の拡大を恐れた農民がブルジョワジーを支持したことにより、社会主義者は惨敗した。この結果、議会は、穏健共和派のブルジョワジーが多数派を占めることになった。二七日に植民地奴隷制の廃止は可決されたものの、臨時政府はこのあと徐々に保守化してゆくことになる。

この過程で、公共事業相U・トレラによって発せられた国立作業場廃止の布告に対して、六月二二日、社会主義者と労働者が強く反発した(六月蜂起)。ただし、二四日に共和派将軍のL・E・カヴェニャックが行政長官に指名され全権を掌握したことで、二六日までに蜂起は鎮圧された。谷川稔によれば、即時銃殺者一五〇〇人、死者一四〇〇人、逮捕者は二万五〇〇〇人[2]であり、労働者や民衆に癒されないトラウマを残した(谷川 二〇〇一:三一九頁)。ルイ・ブランは政府から追放され、イギリスに亡命した。一方、カヴェニャックは鎮圧後も議会から全権を委任され、一二月の大統領選まで軍事独裁を続けた。再度の労働者蜂起を恐れた議会が強権統治を容認したからである。このように、二月と六月の間の懸隔はあまりに大きい。

八月三〇日、憲法草案が議会に提出された。本法案は一一月四日に採択されたが(一八四八年憲法)、二月革命期に労働者が政府に迫った民主的共和主義は微塵もなかった。本憲法では、立法権と行政権の分立を徹底するあまり、双方の増長を制限する手立てが規定されていなかった。やがて一二月にはナポレオン一世の甥で人気を博したルイ゠ナポレオンが大統領に選ばれることになるが、この憲法下では、大統領と議会との対立は収まることはなかった。業を煮やしたルイ゠ナポレオンは、三年後の一八五一年一二月二〇日にクーデターを起こし、ナポレオン三世を名乗って、第二帝政を開始することになった。

フランスでも一九世紀は強力な国家形成が求められた時代であり、その欲求は、リシュリューからコルベール、ジャコバンからナポレオン、さらには、制限選挙王政を経て第二帝政、第三共和政から第五共和政まで、近世以来一貫していた(ウォーラーステイン 二〇一三:一一九頁)。産業帝政とも称されるナポレオン三世の統治は、革命後であるからこそ、労働者に配慮しつつ、産業資本主義に適合的な福祉国家の建設に傾注するものとなった。

ライン川以東

パリの報を受けたライン川以東では、不満をもつ民衆が一斉に蜂起した。ベルリンでは、三月に市民と労働者階級が封建的諸特権の廃止、国民議会の開催を求めた(三月革命[3])。これに恐れをなしたフリードリヒ・ヴィルヘルム四世(Friedrich Wilhelm IV、一七九五―一八六一年、在位一八四〇―六一年)は内閣を成立させ、男性普通選挙による国民議会の開設をも約束した。実際に五月にフランクフルトで国民議会が開催されたが、この議会は発足前から前途多難であった。議員は主に官僚、大学教員、ブルジョワジーに限定されていたし、そもそも、ボヘミアのF・パラツキーにみるように、国民議会に代表を送るドイツ国家の範囲をめぐる主権論争も絶えなかった。ドイツの宿願である統一問題は合意を得られず、結局、一八七一年にまで持ち越されることになる。また、翌四九年三月の憲法制定時には、ブルジョワジーが労働者階級の増強を嫌い、ユンカー層と協調するようになった。これが契機となって、ドイツ各地の諸革命は分断されてゆき、反革命の機運が一気に高まったのである。最終的に革命は、プロイセン軍によって悉く鎮圧された。

ベルリン革命と軌を一にして、三月一三日にウィーンの民衆が立ち上がり、宰相メッテルニヒはあえなく失脚した(三月革命)。革命政府では治安委員会が全権を握ったが、早くも夏場には、特有の問題に苛まれるようになる。八月二三日、ウィーン市民が労働者を虐殺する事件が起こったのである。当時、市の財政は破綻寸前であった。この日、革命機関に接収されて公共労働省となっていたリグオリ派修道院前から、女性労働者たちのデモが始まった。これは次第に勢いを増し、市民層からなる騎兵と一触即発の状態に陥った。こうした中で、市民を主体とする国民軍がとうとう労働者に銃を放ったのである。

同日、ウィーン北部のプラーター地区では、土木労働者が治安部隊に向けて投石をはじめた。労働大臣の藁人形を引きずり回した上で火を付けたことにより、労働者が国民軍や一般市民と衝突したのである。逃げまどう労働者への一斉射撃の凄惨さは、プラーターが元来君主の猟場であったのにかけて、さながら「人間狩り」であったと言われる(良知 一九九三:一三八—一三九頁)。翌二四日、治安委員会は統治機能を失い、革命政府は事実上終焉した。

ウィーンの事件は単に変革主体内部の対立を表していたのではない。このあと一〇月に再度蜂起した労働者は完膚なきまでに鎮圧されたが、蜂起に最後まで身を投じた人びとは「未定型の流民」や「棄民」であった。組織化されていないこの民は、マルクスやエンゲルスの言葉を借りれば、「ルンペン・プロレタリアート」であった。しかも、そのルンペンはドイツ人ではない。おもにウィーンに出稼ぎでやってきたモラヴィアのチェコ人や南スラヴのクロアチア人たちからなっていた。エンゲルスが『新ライン新聞』において侮蔑の意を込めて使用した「歴史なき民」[4]とは彼らのことであった。ここに、階級対立と民族対立が避けがたくもリンクし、ルンペンのスラヴ人が虐殺される根拠が露わとなる。

メッテルニヒが失脚すると、ペシュトでも三月一五日に革命が勃発した。「諸国民の春」の代名詞とも言うべきハンガリー革命である。この革命の重層性はウィーン革命のそれを構造的にも性質の上でもはるかに凌ぐ。ハンガリー王を兼ねるオーストリア皇帝フェルディナント一世(Ferdinand I、一七九三―一八七五年、在位一八三五―四八年)は同日、改革派貴族のコシュート・ラヨシュ(Kossuth Lajos)の『一二項目』[5]に応じるかたちで、自由主義貴族を中心とする責任内閣の設置を認めた。三月末までに身分制議会は封建的諸負担廃止法案、出版自由法案など関連法案を矢継ぎ早に成立させた。四月一一日には一連の法を国王が承認し、身分制議会は解散。以後、立法権は国民議会に引き継がれた。こうしてハンガリーは近世以来のハプスブルク礫岩帝国にとどまる限りにおいて最大限の自治権を獲得したのである。この事態は「合法革命」とも呼ばれる(Deak 1979: 1)。結果的にハンガリーは、帝国による認知を受けつつ、国民経済の確立のため、フランスをモデルに同化政策を伴う強力な国民統合に着手した。アンダーソンの言う「公定ナショナリズム」の典型となったのである。

しかし、このことが第二の問題を生む。北部ハンガリーに多くが農民として居住してきたスロヴァキア人にその歪みが一気に噴出したのである。スロヴァキア人の多くは、農民解放の対象外となった葡萄地、領主直営地からの借用地の農民であったため、封建的諸負担は撤廃されなかった。解放された農地はハンガリーの全農地の五五・三六%にとどまり、未解放地の多くが北部ハンガリーに集中していたのである(田代 一九八〇:四五頁)。さらに、立法・行政・司法・教育・教会でのスロヴァキア文語の使用も禁止された。議会でコシュートは、「私は聖なるハンガリー王冠の下にマジャール人以外のものを認めないであろう」(*Slovenskje Národňje Novini*(以下*SNN*)1847: 980)と言い切った。つまり、政府公認のもと公定化されるかたちで姿を現しはじめた近代ハンガリー国民から、名実ともに零れ落ちたのがスロヴァキア人、クロアチア人、ルーマニア人などの王国内のマイノリティであった(中澤 二〇〇九:二〇一頁)。彼らはマジャール人への同化を前提とする国民化を選択しない限り、公共圏から排除され、法的に国民主権の埒外に置かれることになったのである。

リュドヴィート・シトゥール(Ľudovít Štúr)を始めとするスロヴァキア系知識人は四八年上半期には、ハンガリー革命に期待しその枠内での問題解決を探っていた。五月一一日付『スロヴァキア国民の請願書』第一項は以下の通りである。

「我々はこの聖なる土地の先住民として、またかつての唯一の占有者として、同権と兄弟愛のためにハンガリーのすべての民を同権の旗の下に集結させる。そして、スロヴァキア人の側から以下のことを表明する。ハンガリーのいかなる民をも冷遇し、侮辱し、縮小し、そして根絶しない、と。〔中略〕「ハンガリー愛国者」という栄光に満ちた呼び名を、ハンガリー王冠の下に居住する民の、国民としての権利を考慮しない者には与えない、と」(*Dokumenty k slovenskému národnému hnutiu*(以下*DSNH*)1961: 23-24)。

しかし、革命政府はマイノリティに一切妥協しなかった。こうして、六月のプラハ・スラヴ会議の最中、スロヴァキア系知識人はハンガリーとの分離を決意した。「スラヴ人自治連合共同体」や「スロヴァキア大公国」など独自の領域の形成を求めはじめたのである。これに当初ハプスブルク家は好意的な態度を示した。淡い期待をしたスロヴァキア人やクロアチア人などのスラヴ系は、同年秋にハプスブルク皇帝軍に与する側へと回り、翌四九年八月のヴィラーゴシュの戦いではロシア皇帝軍とともにハンガリー義勇軍の鎮圧に加担した。ハプスブルク朝はスラヴ系マイノリティに肩入れすることで、ハンガリー革命を分断することに成功したのである。これを目の当たりにしたエンゲルスは、スロヴァキア人を「ルンペン」「歴史なき民」と定め、この一連の行動を「およそ彼らの全存在が偉大な歴史的革命に対する一つの抗議」(以上マルクス、エンゲルス 一九六一:二三一－二三二頁、同 一九七八:一六八頁)であると断じた。階級と民族はウィーン革命以上に際限なく重層化しつつ、そのどちらの範疇からも零れ落ちる「歴史なき民」の存在が可視化されたのである。

三、構造

「資本の時代」としての一八四八年

T・B・ハンセンとF・ステプタットは、非ヨーロッパ世界に対する暴力を伴う植民地支配が西欧の主権国家の形成に内在したと主張した(Hansen and Stepputat 2005: 1-36)。植民地を有する西欧の国家が、ウェストファリアを経てもなお、すべて礫岩的主権国家であったことはすでに述べた。グスタフソンによれば、イギリスとフランスは特に統合度の高い礫岩であった。まさにステプタットは、この西欧の主権国家が先進的に実現する統合、近代性、そして資本主義そのものの起源を「植民地世界」の中にみるのである。つまり、アフリカ系の奴隷化、強制労働なしには、西欧主権国家の統合もその近代性や資本主義も実現できなかったという立場である。

一九世紀の自由主義者で奴隷解放の支持者たちは、解放は市場の拡大につながり、経済を刺激すると主張した。工業化が奴隷の人手を不要としていたし、解放された労働者は消費者にもなると考えられたからである。この意味で奴隷制廃止運動は、剝き出しの市場原理に立つ経済的自由主義があたかも倫理性を纏うかのように国家に介入した最初の成功例であった。確かに二月革命は仏領セネガルやアルジェリアで奴隷制を廃止にした。しかし植民地は撤廃されなかった。ここで示唆的なのは、革命後の本国の資本家たちが想定した次の課題である。つまり彼らは、革命後の国内労働者の不満から自らとその利益を守ってくれるのは、強力な改革を行う国家、つまり大規模資本主義の福祉国家であると考えた(ウォーラースティン 二〇一三：一一七頁)。実際に、第二帝政は、単なる主権国家ではなく、福祉の実現を掲げる主権国家＝国民国家の実現に着手した。[6] 四八年革命の経験が第二帝政の大規模資本主義の福祉国家を建設するための原動力になったと言っても過言ではない。ただし、繰り返しになるが、第二帝政の福祉国家や国民主権にとって、植民地主義は不可欠であった。

主権再編の地域的偏差――ヨーロッパの内と外の他者

一八四八年を経たライン川以西の西欧は、本国ならびに植民地において、それぞれ福祉国家と植民地統治という異なる仕方で主権を再編した。一八一五年のウィーン会議でフランス領となったセネガルでは、一八四八年の奴隷解放後も抵抗と征服が繰り返されたが、一九世紀末までにはムリッド教団を通じて商品作物を強制栽培させる植民地体制が敷かれた。フランス化した都市部の市民には参政権が付与されたが、従属民には原住民法による支配が行われた。国民主権の担い手はまさしく「北の男性有産市民」であり(小沢 二〇〇三：二二九頁)、植民地の女性は二重の疎外となった。つまり、本国の福祉国家と植民地支配の柱として、主権は二方向で異なる展開をみせたのである。

これに対して中・東欧は、西欧と異なるかたちで、一八四八年革命と革命以後の時代を迎えた。そもそも近世中・東欧の礫岩的主権国家は特徴的であった。植民地帝国にはなりえず、むしろハプスブルクやオスマンなど礫岩帝国を構成する各地域(礫)にとどまっていた。それどころか、礫の自律性さえ喪失する事態を経験した。ポーランド＝リトアニア共和国が歴史から姿を消したのは一八世紀末であった。ウォーラースティンの言うように、近世の中・東欧には、「中核」たる西欧に未加工の農産物や鉱物を供給するだけの後背地、いわゆる「周辺」となる地域が続出した。

幾分の例外はハンガリーであった。同国は、一六九九年のカルロヴィッツ和約によって、約二〇〇年にわたる対オスマン戦争に終止符を打ち、伝統的領域を回復した。その後、紆余曲折を経ながらも、ハプスブルク朝の下でかろうじてオーストリアに匹敵する「礫」として自立性を保持してきたのである。一八四八年の中・東欧でハンガリー革命が他にない自律性を有したのは、こうした背景から理解することができる。公定ナショナリズムとは近世以来の主権再編の主体になりえたナショナリズムの言い換えでもある。

この間の中・東欧における労働形態は資本主義内での強制的換金作物労働であり、これは「再版農奴制」とも称されたことがある。「ヨーロッパの内なる奴隷制」である。ハプスブルク帝国では、ヨーゼフ二世(Joseph II、一七四一―九〇年、在位一七六五―九〇年)の下で一七八四年に農奴制は廃止されたが、賦役制や領主裁判権は残存した。四八年革命期のハンガリーでも、既述のように賦役などの封建的諸負担は撤廃されず、解放の対象は全国の農地の約半数にとどまった。農場経営者の自由主義貴族たちには、賦役ほど安い労働力はなかったし[7]、仮に廃止なら有償の必要があった。シトゥールはこの不完全解放の問題性を国会や評論で何度も訴え続けた(*SNN* 1848: 1073)。彼の目には、ハンガリー革命は、マジャール人に限定された中小貴族の覇権主義と映っていたのである。

「コシュートは言う。ハンガリーは中小貴族の所産である、と。しかし、そもそもハンガリーは中小貴族のみで成り立っていようか。〔中略〕一千万の非貴族層に対して、議会の五二人の代表者は、国家への負担もなく、また一ヘラーの税金さえ支払わない五万人を代表しているにすぎない」(*SNN* 1848: 1003-1004)。

主権の埒外――「歴史なき民」と植民地人

一八四八年革命をそれ以後の展開も含めて「資本の時代」として理解するとき、この革命がもった主権再編の問題性が浮き彫りとなる。革命後の西欧において、最下層の労働者は福祉国家内で徐々に生活を向上させ参政権を獲得していく過程にあった。女権拡張運動や社会主義運動の中には国民主権を徹底しようとする主張も現れた。一方、奴隷制から解放されはしたが、多くの植民地人はいまだ国民主権の担い手として想定すらされていなかった。一八四八年革命を機に、本国と植民地の二重制へと礫岩が明示的に整序されたのである。産業資本主義に対応した主権再編に、一九世紀末の帝国主義支配の契機を垣間見ることができる。

一方、中・東欧では、礫岩帝国の内部で主権再編が進んだ。ハンガリーは責任内閣の下で最大限の自治権を獲得し、一八六七年の二重制の源となった。国民銀行が創られ国民経済が発展する素地が形成されたのである。ただし着目すべきは、西欧の二重制と同等もしくはそれ以上とも言うべき、中・東欧における多重状態である。たとえば、①ハプスブルク礫岩帝国の下で主権を分有した②ハンガリーと、主権を分有することができなかった③スロヴァキア人である。主権再編から零れ落ちた「歴史なき民」が存在したのである。

スロヴァキア系指導者たちはハプスブルク皇帝軍と手を結び、ハンガリー革命を潰す側に回ったが、戦後いかなる要求も実現しなかった。その失望感はコシュートを上回る。「あわせて二万もの人間が戦いました。それに対してオーストリア政府は私たちに他の民との同権を約束したのですが、これはまったく守られませんでした。〔中略〕スロヴァキア語だけが再び最下層の地位に戻ることを宿命づけられています」(*Listy* II, 1956: 236-239)。

とはいえ、当時、「スロヴァキア人」であることに無関心なスロヴァキア語話者は多数いた。「スロヴァキア人」もまた非定型な集団であった。シトゥールは革命期に次のような書簡を残している。「我々は、〔中略〕コシュートの命令で彼に金を貢ぎ、昔も今も惨めに彼に仕えている我が民の背信者に抗して戦う」。「我が民よ、あなたたちの兄弟として、また、マジャール人という外来のくびきからの解放者として、皇帝軍と我々を受け入れてほしい。〔中略〕そして、反乱者コシュートの兵と絶縁してもらいたい」(*DSNH* I, 1961: 48-49)。シトゥールにとって厄介な相手は、マジャール系ナショナリストというより、むしろナショナルな意識に無関心な「スロヴァキア人」たちであった[8]。この事実は一方で、植民地人や「歴史なき民」を潜在的な変革主体として固定的に把握する歴史理解に警鐘を鳴らすものである。

おわりに

一八四八年革命は確かに「近代社会の転換点」であった。近世以来の礫岩的主権国家は、一八四八年を通じて、主権の構成者になりえない主体はだれかを浮き彫りにした。「革命の時代」の観点からは、四八年革命は新たな「変革主体」の登場が着目されてきた。それは後世の国民史によって補強されもした。しかし、「資本の時代」は、ヨーロッパ外の植民地人と、ヨーロッパ内の「歴史なき民」の存在を際立たせる。彼らは階級問題と民族問題とが複雑に絡み合う疎外された人びとであった。このことは逆に、ヨーロッパ発の主権が、同質化と差異化を不断に生み出しながら、近代を席巻したという事実をよく表している。このグローバル革命は、人権や市民権の拡大というより、主権のグローバルな再編として再解釈することが可能である。その意味において、ヨーロッパの内なる他者は、ヨーロッパの外の他者となんら変わらなかったのである。

注

（1）Sperber（1984）、Langewiesche（1998）。これに対して、近年、ケンブリッジ学派の文脈主義（contextism）の下に、一八四八年革命期の政治思想を分析する研究も現れ、変化が見られる（Moggach 2018）。その詳細は別稿での検討を要する。

（2）逮捕者のうち把握可能な八三七一名の職種の内訳は、建設業一八・二%、サービス業等一三・一%、機械工一二・二%、仕立工・製靴工一〇・三%と続く（Traugott 1985: 72）。

(3) 一八四八年五月から六月にかけての抵抗は、七〇・六%が政治活動家、労働争議が九・九%、下層市民七・二%、下層農民五・一%であった。パリに比べると政治活動家などのエリート層が多い(Vonde 2019: 237)。ただし、逮捕者の職業構成をみると、労働者層七四・六%、市民層二二・六%、と労働者階級が圧倒的に多くなる(川越 一九八八：一二四頁)。

(4) 一八四九年一月一三日および同二月一五日付『新ライン新聞』に掲載されたエンゲルスの論文「マジャール人の闘争」および「民主的汎スラヴ主義」で「歴史なき民」論が展開された。彼によれば、「歴史なき民」とは、その構成者の意志にかかわりなく、人間社会の歴史的発展の一局面に自らを適応させる能力をもたない集団(具体的には、スラヴ人、ルーマニア人など)を指した(マルクス、エンゲルス 一九六一：二七一頁)。

(5) 「ハンガリー国民は何を望むか？(中略)②ブダ・ペシュトに責任内閣。③ペシュトに毎年の議会。④法の下での市民的・宗教的自由。⑤国民軍。⑥平等の税負担。⑦封建的諸義務の廃止。(中略)⑨国民銀行。(中略)⑫トランシルヴァニアとの合併」(Deme 1993: 16)。

(6) ナポレオン三世は無制限の政治権力を掲げつつも、即位後の一〇年間に公共事業を行い、一八六〇年代からは労働者を政治に取り込むべく福祉を充実させ、ボナパルティズムを支持する労働者層を生み出した。こうしたトップダウンの福祉国家原理の確立にこそ、一九世紀半ばの福祉政策と君主政との共振が認められよう。

(7) 一八五一年に賦役制は廃止されたが、皇帝フランツ・ヨーゼフ一世(Franz Joseph I、一八三〇—一九一六年、在位一八四八—一九一六年)治世期のアウスグライヒの下でも、スロヴァキア人は主権分有の対象とはならなかった。

(8) T・ザーラによれば、ナショナリストの理想とは逆に、一九世紀のハプスブルク帝国の一般の人びとはネイションの帰属を迫られるような事態に直面したとき、多くが無関心か、アンビヴァレントな態度を示すか、あるいは、日和見主義的な態度をとった(Zahra 2008: x)。ザーラやP・M・ジャドソンに端を発する「ナショナル・インディファレンス」(国民であることへの無関心)研究は近年、対象を西欧やロシアにも拡張し、二〇世紀史を視野に入れるかたちで、汎用性の高い議論を展開しはじめている(ヴァン＝ヒンダーアハター、フォックス 二〇二三)。

参考文献

Dokumenty k slovenskému národnému hnutiu 1848–1914 (1961), I, Bratislava: Veda

Listy Ludovíta Štúra (1956), II, Bratislava: Veda.
Procès-verbaux du gouvernement provisoire et de la commission du pouvoir exécutif (24 février-22 juin 1848) (1848), Paris: Imprimerie nationale.
Slovenskje Národňje Novini (1847), II, 245 číslo, Pjatok dňa 17. Prosinca, 1847.
Slovenskje Národňje Novini (1848), III, 251 číslo, Utorok dňa 11. V. Sečna, 1848.
Slovenskje Národňje Novini (1848), III, 269 číslo, Utorok dňa 14. Brezna, 1848.

ヴァン＝ヒンダーアハター、マールテン、ジョン・フォックス(二〇二三)『ナショナリズムとナショナル・インディファレンス——近現代ヨーロッパにおける無関心・抵抗・受容』金澤周作・桐生裕子監訳、ミネルヴァ書房。

ウォーラーステイン、イマニュエル(二〇一三)『近代世界システムIV——中道自由主義の勝利一七八九—一九一四』川北稔訳、名古屋大学出版会。

小沢弘明(二〇〇三)「東欧における地域とエトノス」歴史学研究会編『国民像・社会像の変貌』〈現代歴史学の成果と課題〉2、青木書店。

グスタフソン、ハラルド(二〇一六)「礫岩のような国家」古谷大輔訳、古谷大輔・近藤和彦編『礫岩のようなヨーロッパ』山川出版社。

川越修(一九八八)『ベルリン王都の近代——初期工業化・一八四八年革命』ミネルヴァ書房。

田代文雄(一九八〇)「一八四八—四九年ハンガリー革命における農奴解放の展開」『東欧史研究』第三号。

谷川稔(二〇〇一)「近代国民国家への道」福井憲彦編『各国世界史一二 フランス史』山川出版社。

中澤達哉(二〇〇九)『近代スロヴァキア国民形成思想史研究——「歴史なき民」の近代国民法人説』刀水書房。

中澤達哉(二〇一四)「二重制の帝国から「二重制の共和国」と「王冠を戴く共和国」へ」池田嘉郎編『第一次世界大戦と帝国の遺産』山川出版社。

中澤達哉(二〇一六)「ハプスブルク君主政の礫岩のような編成と集塊の理論——非常事態へのハンガリー王国の対応」古谷大輔・近藤和彦編『礫岩のようなヨーロッパ』山川出版社。

中澤達哉(二〇二一)「近世帝国と近代国民国家の相互浸潤」『歴史学研究』第一〇一五号。

ホブズボーム、エリック（一九六八）『市民革命と産業革命——二重革命の時代』安川悦子・水田洋訳、岩波書店。
ホブズボーム、エリック（一九八一）『資本の時代　一八四八－一八七五』第一巻、柳父圀近ほか訳、みすず書房。
増谷英樹（一九七九）「一八四八年革命の概観と研究の課題」良知力編『〔共同研究〕一八四八年革命』大月書店。
マルクス、カール、フリードリヒ・エンゲルス（一九六一）『マルクス＝エンゲルス全集』（以下『全集』）大内兵衛ほか訳、第六巻、大月書店。
マルクス、カール、フリードリヒ・エンゲルス（一九七一）『共産党宣言』大内兵衛・向坂逸郎訳、岩波文庫。
マルクス、カール、フリードリヒ・エンゲルス（一九七八）『全集』補巻二、大月書店。
良知力（一九七九）「マルクス＝エンゲルスにおける四八年革命論の基礎構造」良知編上掲書。
良知力（一九九三）『向う岸からの世界史——一つの四八年革命史論』ちくま学芸文庫。
Beaulac, Stéphane (2004), *The Power of Language in the Making of International Law: The Word Sovereignty in Bodin and Vattel and the Myth of Westphalia*, Leiden-Boston, Martinus Nijhoff Publishers.
Clark, Christopher (2023), *Revolutionary Spring: Fighting for a New World 1848-1849*, London, Allen Lane.
Deak, Istvan (1979), *The Lawful Revolution: Louis Kossuth and the Hungarians, 1848-1849*, New York, Columbia University Press.
Deme, László (1993), *The Radical Left in the Hungarian Revolution of 1848*, New York, Columbia University Press.
Hansen, Thomas B., and F. Stepputat (2005), "Introduction", Thomas Hansen and F. Stepputat (eds.), *Sovereign Bodies: Citizens, Migrants, and States in the Postcolonial World*, Princeton, New Jersey, Princeton University Press.
Langewiesche, Dieter (Hrsg.) (1998), *Demokratiebewegung und Revolution 1847 bis 1849: Internationale Aspekte und europäische Verbindungen*, Berlin-Heidelberg, Springer.
Moggach, Douglas, and G. S. Jones (2018), *The 1848 Revolutions and European Political Thought*, Cambridge, Cambridge University Press.
Osiander, Andreas (2001), "Sovereignty, International Relations, and the Westphalian Myth, *International Organization*, 55-2.
Sperber, Jonathan (1984), *The European Revolutions, 1848-1851*, Cambridge, Cambridge University Press.
Suffel, Jacques (ed.) (1948), *1848, la révolution racontée par ceux qui l'ont vue*, Paris, Éditions du Myrte.
Traugott, Mark (2001), *Armies of the Poor: Determinants of Working-Class Participation in the Parisian Insurrection of June 1848*, Milton, Rout-

ledge.

Vonde, Detlef (2019), *Auf den Barrikaden: Friedrich Engels und die ›gescheiterte Revolution‹ von 1848–49*, Wuppertal, Edition Köndgen.

Zahra, Tara (2008), *Kidnapped Souls: National Indifference and the Battle for Children in the Bohemian Lands, 1900–1948*, Ithaca/New York, Cornell University Press.

コラム｜*Column*

政治的スカンディナヴィア主義

村井誠人

「スカンディナヴィア主義」が、一九世紀北欧のロマン主義の「かつての輝かしき一つなる北欧」を回想したウーレンスレーヤやテグネールらの文学的・思想的産物であることは論を俟たないが、それに「政治的」という語がついたとき、北欧各国におけるその流れの同床異夢的な実態は注目に値する。

ここでは、その「政治的スカンディナヴィア主義」の出発点となったデンマークの事情を紹介する。

一五世紀以来の「礫岩国家」デンマークは、ナポレオン戦争の敗戦国としてノルウェー王国がデンマーク国家から離れ、デンマーク王国・スリースヴィ公爵領・ホルスティーン公爵領・ラウエンブルク公爵領からなっていた。一九世紀前半の三公爵領の民族構成は、ホルスティーン・ラウエンブルクにドイツ人が住み、スリースヴィではその住民三三万人中、一八・五万人がデンマーク語を日常語とし、その南部地方および都市部では、低地ドイツ語が主に話されていた。スリースヴィは法制史上デンマーク「王国」とは一線を画す一方で、歴史上神聖ローマ帝国やドイツ連邦に属したことはなかった。そして、一九世紀を迎えるまでは、ホルスティーン住民のデンマーク礫岩国家への帰属意識はかなり高く、「ホルスティーン」という呼称は、その住民による低地ドイツ語の地名であり、デンマーク語でもそう呼ぶ。

ただし、スリースヴィとホルスティーン両領土が「永遠に不分離」であるとする「リーベ文書」(一四六〇年)の存在から、一九世紀のナショナリズムの時代にあって、高地ドイツ語によるそれぞれの地名呼称を用いて両公爵領を一体とする「シュレスヴィヒ＝ホルシュタイン主義」が登場し、両公爵領をデンマーク王国とは別個に一体として存在させようとする動きが現れた。

一八三〇年のフランス七月革命の影響下で、オーラ・リーマン(一八一〇―七〇年)らデンマーク王国の若い教養市民層が、ホルスティーンと同様の市民運動に呼応する形で、反絶対王政を掲げて自由主義を語った。王国内で「ナショナルリベラル」と名乗った彼らは、デンマーク礫岩国家が北ドイツに発生をみた王朝の起源以来のドイツとの「貴族的連鎖」を弊害とみなし、「国家のデンマーク性」にこだわった。一方、ドイツ統一が声高にドイツ各地で語られるようになると、ホルスティーンのジャーナリスト、テーオド・オルスハウゼン(一八〇二―六九年)が「まず、第一に、ドイツ(統一)を。それからシュレスヴィヒ＝ホルシュタイン！」と発言し、ホルスティーンの自由主義者の主眼が「ドイツ統一」に置かれていく。スリースヴィ内のデンマーク語話者の自由主義者は立つ瀬を失い、王国のナショナルリベラルと手を結んでいった。ナショナルリベラルは、礫岩国家内のドイツ的要素に対抗するために、スリースヴィ農民を民族的に「北欧人」としてこだわり、デンマーク国家より「より大きな」スカンディナヴィアという概念を必要とした。ノルウェーの自由主義的な一八一四年憲法の存在も、彼らのスカンディナヴィア志向には好材料であった。ドイツ統一の過程において、ホルスティーン・ラウエンブルクがデンマーク国家から離れていくことをむしろ良しとし、ナショナルリベラル的論法では、スカンディナヴィアのなかにあって最もスカンディナヴィア的でないデンマークが、最もデンマーク的でないスリースヴィを、立憲主義を掲げてデンマーク国家内に維持しようしたのである。

そして、ナショナルリベラルの論理は、王家をも動かし、デンマークのほぼ全政治勢力が彼らの主張のもとに結集し、

1848年当時のデンマーク人の希望の図「スカンディナヴィアの団結」(出典：Inge Adriansen og Jens Ole Christensen, *Første Slesvigske Krig 1848-1851*, Museum Sønderjylland-Sønderborg Slot og Tøjhusmuseet 2015, s. 19)

結果としてデンマーク史で言うところの「第一次・第二次スリースヴィ戦争」(一八四八-五一、六四年)が生起した。これら戦争には、スカンディナヴィア各地から義勇兵が馳せ参じた。第二次スリースヴィ戦争を前にしてナショナルリベラル政権は支援を求めてスウェーデン王家に対しデンマーク王家の男系継承者の断絶問題とのかかわりで秋波を送っていた。すでにスウェーデン政府もノルウェー政府も、デンマークを支援しないことを明確にしていた状況にあっても、カール一五世王が、「彼自らと二万の兵が行く」と大言壮語するのが精いっぱいの反応であり、それがスウェーデンの政治的スカンディナヴィア主義の限界であった。デンマークでは、第二次スリースヴィ戦争の敗北によって、ナショナルリベラルは、リベラルという面では王国内の自由主義憲法を樹立していたとはいえ、ナショナルな面ではスリースヴィを完全に失ったことで、その政治的スカンディナヴィア主義的意味が霧散消滅していた。一方、ノルウェーでは、教養市民層が第二次スリースヴィ戦争でデンマークの敗色が明白になった後、スウェーデンとの同君連合下で、その連合を維持したうえでデンマークの「連合への参加の可能性」を語り、むしろ、その後の政治的スカンディナヴィア主義の意義を見いだしていた。そのノルウェーの覇権主義的な要素の無さが次の「実質的スカンディナヴィア主義」の道を開いていき、それがのちの「北欧協力」につながる要素を持っていたといえようか。

焦点｜*Focus*

「イギリス」にとってのアイルランド

勝田俊輔

一、アイルランドと「イギリス」の関係史

アイルランドとイギリス（以下、ブリテン）の関係史を築くための出発点は、一九七四年に提唱された「ブリテン史 British history」および、これを補完した一九八九年の「四国史 Four Nations history」の構想である。前者はカナダやオーストラリアなども射程に含めるが、後者はブリテン諸島に議論をほぼ限定している。また前者は政治史に比重を置きつつ、優勢なイングランドと他の「ケルト地域」との間の相互作用が織りなす構造物に関心を向ける一方で、後者は文化的な要素を重視しつつ、イングランド、スコットランド、アイルランド、ウェールズの四地域の諸関係を多元的な視点から考える（この研究動向の最新の総括として、Lloyd-Jones and Scull 2018: chap. 1）。こうした違いがあるとは言え、諸地域の相互作用を重視し、イングランドの歴史は一国のみで完結してはいなかったことを強調する点で、二つの構想は基本的に同じ方向性を持つ(1)。

「ブリテン史」／「四国史」の研究構想は、英語圏で一九九〇年代後半に多くの成果を生み出したが、二一世紀に入ってから一時の勢いを失った観がある。しかし、スコットランド独立問題の再燃の可能性や、南北アイルランド再

統一の展望に鑑みても、これらの構想の重要性は失われていない。ただし、イングランドが他地域に強い影響をおよぼしてきたのは自明のこととしても、逆にイングランド史がアイルランド、スコットランドそしてウェールズ史からどこまで強い影響を受けてきたのかは詳らかにされておらず、二つの構想にもとづく研究は、これまでのところ片道通行での知見を提供するものがほとんどである。本稿は、各地域が単一国家の下にあって統合が最も強化された連合王国期のブリテン(中核はイングランド)―アイルランド関係を対象として、この研究状況に一石を投ずることを試みる。そのための切り口として以下の三つの問題を設定する。第一がアイルランド島からブリテン島に渡った多数の移民がもたらした影響、第二が連合王国政治においてアイルランドが占めた位置、そして第三に、アイルランドのナショナリズムに向けてブリテンのユニオニズムとリベラリズムがなした対応である。

二、アイルランド人移民のインパクト

一九世紀のブリテン島に渡ったアイルランド人移民の数について、ある程度の信頼性を備えたデータは、出身地を記した一八四一年以降のセンサスによって与えられる。同年のセンサスではブリテンの居住者のうち四一万人強が「アイルランド生まれ」と区分され、この数値はアイルランド大飢饉直後の一八五一年に七二万人強に急増する。他の地域からの移住者は少なく、ブリテンの人間にとって身近な「外国人」はアイルランド人であった。その後のセンサスでも毎回六〇万人以上がアイルランド出身者として計上され、一九一一年までに合計五三〇万人強が到来した。アイルランド人移民は都市を定住地として選ぶ傾向が強く、一八四一年の段階でその五二%強がロンドン、リヴァプール、グラスゴ、マンチェスタ、エジンバラ、リーズ、バーミンガムに住んでいた。また一八五一年および六一年のイングランド・ウェールズでは、三〇以上の都市に一〇〇〇人以上のアイルランド出身者がいた。

ただし、これらの数値は表面的な印象を伝えるに過ぎない。アイルランド出身者が最も多かった一八六一年のセンサスでは八〇万人強が計上されたが、これは当時のブリテンの総人口の四%に満たない。またアイルランド出身者のうち無視し得ない部分は、やがて北米大陸に向かったと想定される。他方で、センサスは移民の第一世代のみを対象とし、二世、三世は計上されなかったことも重要である。アイルランド人移民は、カトリック教会の影響下に互いの間で結婚し、子どももカトリックとして養育する傾向が強かったことを考えあわせると、アイルランド人のコミュニティはブリテン社会においてある程度の存在感を持ち続けたと考えられよう。さらには、少なからぬ数の季節労働者が特にスコットランドで農業労働に従事するために渡来していた。その数は一八三〇年代には毎年約四万人、最盛期の一八六〇年代半ばには年に一〇万人に達したとされるが(Fitzpatrick 1989)、彼らの実態については不明な点が多い。これらの制約があることを踏まえた上で、アイルランド人移民の「存在感」の内実について、経済および宗教面から検討しよう。

経済面で最初に取り上げるべきが、アイルランド人移民と産業革命の関連である。マルサスは一八二七年の議会委員会において、貧困層を大半とするアイルランド人移民の到来のために特にマンチェスタとグラスゴで賃金水準が低下していると指摘している。同じことが、一八三六年の議会委員会でもリヴァプール、マンチェスタおよびグラスゴの複数の雇用主によって証言されている。こうした情報を一般化したのがエンゲルスである。彼は『イングランドにおける労働者階級の状態』(一八四五年)で、イングランド人であれば受け入れ難い低賃金労働にも耐えられる「アイルランドの多数の貧しい人口を意のままにつかえる予備軍としてもって」いたことが、イングランドの工業の急速な伸長を可能とした、と述べている。これを裏付けるように、ランカシャを始めとする北イングランドや、ラナークシャを始めとするスコットランドの工業地帯や炭鉱、鉄道・運河の敷設地域などでは、現地の労働者が競争相手のアイルランド人移民労働者を暴力的に迫害する事件は珍しくなかった。

しかし、こうした事例は現実の半面のみを現している可能性がある。アイルランド人の大半が半熟練・非熟練労働者として渡来したのは事実にせよ、その総数は、産業革命の第一段階における全般的な賃金水準の動向に決定的な影響を与えるほどには多くなかったし、また彼・彼女らの影響を特定産業・特定地域だけに集中して検討すべきほどには当時の労働市場は分節化されていなかった可能性が高い(Williamson 1986)。また、移民は一般に容易に転住できるため、アイルランド人移民も賃金の高い地域に向かう傾向が強く、その存在が賃金水準を下げる方向に作用したとは言い切れないことも指摘されている(Fitzpatrick 1989)。

なおアイルランド人の多くが到来時に貧困層に属していたことから、地域の救貧負担を増大させたことも考えられよう。しかしその多くは働き盛りの年齢層だったため、一九世紀を通じて救貧負担は想像されるほどには大きくなかった可能性が高い。実際一八六〇年代におけるアイルランド人移民のうち、一五歳以下は一五%に満たなかった(本国では三三%近く)。一八七〇年以降、彼・彼女らの社会的コストが問題視されることはなかった。また、アイルランド人移民は世代を経るにつれ自らの地位を改善していった例も多い(研究史は、勝田 二〇一九)。

宗教の問題に移ると、一八世紀末のブリテンにいたカトリック信徒は一一万人程度だったが、一八九一年には一七〇万人強となり、一九一一年には二二〇万人に達したと推算されている。その大多数はアイルランド人移民とその子孫である。教会組織も拡充された。ロンドンでは、一八四〇年までには二六のチャペルが存在していたが、その数は一八五〇年には一〇四に急増して、一六八人の聖職者が司牧活動にあたっていた。リヴァプールでも一八七〇年代までに二三のチャペルが設立されていた。スコットランドでは、一八七〇―一九〇〇年に九五のチャペルが建てられ、その大半がアイルランド人移民の居住地域である西部に集中していた。

こうした増大するアイルランド人移民の影響について、最も極端な解釈を提示したのがヒックマンである。それによれば、フランスとの敵対関係が終わった後に、ブリテンの人間がプロテスタントとしてのアイデンティティを維持するための「他者」の役割を果たしたのが、カトリックのアイルランド人移民だったとされる(Hickman 1995)。ただしヒックマンの議論は、同時代の主要メディアや知識人の発した反カトリックの言説に依拠しており、これらは移民の日常生活から乖離(かいり)している。また大衆向け出版物に目を向けると、当時の反カトリック主義の最大の標的だったのは移民ではなく修道女と修道院であった。言説ではなく行動の次元で見ても、一八五〇—五二年にはイングランドの複数の場所で反カトリック暴動がおこり、チャペルやアイルランド人移民の住居も襲撃されたが、これはローマ教皇庁が宗教改革以来約三〇〇年ぶりにイングランドに司教区を再建したことへの反発であった。この際にはメディアも反対論を展開し、また各地から議会へ反カトリック請願も多数送られているが、その動向とアイルランド人移民の居住分布は一致しない(Paz 1992)。総じてブリテンのプロテスタント意識においては、日常接するカトリック移民よりも観念上のプロテスタント国制の方が重要な要素だったと考えられる(Wolffe 1994)。

反カトリック主義の表明は世紀後半のブリテンでは次第に収束に向かったが、一部の地域では宗派対立が続いた。その主な担い手となったのが秘密結社のオレンジ団である。同団は北アイルランドが発祥地だったが、ブリテンでも急速に組織を広げ、一時は王弟がグランドマスタの地位に就くなど、高い威信も手に入れた。一八三五年の議会委員会がオレンジ団を陸軍内にも勢力を浸透させている危険な組織として告発したことで、上・中流階層は団から手を引いたが、イングランド北部やスコットランドの下層中流層と労働者階層の間では、その勢力は世紀後半にむしろ拡大した。オレンジ団にとっての最重要行事が、オレンジ家出身のウィリアム三世を記念する毎年の儀礼的パレードであり、その際には団員と地元のカトリックとの間で暴動が生じることが珍しくなかった(Hughes and MacRaild 2014)。

ブリテンで最初のオレンジ暴動は一八〇七年のマンチェスタでおこったが、間もなくオレンジ団の中心地は移民の玄関口リヴァプールに移り、一八四〇—五〇年代にはこの地のパレードに数千人の団員が参加していた。一八七六年の儀礼はイングランド史上最大級のオレンジ団による人的動員となり、七〇〇〇—八〇〇〇人によるパレードを六万一八万人が見物した。少し遅れてもう一つの中心地となったのがスコットランド西部、特にグラスゴであった。一八七八年の儀礼ではグラスゴだけで一万四〇〇〇―五〇〇〇人、スコットランド全土で九万人がパレードに参加した(MacRaild 2011)。なお北イングランドではオレンジ団には少なからぬ数のイングランド人が含まれていたが、スコットランドではアルスタ出身のプロテスタント移民とその子孫が主なメンバーであった(McFarland 1990)。一九世紀後半のアイルランド人移民にはプロテスタントも含まれており、世紀末のスコットランドではアイルランド人コミュニティの四分の一はプロテスタントだったと推測されている。すなわちオレンジ団によるトラブルは、少なくともスコットランドにおいては、しばしばアイルランド人移民同士の争いだったと考えられる。

ここまで見たように、多数のアイルランド人移民の到来と、ブリテン社会の工業化やブリテン人のプロテスタント意識との間に直接的な因果関係を想定することは難しい。では、アイルランド人移民から「アイルランド問題」に視点を移すと、ブリテンが受けた影響はどうだったのであろうか。次節では合同国家のパートナーとしてのアイルランドが突きつけた政治的問題を検討する。

三、連合王国政治におけるアイルランド

一八〇〇年の合同法により、翌年ブリテンとアイルランドの両国は同君連合から単一国家(連合王国)へと転じて、結合を強めた。しかしこれは対等な形で合同した国家ではなかった。国制面では議会およびイングランドとアイルランドの国教会(ともにアングリカン)は合同されたものの、ダブリンの行政府のトップはロンドンの連合王国政府によって派遣・統制され、アイルランドはいわば二重統治のもとにあった。また合同議会での議席数にも偏りがあった。アイルランド自由国独立(一九二二年)までの四度の議会改革により、庶民院の定員は六五八から六五二、六七〇、七〇

七人へと変化したが(最初の改革は定員を据え置き)、うちアイルランド選出議員は一〇〇、一〇五、一〇三、一〇一、一〇五人でほぼ同じであった。貴族院でのアイルランド貴族の数は当初三二人とされ、一八六九年法による国教会体制の廃止で聖界貴族の議席が失われて二八人となった。他方で貴族院議員総数は、数多くの授爵により、連合王国発足時の三三四人から一九〇〇年の五七七人に増えていた。

こうした非対称性は連合王国発足当初の立法措置に反映された。議会の制定する一般公法 public general acts は、連合王国全体ではなくイングランドやスコットランドなど旧王国を対象として制定されるものも多かった。一八〇一―一六年に制定されたアイルランド対象の一般公法は同種の法全体の二五%を占めたが、この比率は一八三〇年代には一七%へと低下した(Jupp 2006)。法制定以外の議会活動においても、一九世紀最初の三〇年間に設置されたアイルランド関連の特別委員会は全体の約八%に過ぎず、この比率はその後さらに低下していった(Ó Ciosáin 2009)。

ただしアイルランドは、連合王国政治においてこれらの数値が示す以上の存在感を持った。その端的な例が、アイルランド選出議員たちが状況によっては連合王国政府の政策を左右できたことである。彼らはホイッグやトーリなどブリテンの政治党派に属することも多かったが、その一方でオコンネルやパーネルのように強力な政治家が登場した場合は、その指揮下に独自の集団をなした。また一九世紀末以降はアイルランド国民党が政党として機能していた。こうした場合、総選挙においてブリテンで僅差の勝利しか得られずに発足した連合王国政府は、アイルランド人議員集団の意向を無視できなかった。一八三五―四一年、一八八五―八六年、一八九二―九五年、一九一〇―一四年の諸政府はそうした例である。

政府が単独で安定多数を持っていた場合でも、アイルランドの(諸)問題は難題であった。一九世紀初めであれば、焦点はカトリックに対する法的制約を撤廃し国会議員資格を認める(カトリック解放)か否かの問題にあった。カトリック解放はアイルランドと国家合同した際に実現される予定だったが、国王ジョージ三世の反対で頓挫したため、当時のピット内閣は倒れることとなった。その後一八〇七年にグレンヴィル内閣もこの問題で退陣した。カトリック解放法案は連合王国議会に五回提出されており、いずれも評決には庶民院で四〇〇―五〇〇人前後、法案が同院を通過した場合は貴族院でも二五〇―三〇〇人前後の議員が参加した。関連動議がほぼ毎年提出されていたことも併せると、この問題は当時の連合王国議会の審議のうち少なからぬ部分を占めたと言える。

カトリック解放は、議会の外部においても重要な問題となった。一八二〇年代後半にカトリック解放を要求する政治運動がアイルランドで高揚し、情勢を見てその不可避を悟ったウェリントンの連合王国政府が一八二九年初頭にカトリック解放法案を提出したところ、法案審議中の二月から四月に三三二六点もの請願が連合王国各地から議会に殺到した。この数は当時の通常の一会期中に出される請願の四倍近くに達したが、大半が反対請願であった。それまで請願活動とほとんど無縁だったウェールズの人間や女性も数多く署名するなど、これはブリテン史上初めての真に国民的な請願運動となった(Colley 1992)。

この際にはアイルランド人移民がいない地域からも多くの請願が寄せられていた一方で、ブリテン人のカトリック信徒はごく少数であり、カトリック解放の原動力はアイルランドからの圧力であった。すなわちブリテンの人間にとってカトリック解放とは、アイルランドと国家合同したことによって突きつけられた問題だったのであり、彼らが強く反発したのは、前節で見たイングランドでのカトリック司教区の再建の場合と同じように、これがプロテスタント国制の根幹にかかわる問題として感じられたからである。このためカトリック解放が実現した後、続いてアイルランド国教会の十分の一税改革の問題が議会で難題として浮上し、これを契機として一八三四年にグレイ内閣が、三五年にピール内閣が退陣するにいたっている。こうしたプロテスタント意識の裏返しとして、アイルランドにおけるカトリック教会への優遇措置に対する反発も生じた。一八四五年に第二次ピール内閣が、アイルランドのメヌース神学校への政府助成金を大幅に増額しつつ基金化すると、基金化は国教会化に準ずる措置であるとして反対する複数の団体がブリテンで発足した。また合計約一二五万人が署名した反対請願が一万点以上も議会に寄せられた(神学校基金への反対請願は一八六〇年代まで続いた)。

この直後に、アイルランドを大飢饉が襲った。政府は飢饉の直接の被害者だったアイルランドの貧農たちを見捨てたわけではない。飢饉が最も猛威をふるった一八四六―五〇年にかけて、議会の開催期間は合計六五七日に達したが、これは直前の五年間の五八九日よりも多く、直後の五年間――クリミア戦争に突入した――の六四六日をも上回っている。また大飢饉期の議会では合計五九二本の一般公法が制定されたが、そのうち三二九本がアイルランド特定法であり、比率において世紀初めから大きく増えている。どちらも大飢饉への対応の結果だったと考えられる。

一八五〇年代に入ると、アイルランド問題が連合王国政治に占める比重は一時的に低下した。救貧や初等教育の調査を通じてアイルランドの事情に精通していたルイス George Cornwall Lewis は一八五六年に、この比重低下は過去二五年間の諸立法の成果であると結論した(Hoppen 2016)。しかし、アイルランドが政治的に真に厄介な存在となるのはその後のことである。一八六七年三月にナショナリストの秘密結社フィーニアン(Irish Republican Brotherhood)がダブリンで武装蜂起を敢行し、二人の死者を出して鎮圧された(高神 二〇〇五)。九月にはマンチェスタ近くで護送中の仲間を救出した(警官一人が死亡)。さらに一二月にも仲間の救出のためにロンドン中心街の拘置所の一部を爆破した。この事件では近隣に大きな被害が出て、七人が死亡した。

フィーニアンはその後も爆弾テロを行い、一八八五年にはロンドン塔や庶民院議場などにも被害を及ぼしたが、その脅威は一時的なものにとどまった。しかし一八六七年の事件は、別な形で大きな意味を持った。グラッドストンにアイルランド改革の必要性を認識させたのである。彼はその最初の一歩をディズレイリ内閣への挑戦として踏みだし、一八六八年三月に、アイルランドの国教会体制廃止に向けた動議を議会で予告した。国家合同の経緯からして、これはイングランド国教会をも傷つける措置と目された。告知を受けて四月までに四〇〇〇点以上の請願(約五〇万人が署名)が寄せられて反対を表明したが、ディズレイリ内閣は関連動議で二六五対三三〇票で敗れ、退陣を余儀なくされた。ここに発足した第一次グラッドストン内閣はすぐに廃止法案を提出し、これは庶民院を三一二対二五八票で通過したものの、貴族院で九七対一九二票で否決された。翌年の議会に提出された同趣旨の法案は庶民院を三六八対二五〇票で通過し、両院の対立を警戒したヴィクトリア女王の介入もあって貴族院でも可決された。

第一次グラッドストン内閣は一八七三年にアイルランドの大学法案で二八四対二八七票で敗れて、翌年の退陣を余儀なくされたが、一八八〇年に始まる第二次内閣は国教会体制廃止よりもさらに急進的な措置をアイルランドに導入した。地代の公正化のための国家裁定制度を整備した八一年の土地法である。この措置は、国家が借地農の側に立って地主の私的所有権を制約することを、すなわちアイルランドが古典派経済学の原理から逸脱することを意味した。同法案の審議は五八日間に達し、一八六七年のイングランド議会改革法案(三五日)を抜いて単一法案にかけられた最多の審議日数を記録した。この審議の際にはのべ一万四八三六回の発言があったが、うち八五二一回はブリテン選出議員によってなされていた。これは不在地主制を反映していたのだろうか。

一八七六年の議会に提出された調査報告では、アイルランドの土地所有者一万九五四七人のうち、一四四三人が「アイルランドにまったく、あるいはほとんど居住していない」とされた。土地評価額ベースで見ると、これら一四四三人の不在地主の所有地は、アイルランド全土の約一〇一八万ポンド相当の土地のうち、一五三万八〇〇〇ポンド分を占めた。彼らの他に「通常はアイルランド外に居住している」グループもおり、その所有地は六〇万一〇〇〇ポンドと評価された。これを裏付けるように、一九世紀を通じて不在地主がブリテンで受け取った地代の総額も年二〇〇万ポンド前後であった。これらは軽視できる数値ではないが、しかし逆にブリテンの側では、一八七三年の調査で地代推計額の合計は一億一八〇〇万ポンドに達していた。従ってアイルランドにおける不在地主制は、一八八一年の土地法の審議にブリテンの議員が示した強い関心とは釣り合わない。この逆説は、ブリテン諸島の社会体制の根幹をなす土地所有権に変更が加えられることに対して、一部の議員が抱いた危機感から説明されるべきである。

結局一八八一年の土地法案は庶民院を三五二対一七六票の大差で通過し、その様子を見た貴族院も法案を可決せざるを得なかった。その後グラッドストンの第二次内閣は、アイルランドの治安問題を直接の原因として総辞職した。だがグラッドストンはここで歩みを止めずに、教会・土地に続いて国制の次元からもアイルランド改革に取り組んだ。すなわちアイルランドへの自治権の付与である。これは各方面に大きな波紋を投げかけたが、本節が対象とする国政面では、一八八六年の議会で第一次自治法案の上程に四日間、審議に一六日間が、一八九三年の議会では第二次自治法案の庶民院の通過に八五日間が費やされた(貴族院で否決)。この際にはユニオニストが議事妨害戦術に出たため政府は審議を強制的に短縮したが、この手法は、一八八七年にアイルランド選出議員が妨害戦術を用いた際に対抗策として保守党政府が始めたものであり、「ギロチン」との通称で今日まで継承されている。また、周知のように自治問題は自由党を分裂させることで、ブリテン史上最大規模の政党分裂・政界再編をもたらした。

以上に見るように、連合王国政治においてアイルランドはさまざまな困難をもたらした。一八世紀の同君連合の方が、ブリテンにとって好都合なアイルランド統治の体制だったようにさえ見える。では、両国が国家合同したことがそもそも間違いだったのだろうか。次節では、合同後の両国の関係をめぐって展開された、アイルランドのナショナリズム、ブリテンのユニオニズムおよびリベラリズムの三つの政治姿勢を検討する。

四、ナショナリズム・ユニオニズム・リベラリズム

連合王国期(第一次世界大戦まで)のアイルランドのナショナリズムは、合同法の撤廃(リピール)(独立王国の復活)、完全分離(共和国としての独立)、そして連合王国内での自己決定権(自治(ホーム・ルール))を求める潮流に類型化できる。ブリテンの側でこれら

三つの全てに反対したのがユニオニズムであり、第三にのみ賛成したのがリベラリズムである。

ナショナリズムの本格的な動きは、一八三〇年代にオコンネルがリピール要求を掲げることで始まった。リピールは両国が同君連合に戻ることを意味したが、ロンドンの連合王国議会と政府はこれを断固拒否した。カトリック解放後初の総選挙となった一八三〇年に、オコンネルが率いる合同法撤廃論者がアイルランドから三〇人選出されたが、議会開会にあたり、国王ウィリアム四世は「両国が合同していることが双方の強さと幸福に欠かせない」と演説(通常は政府の意向を代弁した)して予防線を張った。一八三三年と三四年の演説では、国王は両国の合同を自らが持つ全ての権限を用いて維持すると語調を強めた。前者に対するオコンネルの修正動議は四〇対四二八票で否決された。翌三四年に彼は初めてリピールを正式な議事とする動議を出したが、保守党党首ピールは、これが「ブリテンをヨーロッパの四等国とし、アイルランドを野蛮な荒野とする」として反対し、動議は三八対五二三票で再び否決された。

議会を直接説得することの困難を悟ったオコンネルは、一八四〇年代前半に万単位の人間を集めた「巨大集会」を各地で連続的に組織し、議会に外部から圧力をかける戦術を試みた。ブリテンのチャーティストにも、リピール運動を自由を求める闘争として支持する者がいた(小関 一九九三)。しかし首相ピールは、「帝国の解体と比べれば、他のあらゆること(内戦)であっても望ましい」と議会で言明し、一八四三年に巨大集会を禁止した。この年の議会の閉会にあたり、ヴィクトリア女王は「両国を結ぶ大いなる絆をそのまま維持することを(中略)堅く決意している」と演説してピールに賛同した。こうして封じ込められたリピール型のナショナリズムが一八四八年に過激化する兆しを見せると、ホイッグ/自由党の側でも、当時の首相ラッセルは「自分の目の黒いうちはリピールに反対する」と断言した。だがその一方で、一八四八年以降のホイッグ/自由党政府は、カナダとオーストラリアの諸植民地に次々と自治権を付与していくのである。

では、アイルランドのリピール要求に対する全般的かつ徹底的な反対姿勢の背後には、どのような思考があったのか。カトリック解放後のアイルランドでは、一八世紀以来のプロテスタントの地主階層による名望家支配に加えて、カトリック民衆に支えられたオコンネルのカリスマ的支配――国王ジョージ四世は彼を「アイルランド王」と呼んだ――の二つの権力が相克していた。このためひとたび独立王国の地位を与えると、アイルランドにブリテンからの統制が及ぶことはもはや保証されないのみならず、「裏庭」に未知のカトリック国家が発足する可能性さえ危惧された。リピールが「帝国の解体」とまで結びつけられて拒否されたのはこのためである。

また、アイルランドを「文明化」する道義的責任も唱えられた。その代表的論者がJ・S・ミルであり、彼は一八三四年のオコンネルの動議を受けて、「合同法の撤廃」を著して以下のように反対した――「我々はアイルランドをあまりにも罪深いやり方で扱ってきたのだから、この国を放り出して、我々の悪行の結果に自力で耐えるようにしむける資格を持たないのだ」。ミルは大飢饉中に荒蕪地への貧農の入植・自作農化の国家支援を、そしてフィーニアンの蜂起直後には地代の定額化と借地権の恒久化(農地を地主と農民が共有することになる)を唱えるなど、アイルランドの社会問題に急進的な手段で対処すべきとの論陣を張ったが、そうした平和的革命とも呼べる改革は連合王国議会の制定法によってアイルランドにもたらされるべきと考えていたのである。なおミルにしても、「カナダははるか遠方にある」が、「アイルランドは、一方で起こる重大事は全て他方に影響を与えるというだけの理由からしても、イングランド(ブリテン)と合同するように運命付けられているのだ」と一八六八年に記したように、戦略的観点も抱いていたことは確認されるべきである(Kinzer 2001)。

議会との交渉を主な戦術とするリピール運動が挫折した後は、武装蜂起路線が登場した。その典型がフィーニアンであり、アイルランド共和国の樹立を目指した点で、君主の絆の維持を前提とするリピールよりも急進的な性質をもった。フィーニアンはアメリカとブリテンのアイルランド人移民の間にも組織を広げており、その行動力は侮れないものであった。しかし、前述のようにフィーニアンの蜂起の衝撃は一時的であり、また彼らは秘密結社を基盤としていたために、大衆運動とはなり得なかった。一八六七年のロンドンでの爆破事件の直後に、同地で二万人以上のアイルランド人移民が、ヴィクトリア女王への忠誠の表明文に署名していたのである(Jenkins 2008)。

リピール運動が押さえ込まれ、フィーニアンが地下に潜った後、アイルランドのナショナリズムの主流は、連合王国(および帝国)の枠組みを維持しつつ自己決定権を獲得しようとする自治の方向に向かった。この難題のための理論モデルは、すでに一八三〇年代にアメリカ合衆国のフェデラリストの思考を転用した形で、そして四〇年代にも自治権の付与が検討されていたカナダの例をヒントにした形で提起されていたが(Kendle 1989)、これらを政治運動に発展させたのがバット Isaac Butt である。バットは一八七〇年に自治協会(のち自治同盟に改称)を発足させ、帝国の一体性の維持を掲げつつ、アイルランド議会の設置と連合王国の連邦制への移行を唱えた(O'Day 2005)。

一八七四年の総選挙で自治賛成派の議員が六〇人当選し、これを受けてバットは自治に関する動議を発した。これは「自治」が連合王国議会で本格的に取り上げられた最初の例となったが、首相ディズレイリは、「もしこの政策を認めると〔中略〕王国の分解と帝国の破壊がもたらされることになる」と議会で述べて反対した。リピールよりも穏健な措置である自治に対しても同じ種類の反対論が出されたわけだが、これはその後もユニオニストのお決まりの論法となる。バットの動議は六一対四五八票の大差で否決された。彼が一八七六年に発した二度目の自治動議も同様の結果に終わった(六一対二九一票)。

他方で連邦制および自治は、ブリテンのリベラリストにとっては魅力的な考えであった。グラッドストンは一八七〇年代の半ばには自治の検討を始めており(Biagini 2007)、一八七九年には、イングランド、スコットランド、アイルランド、ウェールズにそれぞれ自治議会を置き、共通の「帝国議会」が全体を統制する「全方位自治 Home Rule all round」を連合王国の将来の国制構想として唱えた。アイルランド南部を除く今日のブリテン諸島の国制を見通していたことになるが、一八八六年に三度目の組閣をすることになったグラッドストンは、難題のアイルランドを優先する方針をとった。この動きを牽制するためにヴィクトリア女王は生涯最後の議会登院をなし、国王演説(ただし代読)で反対の意を表明した。

こうしてアイルランド自治が全国政治のイシューとなったが、第一次自治法案は基本的にはグラッドストン個人の考案(第二次法案も同様)であり(Jackson 2003)、自由党議員の大半は、アイルランド人の要求に公正に対処すべきとの判断と、厄介なアイルランド問題を議会から取り除きたいとの願望から党首グラッドストンに従った。だがチェンバレンを始め一部の自由党議員は造反した。実はチェンバレンも連合王国の分権化には前向きであり、アイルランド人の「内政上の自己決定権を大幅に拡大」すべきことを自治法案が上程される前に述べていた。しかしグラッドストンの法案では、新設されるアイルランド議会は内政に関する広範な立法権に加えて行政府を自ら選任する権限も与えられており、チェンバレンにとっては権力が大きすぎた(Boyce 1996)。その上、アイルランド議員の連合王国議会への登院は想定されておらず、この法案はそれまでの種々の自治構想が前提としてきた連邦制の枠組みを外れるものに見えた。

グラッドストンからすれば、カナダやオーストラリア地域での自治議会と責任内閣制が安定して機能しているのだから、自身のアイルランド自治構想も帝国の分解には通じないと論ずることができた(Kendle 1989)。アイルランド国民党を率いたパーネルも、自治法案の審議中に、同君連合体制の復活すなわちリピールよりもグラッドストン型の自治の方が望ましい、と明言していた。だがグラッドストン自身が、一八〇〇年の合同法による国家合同は忌まわしい措置であり、また「ネイションの要求を(中略)妨げることはできない」と議会で述べており、自治アイルランドが遠からず連合王国を離脱する、との懸念が払拭されることはなかった。結局、第一次法案は庶民院で三一一対三四一票で否決されてしまう。その後チェンバレンらは、一時的な造反にとどまらず自由ユニオニスト党の形成に向かった。保守党の側は当初、自由党の分裂を深化させる方が得策であるとして自治反対論を声高に唱えなかったが、グラッドストンが民意を問うために打って出た一八八六年の総選挙で自由ユニオニスト党と選挙協定を結んで大勝した。両党は同年の閣外協力、一八九五年の連立政権を経て、最終的に一九一二年に合同する。

帝国が形式上は過去のものとなり、連合王国の部分的解体と分権化が実現した今日から見ると、ユニオニズムの論拠は時代錯誤的に見える。しかし一九世紀末の世界においては、ロシアやアメリカのように急速に成長している陸上の大国に海上帝国として対抗するためには、アイルランドとの関係に不安定要因をもたらすことは避けるべきと考えられた。また当時はドイツやイタリアの例に見られるように、統一こそが国家の将来であるとの見解もあった(Cawood 2012)。さらに歴史的に見れば、一六世紀以来イングランド国家の歩みは周辺地域の統合を基調としており、分解の方向に進んだことは一七世紀半ばの単一共和国から三王国体制への復帰時を除いてなかった。このためウェストミンスタ議会も、自らの権限を分割・縮小した経験をほぼ持たなかったのである。

ただし、ユニオニズムには今日まで続く論拠もあった。自治アイルランドがカトリック国化することを恐れたアルスタのプロテスタントによる反対である。グラッドストンはアルスタの事情には疎かった。彼は一八世紀アイルランドのパトリオティズムの伝統を受け継いだはずのプロテスタントと、一九世紀のナショナリズムを担うカトリックは、ブリテンが干渉しなければ自分たちで対立を解決するはずである、と一八八六年に繰り返し述べた(Boyce and O'Day 2001)。しかしリベラリズムにおける彼の盟友ブライトJohn Brightは、アイルランド議会設立への反対とプロテスタントの憂慮への共鳴にもとづいて自治反対にまわった。問題を先鋭化させたのが保守党の次世代のリーダーと目されたランドルフ・チャーチルであり、自治法案提出直前にベルファストを訪れて、自治に対するユニオニストの抵抗を保守党は支援する、との扇動演説を行った。このため同地での緊張は一気に高まり、自治法案提出後に数週間に亘る暴動が発生して三二人が死亡した(Foster 1993)。ここに保守党・自由ユニオニスト党は、アルスタの反対がユニオニズムの強力な武器となることに気づいた。第一次法案直後から第二次法案直前の一八八六―九二年にかけて、両党の全党首がアルスタを訪問し、支援を約束していた。自由ユニオニスト党はアルスタの抵抗が「内戦」をもたらす可能性さえ公式に言明し、保守党でもソールズベリとバルフォアがこれにならった(Cawood 2012; Hoppen 2016)。

とはいえ、こうした議会法無視の言辞は、この段階では士気を鼓舞するためのレトリックであった。自治法案は庶民院を通過したとしても貴族院で否決されることが明白だったからである。四度目の組閣を行ったグラッドストン――周囲は彼がアイルランド問題に「取りつかれている」とさえ評した――は一八九三年に第二次自治法案を上程する。同法案はアイルランド選出議員の帝国議会への出席を認めるなど、第一次法案よりも連邦制に近い内容をもち、アイルランド国民党の協力もあって庶民院を三〇一対二六七票で通過するが、貴族院で四一対四一九票の大差で否決された。このように貴族院が「人民」の意志を真っ向から覆す挙に出たのは、一八三〇年代初頭に議会改革法案を否決して以来のことであった。グラッドストンは貴族院改革を試みたが挫折して政界を去った。この後一〇年以上に亘って保守党の政権が続き、自治問題は連合王国政治において後景に退くこととなる。

なおアイルランドの自治問題は、スコットランドにも波及していた。世紀半ばよりスコットランドでは、アイルランドと比べて自国の立法措置が疎かにされているとの不満が表明されていた。一八八五年にグラッドストンは専任の国務大臣が統括するスコットランド庁を開設しており、さらに八八年に自由党は将来のスコットランド自治を綱領に含めた。しかし一九世紀のスコットランド・ナショナリズムの主流は、連合王国議会・政府内での「公正な」処遇を要求するにとどまり、独自の議会や行政府の設置までは求めなかった。一八八六年から一九〇〇年にスコットランド自治を求める動議は議会で七つ発せられたが、いずれも審議時間切れや出席議員数の不足で実質的に廃案となっていた。またウェールズでも一部の政治家が「自治」を求める姿勢を見せていたが、アイルランド、スコットランド、ウェールズのナショナリズムの強さには明らかな違いがあり、このためアイルランドのナショナリストは、スコットランドやウェールズのナショナリストとの共闘には強い関心を示さなかった(O'Day 2005)。

アイルランド自治問題の行き詰まりを結果として打破したのが、ロイド＝ジョージである。周知のように彼の人民予算を契機にして、庶民院を通過した法案を貴族院が否決する権限が国政上の一大争点となったが、この問題をめぐって戦われた一九一〇年の総選挙の際に首相アスキスは、アイルランドの諸問題は自治の付与によってのみ解決されると演説して、選挙結果がアイルランド自治にも関わる可能性を確認した。そして、この歴史的選挙の結果が僅差だったため、自由党はアイルランド国民党と連携した。ここに三度目の自治法案提出の道が開かれると同時に、翌一九一一年の議会法によって貴族院の法案否決権が縮小され、アイルランド自治の実現は時間の問題となった。

この第三次自治法案は、財政面でアイルランドの権限を縮小し、連合王国予算からの援助も規定していた。アイルランドは一九世紀末までは連合王国内で超過課税されていたが、保守党政府が巨額の資金を投じて進めた自作農創設策や自由党政府による社会福祉制度の拡充の結果、二〇世紀初頭には財政面での受益者となっていた(Travers 1990)。第三次法案はこの方向を維持しようとしたのだが、その他の点では、第二次とほぼ同一の内容であった。だが、一九一〇年代は大衆による暴力と世界戦争、そして革命の時代であった。言い換えれば、第三次自治法案は時代の流れから取り残される運命だったのである。(2)

五、二つのアイルランド——独立と自治

第三次自治法案は一九一二年四月に上程され、貴族院で二度否決された後、議会法の規定により一四年九月に可決される。この間、アルスタのユニオニストは市民軍を組織するなど強硬な反対姿勢を示し、ブリテンのユニオニストもデモや署名運動で彼らを支持した。窮地に陥った自由党政府は、自治法の適用範囲からアルスタを一時除外する修正を付した形での自治の実現を図ったが、具体的な除外地域と期間についてナショナリストとユニオニストの要求の

違いが大きく、交渉は暗礁に乗り上げた。自治法は成立と同時に、第一次世界大戦勃発を受けて戦争終結まで施行延期とされるのである。

終戦後の総選挙では保守党が優勢となったが、ロイド＝ジョージは連立政府を構成して、棚上げとされていた自治問題にあらためて取り組んだ。対外的には、戦前からカナダやオーストラリアの自治領議会がアイルランド自治賛成の意見を表明しており、また戦後のアメリカ合衆国からの圧力も無視できなかった。さらには、大戦中に自ら唱えた「民族自決」の原則を裏切るわけにもいかなかった。加えてこの時までに、ブリテンのユニオニストも見解を変え、何らかの内政議会をアイルランドに設置することを受け入れていた。このことは、ブリテンとアルスタのユニオニストの歩調が乱れたことを意味するが、その背後には、戦後の議会で処理すべき案件が多いため、アイルランドの諸問題に時間と労力を割くことは避けるべきとの思考があった。また一九世紀末の地方自治体の改革によって各地で実質的な分権化が進んでおり、その延長の形で連合王国全域で連邦制に移行もしくは権限委譲を実現することが、戦後国制の選択肢として提唱され始めてもいたのである。

だが、アイルランド情勢はそれ以上に大きく様相が変わっていた。一九一六年にダブリンでフィーニアン主体の大規模な蜂起が起こり、南部でナショナリズムの武装蜂起路線が復活していた。さらに戦後一九一八年の総選挙では、共和主義のレトリックを用いつつボイコット戦術による公式権力の無力化を唱えるシン・フェイン一派が新たに台頭し、自治主義に代わってナショナリズムの本流となった。この動きにフィーニアンが加わることで、一九一九年に独立戦争へと事態が急展開した。

こうして政府は、アイルランドを連合王国内に留めること、そしてアルスタのユニオニストの抵抗に対処することの二つの喫緊の課題に直面した。そこで連合王国全体の連邦制／権限委譲の問題は放棄して、第三次自治法を一部変更した一九二〇年の第四次自治法によってアイルランド情勢に対応しようとした。これはアイルランドを南北に分割した上で、それぞれに連合王国内で自治議会を与えるものであり、独立を求めるナショナリストにとってはもちろん、アルスタのユニオニストにとっても受け入れがたかった。彼らはそもそも自治に反対だったのであり、さもなければ自分たちが自治の枠組みから除外されることを求めていたのである。ユニオニストに自治を与えるという逆説は、アイルランド人に自己決定権は与えるが問題は自己解決させるとのブリテンのリベラリズムに由来する措置であった。第四次自治法には南北の再統一に向けた共同評議会の設置が明示されており、さらには南北ともに当初は財政の大部分が連合王国政府によって管理され、統一がなった後に監督権を委譲されると定められていたのである。

アルスタのユニオニストは、自治権を持たないと労働党政権が発足した場合に南北統一を強制されると懸念して、第四次自治法を受け入れた。翌一九二一年に今日まで続く北アイルランド自治政体が発足した。しかしこれは二〇世紀西洋世界でも例外的な宗派主義国家となり、その発足期には迫害されたカトリックが万人単位で避難を余儀なくされた。さらに半世紀後の北アイルランド問題により、自治権そのものが停止されるにいたる。

リベラリズムの破綻は、南部でも明らかであった。宗派主義化はここでも生じており、一九一一—二六年に、南部二六州のプロテスタント人口は、流出が続いたため三二万七〇〇〇人から二二万一〇〇〇人に急減した。何より、この間に独立戦争は泥沼化し、内外からの批判も高まった。行き詰まった連合王国政府は、第四次自治法の南部での施行を放棄し、一九二二年に二六州に対して、連合王国からの自治領の地位での独立を認めた。だがこの措置ではもはや不十分であった。独立したアイルランド自由国は、一九三七年に独自に憲法を制定して「エール」(アイルランド)へと国名を変更し、第二次世界大戦期には中立の立場をとり、さらに一九四九年には共和国へと転じて、ブリテン帝国・連邦からも離脱するのである。

（1） なおこれらとは別に、アイルランド史とスコットランド史の比較共同研究も行われており（McIlvanney and Ryan 2005: chap. 12）、実証面においてはこちらの方が水準は高い。

（2） 第三次自治法案を起草する際、自由党内では女性参政権も検討されたが、アイルランド国民党は女性の政治参加への偏見からこれを退けていた。

参考文献

British parliamentary papers

Hansard's parliamentary debates

Public general statues

勝田俊輔（二〇一九）「一九世紀ロンドンのアイルランド人移民――複眼的・長期的視点から」『ヴィクトリア朝文化研究』一七号。

小関隆（一九九三）『一八四八年――チャーティズムとアイルランド・ナショナリズム』未來社。

高神信一（二〇〇五）『大英帝国のなかの「反乱」――アイルランドのフィーニアンたち』（第二版）同文舘出版。

Biagini, Eugenio F. (2007), *British democracy and Irish nationalism 1876-1906*, Cambridge, Cambridge U. P.

Boyce, D. G. (1996), *The Irish question and British politics, 1868-1996*, 2nd ed., Basingstoke, Macmillan.

Boyce, D. G., and Alan O'Day (eds.) (2001), *Defenders of the Union: A survey of British and Irish Unionism since 1801*, London, Routledge.

Cawood, Ian (2012), *The Liberal Unionist Party: A history*, London, I. B. Tauris & Co.

Colley, Linda (1992), *Britons: Forging the nation 1707-1837*, revised ed., 2005, New Haven, Yale U. P.

Fitzpatrick, David (1989), "'A peculiar tramping people': The Irish in Britain, 1801-70", W. E. Vaughan (ed.), *A new history of Ireland V: Ireland under the Union*, Oxford, Clarendon Press.

Foster, R. F. (1993), *Paddy & Mr Punch: Connections in Irish and English history*, London, Allen Lane.

Hickman, Mary J. (1995), *Religion, class and identity: The state, the Catholic Church and the education of the Irish in Britain*, Aldershot, Avebury.

Hoppen, K. Theodore (2016), *Governing Hibernia: British politicians and Ireland 1800-1921*, Oxford, Oxford U. P.

Hughes, Kyle, and Donald M. MacRaild (2014), "Anti-Catholicism and Orange Loyalism in nineteenth-century Britain", Allan Blackstock and Frank O'Gorman (eds.), *Loyalism and the formation of the British world 1775-1914*, Woodbridge, Boydell Press.

Jackson, Alvin (2003), *Home Rule: An Irish history, 1800-2000*, Oxford, Oxford U. P.

Jenkins, Brian (2008), *The Fenian problem: Insurgency and terrorism in a liberal state 1858-1874*, Montreal, McGill-Queen's U. P.

Jupp, Peter (2006), *The governing of Britain, 1688-1848: The executive, parliament and the people*, London, Routledge.

Kendle, John (1989), *Ireland and the federal solution: The debate over the United Kingdom constitution, 1870-1921*, Kingston, McGill-Queen's U. P.

Kinzer, Bruce L. (2001), *England's disgrace?: J. S. Mill and the Irish question*, Toronto, University of Toronto Press.

Lloyd-Jones, Naomi, and Margaret M. Scull (eds.) (2018), *Four Nations approaches to modern 'British' history: A [Dis]United Kingdom?*, London, Palgrave Macmillan.

McFarland, Elaine (1990), *Protestant first: Orangeism in nineteenth-century Scotland*, Edinburgh, Edinburgh U. P.

McIlvanney, Liam, and Ray Ryan (eds.) (2005), *Ireland and Scotland: Culture and society, 1700-2000*, Dublin, Four Courts Press.

MacRaild, Donald M. (2011), *The Irish diaspora in Britain, 1750-1939*, Basingstoke, Palgrave Macmillan.

Ó Ciosáin, Niall (2009), "'114 commissions and 60 committees': Phantom figures from a surveillance state", *Proceedings of the Royal Irish Academy*, 109C.

O'Day, Alan (1998), *Irish Home Rule 1867-1921*, Manchester, Manchester U. P.

O'Day, Alan (2005), "Ireland and Scotland: The quest for devolved political institutions, 1867-1914", R. J. Morris and Liam Kennedy (eds.), *Ireland and Scotland: Order and disorder, 1600-2000*, Edinburgh, John Donald.

Paz, D. G. (1992), *Popular anti-Catholicism in mid-Victorian England*, Stanford, Stanford U. P.

Travers, Pauric (1990), "The financial relations question 1800-1914", F. B. Smith (ed.), *Ireland, England and Australia: Essays in honour of Oliver MacDonagh*, Canberra, Australian National University.

Williamson, Jeffrey G. (1986), "The impact of the Irish on British labor markets during the Industrial Revolution", *Journal of Economic History*, 46-3.

Wolffe, John (1994), *God and Greater Britain: Religion and national life in Britain and Ireland 1843-1945*, London, Routledge.

集点｜*Focus*

一九世紀前半、米国の領土拡大と大西洋革命

――テキサスを中心に

二瓶マリ子

一、米国の領土拡大とスペイン領アメリカ植民地

一九世紀米国の領土拡大といえば、民衆や移民を主体とする西部開拓と結びつけて考えるのが一般的だろう。しかし、忘れてはならないのは、米国の経済、政治エリートにとって勢力圏の拡大は海と外交に関わっていた事実である。たとえば、ボストン商人たちは独立前から中国商品を取り扱っていたが、一七八〇年代末以降、北アメリカ大陸太平洋岸のロシア領ヌートカ湾で毛皮を入手し、広東で中国商品と交換する貿易に乗り出した(森永 二〇一八：一二一―一二二頁)。加えて、ニューイングランドを拠点とした捕鯨船が早くから太平洋で操業する一方、ボストン伝道団は一八二〇年にハワイ諸島でキリスト教の布教を開始している(増田 二〇〇四：一〇九―一二五頁)。

同時期、米国は大西洋でも商圏を拡大する。フランス革命の影響を受けてフランス領サン゠ドマング(現ハイチ)で黒人奴隷が蜂起すると、ヨーロッパにおけるフランス、スペイン、イギリスの戦争はカリブ海からスペイン領アメリカ植民地全域に拡大した。その結果、スペイン本国とアメリカ植民地の貿易はしばしば途絶することとなった。米国商人はそこに目を付ける。一七九六年、スペインはフランスと第二次サン・イルデフォンソ条約を結び、地中海と大

西洋においてイギリス艦隊を牽制しようとした。しかし、九七年、西仏連合艦隊がイギリス艦隊に惨敗すると、スペインはアメリカ植民地との貿易を断たれ、やむを得ず中立国と植民地との貿易を認めた。以後、ブエノス・アイレスをはじめとするスペイン領アメリカの港には、イギリスやドイツ諸邦、米国からの商船が出入りするようになり、なかでも米国人商人は膨大な利益を得たとされる。一七九六年の時点で彼らのスペイン領アメリカ植民地に対する輸出額は四〇万ドルであったが、一八〇二年には八〇〇万ドルに増大した（増田 一九八九：一九一頁）。米国は大西洋世界における覇権争いに乗じ、海路、スペイン領アメリカ植民地に経済進出したのである。

西部開拓もまた大西洋世界とは無縁ではなかった。第三代大統領となったトーマス・ジェファーソンは就任直後、ナポレオンに対し、フランス領ルイジアナの購入を提案する。フランスは一八〇〇年、第三次サン・イルデフォンソ条約でスペインからルイジアナを取り戻し、そこを拠点としてサン＝ドマングの再征服を図ったが失敗したばかりであった。そこでナポレオンはこの提案を受け、一八〇三年、ルイジアナを米国に売却する（橋川 二〇一七：一三六頁）。つまり、米国政府は外交を通じて開拓すべき領土を確保したのである。西部開拓は外交問題でもあった。ジェファーソンはさらに、ルイスとクラークにルイジアナの境界画定を名目とする探検（一八〇四–〇六年）を命じている。実際には、二人の任務は、中国との毛皮交易に従事する商人たちが太平洋岸でも活動できるよう、大陸を最短距離で横断するために通行可能な連水陸路を見つけることであった（森永 二〇一八：一二四頁）。ジェファーソンは西部開拓の先に、太平洋を通じてのアジアへの進出さえ視野に入れていたといえる。

米国政府はスペイン領アメリカ植民地も領土拡大の対象と見ていた。発端は、前出の第三次サン・イルデフォンソ条約にある。スペインはルイジアナをフランスに返還したが、その領土の境界線を明確に示さなかったため、一八〇三年以降西フロリダの領有をめぐり米国との間で争いが起きた。米国は西フロリダもルイジアナに含まれると主張したのである。一八一〇年、ジェイムズ・マディソン大統領は一方的に西フロリダ一部の併合を宣言するにおよんだ

（ウッダード 二〇一七：上巻二六七頁）。

米国政府はイギリス領カナダとの間でも同様の問題を抱えることとなる。一八〇六年のナポレオンによる大陸封鎖でイギリス経済は打撃を受けたが、中立国だった米国がフランスとの通商を維持していたため、これを対敵協力と見なしたイギリスは米国商船を拿捕しただけでなく、米国人船員を強制徴用するにおよんだ。米国の世論は反イギリス色を高め、連邦議会でもカナダに侵攻すべきとする勢力が増すのを受け、米国政府は一八一二年、イギリスとの戦争に突入した。結局、イギリス領カナダの併合は失敗したが、南部ではスペインから西フロリダの残りの領域を奪うこととなった（鈴木 二〇二二：二八頁）。

以上みてきたように、一八世紀末から一九世紀初頭の米国の経済、政治エリートにとり、勢力圏の拡大は太平洋、大西洋、カリブ海への進出と密接不可分であるとともに、西部開拓ですら大西洋世界における覇権争いにどう関与するかという外交問題だったのである。米英戦争でフロリダを併合できたのは、この覇権争いにおけるスペインの地位低下を反映したものだった。第二節で述べるように、スペイン本国は政治的混乱の渦中にあった。米国エリート層のスペイン領アメリカ植民地への関心は高まり、フロリダとともにターゲットとされたのがスペイン領テキサスであった。

二、グティエレスの反乱と米国の対応

まず、スペイン領テキサスが一八世紀末から一九世紀初頭にかけ、いかなる状況にあったのかを、見ておこう。テキサス植民地は、メキシコ市に政庁を置くヌエバ・エスパーニャ副王領北東端に位置し、フランス領ルイジアナとの緩衝地帯、ないし境界地域としての役割を担っていた。そこに暮らす先住民は主として狩猟・採集に従事し、定

住しておらず、スペイン人入植者は彼らを農牧業に動員できなかった。先住民たちの襲撃やフランスとの境界争いが絶えない上、入植者を惹きつける銀山なども発見されず、植民は進まなかった。スペイン王室が本格的に入植を推進したのはようやく一八世紀に入ってからのことで、大西洋上のカナリア諸島に暮らすスペイン人と、かつてコルテスによるアステカ王国征服に協力したトラスカラの先住民とを移住させ、サンアントニオに総督府を定めたのである。しかし、農業も鉱山業もうまくいかず、ほぼ牧畜だけに依存せざるをえないテキサスのスペイン人社会にとり、メキシコ市経由でしか入ってこない正規の生活必需品は高価すぎ、「テハーノ」と呼ばれたスペイン人たちはルイジアナに暮らすフランス人やイギリス人、独立後は米国人との密貿易でなんとか生計を立てていたのである。本来、防衛上の観点からスペイン本国が任命したテキサス植民地総督ですら、テハーノの密貿易を取り締まる一方で、銃や火薬をルイジアナから仕入れていたとされる。テハーノとスペイン本国出身の役人たちとの関係は良好とは言い難かった。そこに、独立後の米国人商人が流入し、テキサス東部のナカドーチェスは密貿易の拠点となるが、米国人民衆による西部開拓はここでも次第に外交問題へと発展していく(二瓶 二〇一二:一四一—一四三頁)。

スペイン帝国内では辺境に位置するテキサスではあったが、密貿易のおかげで大西洋世界との接続は保っていた。一八〇八年五月、ナポレオンはスペイン国王フェルナンド七世を退位させ、自らの兄ジョゼフをホセ一世として王位につけたのだが、その知らせは同年八月、ルイジアナからフランスの民間人によりテキサスにもたらされている(Alamán 1985: 297)。グティエレスの反乱は、フェルナンド七世の退位がスペイン帝国全体に惹起することになる大西洋革命第三波の一コマでもあるので[1]、この第三波の展開に目を転じることにしよう。

フランスの歴史家フランソワ・ゲーラによれば、大西洋革命第三波は米国独立革命やフランス革命のたんなる模倣、ないし余波ではない。一八〇八年、ナポレオンが兄をホセ一世としてスペイン王位につけたことは、想定外の規模の政治的変動を生んでいく。スペインではこれに反発した民衆が蜂起し、スペイン本国に暮らす者たちによるナポレオンからの「独立」革命が始まるが、彼らはフランス軍により南部の港町、カディスに追い詰められる。陥落を免れたのはイギリス海軍の支援による。フェルナンド七世への忠誠を誓いつつ、新たな国制を定めるべく一八一〇年に開催されたのがカディス議会だった。議会への召集状はスペイン帝国全域に送られ、誰を議員として選ぶのか、その議員にどんな使命を付託するのかをめぐり、北はテキサスから南はチリ、西はフィリピンまで政治的議論が沸騰し、様々な選択肢が提示された。スペイン帝国における大西洋革命第三波は、ナポレオンに対抗するための政治路線をめぐって始動し、大西洋両岸で同時進行していく(Guerra 1993: 19-54)。

メキシコの場合、フェルナンド七世に対する忠誠を維持する点で、対立は見られなかった。問題は、国王が不在であるいま、副王領をどう統治すべきかにあった。植民地政庁のトップである副王はクリオーリョたちと協力し、彼らの意見を取り入れながら自治体制をとるべきとしたのに対し、本国出身者たちの大半と本国とのつながりの強いクリオーリョ・エリートの一部は既存の統治機構になんら変更を加えるべきでないと考え、副王を武力で退任に追い込んだ。クリオーリョの大半は穏健な自治拡大路線をとっていたが、本国出身者たちの横暴を前にして、その一部が急進化し、独立をも志向しはじめる。その陰謀が一八一〇年九月に露見すると、民衆を率いて武力蜂起の先頭に立ったのがミゲル・イダルゴであった(Ávila y Jáuregui 2010: 363-372)。

イダルゴたちも当初は、植民地政庁から本国出身者を追い出し、クリオーリョが統治を担う程度のことを目指していたらしい。しかし、王党派の追及を逃れるべく民衆を動員したことで、急進化が加速した。先住民インディオに課せられていた人頭税の廃止といった社会改革を掲げると同時に、占領した地方都市で本国出身者を虐殺するなどして、クリオーリョの多くを離反させてしまう。イダルゴは数的優勢にもかかわらずメキシコ市に攻め入らず転進したことで、民衆の支持をも失い、一一月に入ると、態勢を立て直した王党派軍に敗れ、北部へと敗走し、翌年七月、チワワで王党派軍に処刑された(Ávila y Jáuregui 2010: 372-374)。

テキサスも大西洋革命第三波の舞台となる。カディス議会への召集やメキシコ中央部でのイダルゴの蜂起の報を受け、クリオーリョ／テハーノたちもいかなる政治路線をとるべきかを模索しはじめたのである。たとえば、一方で、メキシコ独立後、テキサスとともに一州を形成するコアウイラ地方からはホセ・ミゲル・ラモス・アリスペがカディス議会議員に選出され、他のアメリカ植民地選出議員とともに自治権拡大のために尽力する(Ávila y Jáuregui 2010: 365)。他方で、一八一〇年一二月、フアン・バウティスタ・デ・ラス・カサスというクリオーリョの退役軍人に率いられた一団はイダルゴらの動きに刺激を受けてか、本国出身の官僚をサンアントニオの政庁から追放する計画を立て、翌年一月二二日、武装蜂起して臨時政府を樹立する道を選んだ(2)。反乱軍はスペイン本国出身の総督たちの率いる王党派軍を打ち破り、ルイジアナとの境界に近い東部のナカドーチェスをも制圧した。先に述べたように、ナカドーチェスは米国人との密貿易の拠点であり、住民の要望を熟知していたカサスらは、今後テキサス－ルイジアナ間の自由貿易が可能となることを伝えたとされる。

しかし、カサスによるテキサス統治は長く続かなかった。メキシコ中央部での独立派民衆による本国出身者の虐殺や王党派の盛り返しも影響したのだろう。カサスに反対する住民が現れ、王党派軍と結束し、一八一一年三月二日にカサスを捕らえた。その場でイグナシオ・デ・アルダマとフアン・サラサールという独立派将校二名も捕縛された。王党派軍に敗れたイダルゴらは米国からの支援を取り付けるべく北上していたが、この二名は一足早くサンアントニオに入っていたのである。彼らはチワワに送られ、七月、独立派の指導者だったイダルゴやイグナシオ・アジェンデと共に処刑されるにいたった。

こうしてテキサスに達した大西洋革命の波は後退したかに見えた。しかし、サンアントニオから約三五五キロメートル南に位置するヌエボ・サンタンデール地方レビージャで、ホセ・ベルナルド・グティエレス・デ・ララというクリオーリョが頭角を現す。彼はイダルゴが蜂起して以来、サンルイスポトシやテキサスをはじめとする南北の独立派と連絡を取りつつ、北部四地方(テキサス、コアウイラ、ヌエボ・レオン、ヌエボ・サンタンデール)をスペインの支配から解放しようと模索していた。イダルゴやアジェンデがモンクローバ近郊に到着した際、グティエレスは彼らに会いに行き、北部独立解放軍の大佐に任命され、陸路でワシントンに向かい米国からの支援を取り付けたのちテキサスおよび北部周辺地域で反乱を起こすよう、命じられた。イダルゴらが王党派に捕らえられ、処刑されたにもかかわらず、王党派から逃れてきたメンチャカという兵士らの支援を得て、グティエレスは八月、レビージャを後にした。サンアントニオには王党派軍がいたため、そこには入らず一行はルイジアナに向かった。メンチャカらはそこに残って軍を組織し、一足先にテキサスで蜂起することとなり、グティエレスは計画通りにワシントンに向かい、目的地に到着したのは一二月一一日のことだった。

グティエレスは陸軍長官や国務長官と交渉した。グティエレスによると、米国がメキシコの独立解放を援助すべき理由は以下の三点であった。第一に、米国がメキシコの独立を支援した場合、ヨーロッパ列強より良い条件でメキシコとの友好関係を結ぶことになり、米国の貿易や経済活動が一層活性化される。第二に、同じ北アメリカ大陸に位置するため、メキシコの問題は米国の問題として認識すべきである。第三に、現在スペイン本国および植民地での混乱に乗じてヨーロッパ列強がメキシコへの関心を強めており、もしいずれかの国がメキシコを支配した場合、米国も将来ヨーロッパ列強の脅威にさらされるおそれがある。

米国政府は諸外国と中立の立場にあるとの理由からグティエレスへの援助を断った。その背景には、当時米国はイギリスと緊張関係にあったことや、フロリダをめぐりスペインと交渉中であったことがあげられる。米国側は交渉の過程で、グティエレスにひとつの提案をした。購入したルイジアナには、スペイン支配下にあるリオグランデ川までの地域が含まれているため、米国がそこに軍を送り、そこからメキシコの独立解放軍を支援する、というものであった。グティエレスは、自身がその軍の最高指揮官となり、リオグランデ川に到着するまで彼の命令に米国人兵士たちが従い、それ以降はメキシコ独立解放軍の命令に従うのであれば、提案を受け入れると述べた。米国案によればリオグランデ川北岸に位置するテキサスは米国領ということになるため、グティエレスはそれを回避する対案を出したのであった。米国側も譲歩せず、交渉は不調に終わる。

交渉決裂後、グティエレスはワシントンに滞在し、スペイン領アメリカ植民地各地から集まっていた独立派の指導者たちと情報を交換しつつ、メキシコ各地で蜂起した諸勢力を北から支援する方法を模索していた。そしてある日、キューバ生まれのホセ・アルバレス・デ・トレドと出会った。トレドは前出のカディス議会にサント・ドミンゴの代表として参加し、スペイン領アメリカ植民地の独立を訴えたが、退けられ、一八一一年、米国に亡命し、キューバでの反乱を計画していたが、グティエレスの計画に加わることにした。二人はワシントンを後にし、フィラデルフィアのアイラ・アレンという商人のもとに身を寄せた。アレンは当時、スペイン領アメリカ植民地との貿易に関心を抱き、亡命してきた独立派の指導者たちを受け入れていた。グティエレスとトレドもアレンの家でそれらの指導者たちと親交を深め、テキサスでの反乱計画を具体化していく。そして、グティエレスがルイジアナで英語話者、先住民などの義勇兵を集めテキサスで蜂起する一方、トレドはフィラデルフィアから反乱を支援することで合意した。一二年二月、グティエレスは船でフィラデルフィアを後にした。

ルイジアナ州ナッキトッシュに到着すると、グティエレスはウィリアム・シェイラーとウィリアム・マギーという二人の米国人の協力を得た。シェイラーはもと商人であり、一八〇二年にはスペイン領アメリカ植民地で貿易することを目的として太平洋岸を航海した経験を持つ。この航海でチリのバルパライソに寄港した際、スペイン支配を不満に思うクリオーリョに対し米国独立宣言が記された印刷物を配り、植民地独立の重要性を訴えたと言われている。この航海で培ったスペイン領植民地に関する知識が評価され、シェイラーは一八一二年、連邦政府特別代理人としてナッキトッシュに派遣された。彼の任務は、メキシコと友好関係を築くことと、独立解放軍の動きをワシントンに伝えることであった。シェイラーはグティエレスにアドバイスをしたり、反乱のために必要な経費の一部を負担したりしていた。米国連邦政府は公にはグティエレスの反乱を支援しなかったが、シェイラーをはじめとする現地の官僚や住民が個人的にグティエレスを支援することを妨げなかった。

ウィリアム・マギーは当時米国陸軍中尉であったが、グティエレスと出会いメキシコ独立解放の動きに興味を持ったため、陸軍を辞めて反乱に加わった。そして一八一二年四月から七月にかけて、グティエレスはテキサスの住民やスペイン支配下にはない先住民、王党軍脱走兵などを集め、マギーはルイジアナ中立地の住民やミシシッピ、ケンタッキーなどから来た義勇兵を集める形で、テキサスに侵攻する準備を進めた。軍の名前は「北部共和軍」であった。米国人義勇兵は、表向きテキサス植民地の独立のために自発的に集まった者たちとされる。当時、米英戦争中だった米国の世論は反英感情で沸騰しており、その延長線上でテキサスによる反スペイン闘争に加わった者もいたようだが、多くの参加者はテキサスとの密貿易に従事する米国民であり、なんらかの実利を得られると考えたのだろう。いずれにせよ、メキシコ独立解放軍は、再活性化した米国独立革命の申し子たちと協力し、テキサスで蜂起することとなる。

ナッキトッシュで北部共和軍が組織されている間、それを知ったスペイン人植民地官僚はルイジアナ州知事に抗議したが、知事は米国人義勇兵の北部共和軍への参加を阻止しなかった。一八一二年八月、北部共和軍はテキサスに侵攻し、ナカドーチェスを無抵抗で制圧した。その後ラ・バイーアに移るとスペイン王党派軍と三カ月にわたり交戦し、マギーは命を落とした。しかし北部共和軍は一三年四月二日、サンアントニオを攻略するにおよんだ。その四日後、グティエレスはメキシコの独立を宣言し、サンアントニオの住民と共にテキサス州暫定政府を立ち上げたのち、「一八一三年四月一七日テキサス憲法」を発表した。この憲法の中でテキサス地方は「テキサス州」と改められ、メキシコ共和国に属する不可侵の領土であることが宣言された。シェイラーは、テキサスを米国領とみなす連邦政府の代理人として独立宣言に不満を抱き、翌五月、グティエレスを更迭してトレドを北部共和軍の新たな指揮官に命じた。しかし、トレドは八月、メディーナでスペイン王党派軍に敗北し、撤退を強いられたのである。

グティエレスはなぜサンアントニオでメキシコの独立とテキサスをメキシコの州とすることを宣言したのか。ワシントンでの経験は、米国指導者層の領土的野心を教えてくれた。グティエレスは米国からの援助をうけるとしても、米国によるテキサス領有は阻止すべきと考えるにいたっていた。米国の機先を制すべくとった措置が、独立宣言だったのだろう。

以上をまとめると、グティエレスの反乱は、スペイン領アメリカ植民地における大西洋革命第三波と、米英戦争という形をとった大西洋革命第一波の余波とがテキサスで接続して発生した、特異な事例だといえよう。ただし、カサスやグティエレスにせよ、彼らを鎮圧する側に回ったテハーノにせよ、反乱を支援した米国人義勇兵にせよ、革命に翻弄されるがままでもなければ、国家の大義に従うだけの存在ではなかった。彼らは、テキサスという境界地域固有の論理に基づき、行動していたようなのだ。[3] イダルゴらの独立派軍を掃討したスペイン王党派軍を前に、米国はいったんテキサス併合をあきらめたが、王党派軍の主力もクリオーリョ／テハーノだったのである。次節では、この王党派軍を前にしてメキシコがいかにして独立を達成し、新たな政治体制を模索していくのか、そしてテキサスの住民たちが独立を求めるにいたる経緯を、彼ら自身の目線から検討することにしよう。

三、独立後のメキシコにおける大西洋革命の継続とテキサスの独立

独立後のメキシコは政治的混迷を極めた。スペインからの独立戦争が長期化したため多くの人命を失い、国家財政は破綻し、政治路線をめぐる抗争が常態化するのに加え、西欧諸国の度重なる介入などが、その原因として指摘されることが多い。ここでは、大西洋革命の継続という視点から理解していきたい。

メキシコの独立戦争はイダルゴが死んでからも一〇年ほど続いた。それは、自由主義的傾向を帯びた独立派に対する、王党派による抑圧の歴史だったといえる。一八一四年、ナポレオンの失脚にともないフェルナンド七世が復位し、一二年に制定された自由主義的なカディス憲法の効力を停止すると、メキシコにおける王党派の優位はほぼゆるぎないものとなったように思われた。ところが、二〇年、スペインでクーデターが発生し、自由主義者たちの主導する新政権がカディス憲法を復活させたのである。これは、独立派の自由主義的傾向を恐れてきた王党派にとり、悪夢にほかならなかった。イダルゴら独立派軍の鎮圧に貢献したクリオーリョの軍人、アグスティン・デ・イトゥルビデが二一年、王党派の本国出身者、クリオーリョ、さらにはかつての独立派の一部を糾合して独立を宣言し、二二年に初代皇帝に就任したのは、大西洋革命の申し子としてのカディス憲法の呪縛から逃れるためだったともいえる(Ávila y Jáuregui 2010: 374-394)。以後、メキシコ政治は、保守主義者と自由主義者のあいだの絶えざる抗争によって特徴付けられることとなる。

さて、一八二三年にイトゥルビデを国外に追放した自由主義派は翌二四年、メキシコ合衆国連邦憲法を制定し、連邦共和国をスタートさせた。しかし、すでに指摘したように、それは苦難の連続だった。保守主義と自由主義の抗争に拍車をかけたのは、中央と地方の対立である。イトゥルビデの亡命が物語るように、メキシコは広大な領土を有するものの、政治路線をめぐる対立ゆえに諸地方を統合する指導者を持つことができなかった。その結果が、連邦共和制を主張する地方の自由主義派と、メキシコ市を中心とする中央集権体制を主張する保守派の間の抗争の持続である。自由主義派は中産階級や法律家・医者など専門職のクリオーリョやメスティーソが中心で、米国独立革命、フランス革命、カディス憲法の思想を受け継ぎ、中央政府ではなく州政府に大幅な権限を譲渡し、地域が自立して独自の政治を実施できる体制を望んだ。代表的な人物は北部コアウイラのラモス・アリスペ(前出)やバレンティン・ゴメス・ファリアスであった。一方保守派はメキシコ市を拠点とする、大土地所有者や軍人、聖職者といったように植民地時代の特権階級に属する人々が中心で、植民地時代の伝統を否定せず、中央集権制による国民統治と漸進的かつ部分的な改良が賢明だと考えていた。代表的な人物はルカス・アラマンやアナスタシオ・ブスタマンテであった(国本 二〇〇二：一五一頁)。

前述した歴史家ゲーラは、独立後の混乱を規定するメカニズムを次のように説明している(Guerra 1988: 182-212)。一つの地方だけで中央に対抗することはできず、中央だけですべての地方を抑えることもできない。中央、すなわちメキシコ市が諸地方を統合しえたのは、あくまで王権の代理人たる副王が統治機構の頂点に君臨し、本国とのつながりを独占するとともに教会の助けをえて人心を掌握しえたからだった。しかし、三〇〇年にも及ぶスペイン植民地支配体制の中、メキシコの各地方では、中央からある程度自立した地域社会や権力構造が形成され、諸地方と中央とで利害が相反する局面も生まれていた。独立は、誰もが承認しえる権威の消滅を通じ、諸地方と中央の利害の不一致を明るみにさらす。主権の担い手たる人民や人々をまとめる型としての国民は理念にとどまり、社会の実態は旧体制のままであった。理念と実態の乖離を前にして、政治は分裂や衝突を繰り返す。これを乗り越えるには、独立戦争中、独立派も王党派も認識したように、最後は実力／武力がものをいう。独立後の政治路線上の抗争と中央と地方の対立を勝ち抜くには、武力を備えた統領、カウディーリョへの依存が必要となる由縁である。だからこそ、自由主義者も保守主義者も各地に生まれるカウディーリョを容認したのである。カウディーリョには、地方の要求を中央に伝える機能もあったから各地に誕生し、その離合集散がこの時期の政治史を左右することとなる。

テキサスが独立運動を開始したときのメキシコ大統領であったアントニオ・ロペス・デ・サンタアナは、カウディーリョの原型ともいうべき存在である。彼はベラクルス州出身のクリオーリョであり、独立戦争では王党派軍騎兵隊将校として独立派鎮圧に活躍した。しかし、王党派が自由主義的スペインからの独立を達成しようとしたとき、彼もまた「独立派」に鞍替えした。その後も情勢に応じ、自由主義派、保守派を軍事的に支援した。一八二九年、スペイン軍がメキシコの再征服を狙い侵攻してきたとき、スペイン軍を破ったことで、サンタアナは国政に担ぎ出される。三三年、大統領に選出され、副大統領には急進的な自由主義者ゴメス・ファリアスが就いた。就任直後サンタアナは病気を理由に執務のほとんどを副大統領に任せたため、三四年までメキシコでは自由主義政権のもと急進的な改革が進められた。教会が蓄積した財産は譲渡・売却され、農民が教会に支払う十分の一税は廃止され、聖職者の政治介入も厳しく制限された。これに強く反対した保守派が一八三四年にクーデターで政権を奪取すると、サンタアナを担ぎ出し、三五年には二四年に導入された連邦制を停止するにおよんだ(国本 二〇〇二：一六六－一七六頁)。大西洋革命はかくして、一八三五年のメキシコにおいて反革命体制を生み出した。テキサスの住民が独立を求めたのは、このような状況下においてであった。

通説によれば、グティエレスの反乱以後も、米国政府と米国民の一部はテキサスへの関心を失わなかった。「ヴァージニア王朝」最後の大統領であるジェイムズ・モンローは一八二五年、ジョエル・ポインセットを初代全権公使としてメキシコに派遣したが、ポインセットはテキサスを含む北部諸地域を米国に売却するよう、メキシコの自由主義者たちに働きかけたことで知られる。政権を握った保守派は一八二九年、好ましからざる人物として彼に国外退去を命じた(国本 二〇〇二：一八七－一八八頁)。他方で米国民は、メキシコ政府が当初、北部の開発を促すべく、テキサスへの米国人の入植を奨励したため、続々とテキサスに流入した。保守派はその流れを押しとどめるべく、同年、米国系入植者の経済的基盤であった黒人奴隷制を廃止し、さらにカトリックへの改宗義務条項を厳格に運用しようとした。そのため、米国系入植者は中央政府への反感を強め、サンタアナのクーデターが連邦制停止におよんだことで、独立への意思を固めたとされる(Vázquez 2010: 18-19)。

米国人歴史家デイヴィッド・ウェーバーはテキサス独立を、ルイジアナ買収からカリフォルニア買収にいたるマニフェスト・デスティニーが実現される過程の一コマとして、あるいは米国系入植者とメキシコ政府、メキシコ人住民の対立でもって説明する通説に対し、異議を申し立てている。彼によれば、米国系入植者の大半はテキサス東部に居住し、米国との貿易を主たる生業としていた。太平洋への展望を持つものはほとんどおらず、テキサス西部に暮らすスペイン系メキシコ人、テハーノたちと対立することも少なかった。一方で、西部に移住する米国系入植者はスペイン語を学び、テハーノとの共生を選んだ。宗教についても同様である。メキシコ政府は一八二四年の入植法で米国系入植者のカトリックへの改宗を定めていたが、彼らにカトリックへの改宗を強制することは一度もなかった。つまり、一八三〇年代前半までテハーノと米国人入植者は言語、宗教面で、共存していたのだ。民族的軋轢（あつれき）がテキサス独立の動きを生んだわけではない（Weber 2002: 135-136）。

米国系と接触する機会の多いテハーノの多くは自由主義者であり、政治上、多くの点で米国系入植者と意見が一致していた。一八三四年、サンタアナが中央集権化に舵を切ると、テハーノは、彼らと宥和関係にあるスティーヴン・オースティンを中心とする米国系入植者と連携し、激しく抵抗した。こうした米国系入植者は「平和派」と呼ばれ、一八三五年半ばまで米国系入植者の多数派を占めていた。テハーノと平和派が当初求めていたのは、メキシコからのテキサスの独立ではなく、コアウイラから州として分離独立し、地方自治を確立することであった（Weber 2002: 137-138）。つまり、彼らがサンタアナに抵抗したのは、大西洋革命に対する反革命体制に承服できなかったからなのだ。テハーノと平和派は、境界地域固有の歴史と論理に基づき、行動していた。

一方、米国人入植者の中には少数ではあるが、ウィリアム・トラヴィス率いる「戦争派」が台頭しつつあった。彼らはメキシコからテキサスの分離独立を求める野心的かつ好戦的な若者であり、一八三五年六月にはアナウワックのメキシコ軍駐屯地を攻撃した。平和派の米国系入植者は最初トラビスらの行為に反対し、テキサスがメキシコの一地方であり続けることを望んだ。しかし同年秋、すでに大統領職を辞していたサンタアナがテキサスへのメキシコ軍の派遣を決めると、平和派の入植者たちも意見を変え、メキシコ軍から家族を、そしてテキサスを守るべく、戦争派と共にテキサスの独立を求めて戦うことを決意した。テハーノもまた米国系入植者側につくか、メキシコ保守政権につくか、苦渋の選択を強いられる(Weber 2002: 138)。

ロレンソ・デ・サバラの事例を見ておこう。彼は厳密にはテハーノではなく、はるか南のユカタン半島でクリオーリョとして生まれ、独立運動に加わって投獄された経験を持っていた。一八二〇年、自由主義者によるクーデターに参加し、スペイン本国議会で活動したのち帰国し、イトゥルビデの独立計画を支持した。独立後は自由主義派の政治家として成功と挫折を味わった。外交官としてパリに駐在中、サンタアナによるクーデターの報を聞き、抵抗運動を組織すべく帰国するが、住民の大半がクーデターに反対しているテキサスに避難する。テハーノと米国系入植者の意向がメキシコからの独立に傾くと、彼らの意向を尊重し、テキサス共和国初代副大統領となる道を選んで間もなく病没した。その頃にはテキサスの米国への統合に賛同するにいたったとされる(Lozano 1997: 213-223)。彼が、テキサス国民の多くが黒人奴隷の所有者である事実をどう捉えていたのかは、伝えられていない。

サバラの選択は、一八三六年のテキサスにおいて大西洋革命第三波が現在進行形だったことを示している。次節では大西洋世界における覇権争いという視点に戻り、テキサス独立から米国併合にいたる過程を再検討していこう。

四、テキサス独立/併合をめぐる国際情勢

ウェーバーの議論は通説を、現地に暮らす米国系入植者とテハーノたちの視点から捉え直そうとする試みだといえる。たしかに、米国の政治エリートは外交政策をめぐって決して一枚岩ではなかった。したがって、政権が変わると外交方針が変わることも珍しくなかった。国力の増大にともなって対外膨張政策でも次々とステップを駆け上がり、大陸国家への変貌という所期の目標をクリアしたという通説には、結果から過程を理解しようとする無理があろう。(4)

また、ワシントンの政治エリートが決めた計画に従って国民、移民が一致団結して西部開拓を進めたわけでもない。テキサス独立戦争に義勇兵として参戦したデイヴィッド・クロケットがインディアン強制移住法を厳しく批判したのは、その好例である(ウッダード 二〇一七：下巻四五頁)。けれども、米国系入植者の間で戦争派が台頭し、テキサス共和国を独立させるにいたった経緯を理解するには、マクロな観点からの考察も不可欠なのである。

独立後のメキシコにおける政治的混乱はけっしてメキシコ人の政治的未成熟によってのみ説明できるものではない。最大の要因は、長引く独立戦争による経済インフラの破壊、スペイン本国による資本の収奪の結果としての財政の破綻にあったと見るべきだろう。メキシコ政府が資金を調達した先は、経済的関心からラテンアメリカ諸国の独立に好意的であったイギリスである。メキシコは一八二五年に修好通商条約を締結し、イギリスから借款の供与を受けるようになるが、それは手取り額が額面の五〇％という条件であり、対外債務は雪だるま式にふくらんだ(国本 二〇〇二：一六〇頁)。財政資源の枯渇が権力争いを激化させ、列強に介入の余地を与え、政治的混乱を助長したのである。

一八二三年にモンロー主義を打ち出したとき、モンロー大統領が懸念していたのは、メキシコなどラテンアメリカの新興国がこのような形で西欧列強の影響下に再び置かれる事態だった。しかし、イギリスによる借款供与を阻止することはできなかった。毛皮貿易でシベリアからアラスカまで領土を拡大していたロシアは、メキシコ領となったカリフォルニアへの領有権を主張し続けていた。二九年にスペインが再征服を図りキューバからメキシコに軍を派遣するのも、米国は防げなかった(国本 二〇〇二：一五八－一六〇頁)。つまり、米国は二〇年代末まで、大西洋世界においてモンロー主義を貫徹できないでいたのである。

米国大統領アンドリュー・ジャクソンは、独立を宣言したテキサス共和国とメキシコの戦争における「中立」を宣言するが、テキサス周辺の諸州政府はテキサス共和国を支援する。独立派の宣伝が功を奏したのだろう。米国民の一部も宣伝を受け、義勇兵としてテキサスに駆けつけた。その結果、独立派は一八三六年四月のサンハシントの戦いでサンタアナを捕虜とするにおよんだ。サンタアナは、自身の解放と引き換えにテキサスのメキシコからの独立を承認し(ベラスコ条約)、米国に亡命した。ワシントン滞在中、ジャクソン大統領は彼にカリフォルニアを三五〇万ドルで購入したいと打診したとされる。ジャクソンはその政権末期の三七年にテキサス共和国を承認した(Vázquez 2010: 54)。

一連の動きは米国の政治エリートの一部が一八三〇年代に入り、カリフォルニア、さらには太平洋、アジアへの関心を政策に転換するための自信をもち始めていたことを示している。実際、ジャクソンは三三年、イギリスを後追いする形で、シャムとの条約を結んでおり、大西洋、インド洋経由でのアジアへの進出を視野に入れていた。モリソン号事件が起きたのはまさに三七年のことだった(加藤 一九九四：六九頁)。テキサス問題を西部開拓という国内問題を越えた次元で把握、処理する下地が、米国エリート層には出来ていたのである。

対照的にメキシコ政府は、大統領を辞任していた一軍人にすぎないサンタアナが調印したベラスコ条約を無効とし、テキサス共和国を承認しようとしなかった。国内世論がそれを許さなかったのである。イギリスはこの態度が、メキシコに承認されないテキサス共和国の米国による併合につながることを恐れた。同様に、フランスは一八三八年から翌年にかけ、メキシコに暮らすフランス人の財産等を守るべく同国に派兵するなど(国本 二〇〇二：一六一頁)、南北アメリカ大陸への野心を捨てておらず、米国がテキサスを併合すれば南北アメリカ大陸における勢力均衡を崩しかねないと懸念していた。そこでイギリス、フランスはテキサス共和国を承認したうえで、メキシコ政府の説得に努めていく[5]。ここに、テキサス承認問題は、大西洋世界における覇権争いの一環へと転化した。

一八四一年、イギリスのアバディーン外相はメキシコ政府に極秘文書を送り、メキシコ政府が承認を遅らせればカリフォルニアでもテキサスと同様の事態が発生する可能性があると指摘し、テキサスを承認すればイギリスはメキシコの領土保全を保証すると伝えた。しかしメキシコはこの提案に応じなかった。翌四二年、今度はテキサス共和国側がイギリス政府にメキシコとの停戦のための仲介を依頼したが、これはイギリス外相から英、仏、米による仲介といら非現実的な提案を引き出すにとどまった。イギリス外相は米国の強硬姿勢を確認すると、テキサス共和国の承認と引き換えに英、仏がメキシコの領土保全を約束すると提案を修正したが、結局、メキシコ政府はこの修正提案にも応じなかった(Vázquez 2010: 48-50)。

一八四二年、海軍にメキシコ領カリフォルニアのモンテレイ港を攻撃させるなど、米国は北アメリカ大陸太平洋岸への領土的野心を露わにした。イギリス外相が米国によるカリフォルニア併合の可能性をメキシコ政府に警告するにあたり、彼が念頭に置いていたのは米国とのオレゴンをめぐる対立であり、テキサス問題はオレゴン問題と連動し、国際関係上の勢力均衡を崩しかねないと懸念していたのである(Vázquez 2010: 53-55)。実際、四一年以降、米国ではオレゴンへの移住を目指すオレゴン熱が高まり、四三年にはイギリスを排除してオレゴン全域を獲得せよと主張する者まで現れた(貴堂 二〇一九:四七―四八頁)。

この対立は、新たな次元で展開していた。一八五〇年代に展開される米国の対日外交の背景を探るなかで、幕末外交史家の加藤祐三は、すでに四〇年代の米国エリート層のなかには東アジアにおいてイギリス、フランス、オランダ、ロシアに優越するには太平洋航路の確立が不可欠だとする発想が芽生えており、この新たな太平洋をめぐる覇権争いとカリフォルニア、オレゴンは直結していたと指摘している(加藤 一九九四:五九―六四頁)。つまり、テキサス問題もすでに太平洋をめぐる覇権争いと連動していたのである。

一八四五年、テキサス併合とオレゴンの獲得をスローガンに掲げたジェイムズ・ポークが大統領に就任すると、事態はメキシコ政府の想定をはるかに超える速度で展開していく。七月、テキサス共和国が米国への加入を表明すると、上下両院の共同決議でテキサス併合承認案が提案され、可決される。一二月、テキサスは奴隷州として米国に併合された(貴堂 二〇一九:四九頁)。メキシコ政府は米国大統領選をにらみ、ようやくテキサス共和国承認に向けて本格的に動きだし、四五年五月に承認条件を記した文書をイギリス人仲介者に託し、文書はフランス船でテキサスに運ばれたが、手遅れであった(Vázquez 2010: 50)。

西欧諸国は米国の領土拡張を強く警戒した。スペインは一八四五年、米国の次なる標的がキューバであろうと懸念し、それを阻止するにはメキシコの政治的安定を確保せねばならず、そのためにスペイン出身の君主を擁立する計画を実施に移そうとした。オレゴン全域の喪失を恐れていたイギリスも協力したが、この計画はメキシコの政治情勢の混迷を深めただけだった(国本 二〇〇二:一七九頁)。米国の拡大を阻止するための西欧列強の干渉は、メキシコをさらなる窮地へと追いやったのである。

ポーク大統領はメキシコとの戦争準備を着々と進め、メキシコ側が受け入れないであろう条件を突きつけ、メキシコ側の拒絶を引き出した。そのうえで一八四六年五月、宣戦布告する。メキシコには、戦争を回避するにはオレゴン問題を抱えるイギリスと米国が戦争を開始する以外、道はなくなった。しかし、米英両政府はオレゴン条約交渉を開始しており、同年六月に条約を締結したため、メキシコ政府は取り残された(Vázquez 2010: 56)。

開戦後、米国軍は首都メキシコ市まで進軍制圧した。一八四八年二月二日、首都郊外で米国とメキシコは平和条約を締結する(グアダルーペ・イダルゴ条約)。メキシコはこの条約で、現在の米国カリフォルニア州、ニューメキシコ州、ネバダ州、ユタ州、アリゾナ州に相当する国土を、一五〇〇万ドルで米国に割譲することとなった(貴堂 二〇一九:五〇—五二頁)。

メキシコ領テキサスの米国系入植者中の戦争派が追求したメキシコからの分離、さらには米国への併合という短期的目標は、メキシコにおける大西洋革命の継続、ジャクソン政権期以降の米国政府の外交政策と国内世論の動向、大西洋・太平洋世界における覇権争いの展開という中期的な変動局面を抜きにしては、達成不可能だったのではなかろうか。

五、ルイジアナからカリフォルニアまで

本稿では一九世紀前半のテキサスに焦点をあて、この時代の米国の領土拡張を、一国史的な西部開拓史の枠組みから解放し、太平洋、大西洋、カリブ海という海への関心と外交という視点から再検討してきた。その結果、米国エリート層の西部開拓への関心は、大西洋世界における覇権争いに規定されつつ、外交による国境の引き直しという形で、間歇的に高まり、続いて低下するサイクルに従っていたことが分かってきた。エリート層の関心が低い時期には、西部開拓が大陸内部における民衆や移民の自発的な運動のように見えなくもない。しかし、西部は、遊動的な生活を送る先住民だけが暮らす「フロンティア」ではなかった。そこには、人口密度がさほど高くなかったとはいえ、フランス、スペイン、イギリスが統治した植民地社会、後にはメキシコ国家が存在したのであり、西部開拓は必然的に外交的な処理を必要とし、複数の国家間の境界地域で展開したことを忘れてはならない。

スペイン領テキサスの場合、スペイン領ヌエバ・エスパーニャ副王領の北東端に位置する辺境であったが、フランス領ルイジアナと隣接する境界地域でもあった。その結果、大西洋世界における覇権争いの影響を免れなかった。大西洋革命第三波はナポレオンによるスペイン国王フェルナンド七世の退位を契機として大西洋の両岸で同時進行し、テキサスにはルイジアナとメキシコ市という二つの経路を通じて波及し、第一波の米国独立革命の再活性化の余波と接続し、この地域に暮らす人々にいかなる政治路線、体制を選ぶのかを迫った。一八一二年に起きたグティエレスの反乱はこうして、地域固有の歴史的文脈のなかで展開すると同時に、スペイン政府と米国政府の外交問題を惹起せざるをえなかったのである。

第三波は反乱の失敗、メキシコ独立で終わったわけではない。一八二一年の独立達成後のメキシコでも、大西洋革

命は継続し、それが政治的混乱の一つの原因とさえなる。そんななか、メキシコ領テキサス地方は、米国系入植者の流入と彼らの経済的基盤である黒人奴隷制の廃止をめぐり、独自の道を歩んでいく。一八三五年のサンタアナを担いでの保守派のクーデターは、多くのテキサスの住民にとり反革命であり、連邦制を停止することで中央政府による黒人奴隷制廃止令がテキサスに適用されることを恐れた米国系入植者とテハーノたちによるテキサス共和国の樹立を招くこととなった。

しかし、テキサスの独立は、地域住民だけの力で達成されたわけではない。米国のジャクソン政権は、大西洋世界における米国の地位向上を狙い、そのための手段として共和国を承認した。以後、イギリス、フランス、スペインはテキサス問題が米国による領土拡大および大西洋世界における勢力均衡の破壊につながりかねないと警戒し、介入するが、一八四〇年代に入り実力と自信を蓄えた米国エリート層はアジア、太平洋世界における地位向上をも視野に入れ、テキサス併合、アメリカ・メキシコ戦争へと突き進んだ。

通説は、米国の大陸国家化という結果の大きさに圧倒され、ジェファーソンの設定した目標の達成に向け、米国政府、米国民は着々と努力を重ね、カリフォルニアを獲得することに成功した、と結論付けがちである。けれども、テキサスをめぐるジグザグとした歴史の歩みは、通説の非現実性を浮き彫りにしてくれるのではなかろうか。

注

（1）イタリアの歴史家カルマニャーニは、国際関係における南北アメリカ大陸の歴史上、米国独立革命、フランス革命、スペイン帝国における独立戦争を三つの転換点と捉えている(Carmagnani 2004: 140)。ここではこれを、大西洋革命における第一波、第二波、第三波と読み替えている。

（2）以下、カサスの反乱、グティエレスの反乱の記述は、二瓶（二〇一二）に基づく。

(3) 境界地域における住民の論理については別稿で論じている(二瓶 二〇一三：七八頁)。

(4) 幕末外交史家の加藤祐三は、米国政府の東アジア外交に関し、この点を的確に指摘している(加藤 一九九四：五八、八九―九〇頁)。

(5) イギリスは一九世紀半ば以降、外交交渉の場で奴隷制廃止を条件として突きつけたとされる。ところが奴隷制を合法化しているテキサス共和国を承認した。イギリス国内の奴隷制廃止論者たちは政府のこの決定を強く批判した(Huzzey 2012: 53)。

参考文献

ウッダード、コリン(二〇一七)『一一の国のアメリカ史――分断と相克の四〇〇年』上・下、肥後本芳男・金井光太朗・野口久美子・田宮晴彦訳、岩波書店。

加藤祐三(一九九四)『黒船前後の世界』ちくま新書。

貴堂嘉之(二〇一九)『南北戦争の時代 一九世紀』〈シリーズ アメリカ合衆国史②〉、岩波新書。

国本伊代(二〇〇二)『メキシコの歴史』新評論。

鈴木周太郎(二〇二一)「一八一二年戦争」梅﨑透・坂下史子・宮田伊知郎編『よくわかる アメリカの歴史』ミネルヴァ書房。

二瓶マリ子(二〇一二)「植民地時代末期テハスにおける独立運動――グティエレスの反乱を中心に(一八一二―一八一三年)」『ラテンアメリカ研究年報』三二号。

二瓶マリ子(二〇一三)「一八世紀末テキサス―ルイジアナ境界地域の形成過程――フィリップ・ノーランの家畜交易を中心に」『境界研究』四号。

橋川健竜(二〇一七)「アメリカ合衆国の形成と変容――独立戦争から南北戦争・再建まで」網野徹哉・橋川健竜編『南北アメリカの歴史』放送大学教育振興会。

増田義郎(一九八九)『略奪の海 カリブ――もうひとつのラテン・アメリカ史』岩波新書。

増田義郎(二〇〇四)『太平洋――開かれた海の歴史』集英社新書。

森永貴子(二〇一八)「毛皮が結ぶ太平洋世界」島田竜登編『一七八九年 自由を求める時代』〈歴史の転換期〉8、山川出版社。

Alamán, Lucas (1985), *Historia de México desde los primeros movimientos que prepararon su independencia en el año de 1808 hasta la época presente,*

vol. 1, México, Fondo de Cultura Económica.
Ávila, Alfredo y Luis Jáuregui（2010）, “La disolución de la monarquía hispánica y el proceso de independencia”, *Nueva historia general de México*, México, Colegio de México.
Carmagnani, Marcello（2004）, *El otro Occidente: América Latina desde la invasión europea hasta la globalización*, México, Fondo de Cultura Económica.
Guerra, François-Xavier（1988）, *México: del Antiguo Régimen a la Revolución*, Tomo I, México, Fondo de Cultura Económica.
Guerra, François-Xavier（1993）, *Modernidad e independencias: Ensayos sobre las revoluciones hispánicas*, México, Fondo de Cultura Económica.
Huzzey, Richard（2012）, *Freedom burning: Anti-slavery and Europe in Victorian Britain*, Ithaca and London, Cornell University Press.
Lozano Armendares, Teresa（1997）, “Lorenzo de Zavala”, Juan A. Ortega y Medina y Rosa Camelo（coords.）, *Historiografía mexicana, Vol III: El surgimiento de la historiografía nacional*, México, Universidad Nacional Autónoma de México.
Vázquez, Josefina Zoraida（2010）, *Décadas de inestabilidad y amenazas: México, 1821-1848*, México, Colegio de México.
Weber, David J.（2002）, “Refighting the Alamo: Mythmaking and the Texas Revolution”, Sam W. Haynes and Cary D. Wintz（eds.）, *Major Problems in Texas History*, Boston, Wadsworth Cengage Learning.

（附記）　諸事情により校正等の作業は編集委員が担当した。

集点 Focus

近代ヨーロッパとユダヤ人

野村真理

はじめに

まずは各国のデータがそろう一九三〇年代の人口統計を用いて、ヨーロッパのユダヤ人人口の分布を確認しておきたい。ポーランド三一一万（一九三一年）、ウクライナ一五三万（一九三九年）、ロシア九六万（一九三九年）、ベラルーシ三八万（一九三九年）、ルーマニア七六万（一九三〇年）、ハンガリー四五万（一九三〇年）、ドイツ五〇万（一九三三年）。

ユダヤ人人口の数え方は、ユダヤ教徒人口をもってそれにあてる場合や、人口調査において民族別帰属が問われる場合など、その基準は一様ではないが、ここでは細かい差には立ち入らない。ロシアでユダヤ人が集中するのはヨーロッパ・ロシア地域であり、これらの数字から、ヨーロッパのユダヤ人人口がドイツより東に大きく偏って存在することがわかれば足りる。フランスやイギリスなど、ドイツより西に位置する国にバルカン半島諸国のユダヤ人人口すべてを合わせても、その数は約一〇〇万にすぎない。ヨーロッパにおけるユダヤ人の定住は、古代ローマ帝国の支配が及んだ西部地域で始まるが、ユダヤ人人口の重心は一六世紀には完全に東へと移動した。

ヨーロッパのユダヤ人の近代は、どのようであったのか。答えに戸惑うのは、おそらく筆者一人ではあるまい。というのも、東西ヨーロッパでユダヤ人の近代はあまりにも異なるからである。さらに同じ東でも、ウクライナ、ロシア、ベラルーシのユダヤ人は、西ヨーロッパ型の国民国家を経験することなく社会主義国家においてはじめて近代的解放を得たが、彼らに信仰の自由はなかった。このような地域的相違を踏まえて本稿では、紙幅の関係上、後にソ連邦に組み入れられる地域には立ち入らず、前半ではドイツを、後半ではポーランドを取り上げる。なお本稿でいうドイツとは、一八七一年にドイツ帝国としてまとまる地域をさすこととし、一九世紀を通じて独立国家としては存在しなかったポーランドについては後述する。また、例えばドイツ語のJudeやそれに対応する欧米語に対して、日本語には、宗教的帰属を表す「ユダヤ教徒」と、民族的帰属に着目する「ユダヤ人」という訳語があるが、一八世紀末にいたるまでJudeと呼ばれた人びとは、両者が分離しがたい「ユダヤ教徒／人」という存在のあり方をしていた。まさしくこの分離が問題になったのがナショナリズムの世紀、一九世紀であり、本稿のユダヤ人は、宗教的帰属と民族的帰属の分離と非分離という緊張をはらんだ語として用いられている。

一、近代ドイツとユダヤ人

フランス革命の衝撃

ドイツのユダヤ人の「長い一九世紀」もまた、フランス革命とともに始まる。一七八九年の「人権宣言」は信仰の自由を明記し、一七九一年の国民議会はユダヤ教徒解放令を議決した。翌一七九二年、フランス革命軍は、革命に干渉するオーストリアやプロイセン軍を押し戻して反撃に転じる。一七九六年七月、フランクフルト・アム・マインに迫った革命軍が放った砲弾は、旧市壁の外側に沿って設置されたユダヤ人ゲットーを炎上させ、これによってユダヤ人は、三三〇年以上の長きにわたって彼らを隔離し続けたゲットーから解放された。

革命フランスは、短期間ながら西ヨーロッパと中央ヨーロッパのほぼ全域を支配下におく。一七九五年のバーゼル条約によってフランスに併合されたライン川左岸地方では、ユダヤ教徒解放令を含むフランスの法が適用され、一八〇六年に結成されたライン同盟諸国でも、ナポレオン法典が導入されたところでは、ユダヤ人はキリスト教徒と平等な市民権を手に入れた。一八〇六年の戦闘でナポレオン軍に大敗を喫したドイツ最大の領邦プロイセンもまた、ハインリヒ・フリードリヒ・フォン・シュタインとカール・アウグスト・フォン・ハルデンベルクの主導のもと、農民解放など近代化政策の開始を余儀なくされ、その一環として一八一二年三月、「プロイセン国家におけるユダヤ教徒の市民的諸関係に関する勅令」が発布される。これによってユダヤ人は、居住、土地取得、営業の自由その他の市民的諸権利と兵役その他の市民的義務の双方における平等を手に入れた。こうしたドイツ諸地域における解放の恩恵を受けたユダヤ人の一人が、一七九七年にデュッセルドルフで生まれたハインリヒ・ハイネである。ハイネは「フランス精神によって支配されていた」この街で、カトリックの修道会が経営するギムナジウムに通い、「たった一三歳にして、自由思想家たちのあらゆる学説について講義を受けた」のであった(ハイネ 一九九二:二一七頁)。

ハイネは生涯フランス革命への感激を忘れなかったが、ユダヤ人解放の実現においてミラボーなど初期の革命推進者に影響を与えたのは、プロイセンの高官クリスティアン・ヴィルヘルム・ドームが一七八一年に刊行した『ユダヤ人の市民的地位の改善について』である。さらにユダヤ人ではないドームをこの問題に導いたのは、ベルリンの啓蒙主義者のサークルで出会ったユダヤ人、モーゼス・メンデルスゾーンだった。啓蒙主義者にとって「ユダヤ人は、ユダヤ人である以上に人間」(Dohm 1781: 28)なのであり、同じ人間である以上、信仰を理由にあらゆる人間に平等であるべき権利の獲得が妨げられてはならなかった。しかし、いみじくもドームの著作が、啓蒙主義的視点と、ユダヤ人を個人としてプロイセン市民社会の有用な一員とするための官僚的政策提言の視点とを併せもつことに表れているように、ユダヤ人の解放は、人権や宗教的寛容の問題であったのみならず、ユダヤ人によって構成される中世的社団の解体でもあった。

ユダヤ教を信仰するドイツ人へ

近代以前、神聖ローマ帝国全域のユダヤ人のあり方を最終的に定めたのは、一二三六年に皇帝フリードリヒ二世によって認証された「一般特権」である。そこでユダヤ人は「皇帝直属隷属民」と位置づけられ、ユダヤ人に対する徴税権と裁判権は皇帝の大権とされた。一般特権は、ユダヤ人に対して信仰の自由、財産の安全、商売を営む権利等を認め、ユダヤ人とキリスト教徒とのあいだで発生しうる係争に関して細かい規定を定める一方、ユダヤ人同士の民事上の係争はユダヤ人による裁判に委ねている。皇帝は、税が納められるかぎり、ユダヤ人社会内部の事柄には介入しなかった。ユダヤ人は共同体の運営を司る長老職をみずから選出し、宗教上の指導者であるラビをみずから選考、招聘した。ユダヤ人による裁判は、通例、ラビとユダヤ教の律法に通じた学識者に長老職も加わる体制で行われ、罰金刑、名誉剝奪、体刑、破門等の判決が下された。

神聖ローマ帝国では、次第に皇帝支配が弱体化し、ユダヤ人に対する徴税権も皇帝の借金の抵当として都市や領邦諸侯の手に移行する。それに伴いユダヤ人に対する実質的支配権も彼らの手に移ると、ユダヤ人の自治に介入する都市や諸侯も現れ、さらに行政、司法の国家への一元化をめざす絶対主義的領邦君主が登場する一八世紀になると、ユダヤ人の自治は内外から切り崩されていく。プロイセン最初の啓蒙絶対主義的君主フリードリヒ二世は、ユダヤ人共同体の長老職の選出やラビの任命に介入して共同体の運営を監視下におき、一七五〇年にはラビの法廷が民事訴訟を扱うことを禁じる。他方でユダヤ人の側でも、キリスト教徒の裁判官への訴えがためらわれないようになった。というのも、ラビの権威が失墜して共同体統制が緩むに従い、ラビの法廷は強制力をもたなくなったからだ。

ユダヤ人の生活全般を規定するユダヤ教の律法は、人と人との関係を律する民法や刑法に該当する法と、人と神との関係を律する法とをもち、ユダヤ教において信仰と律法の実践は不可分である。とはいえ古代に国家的独立を失い、異教徒の土地に離散して生活するユダヤ人にとって、律法と居住地の法との調整は、つねに免れがたい問題であった。国家の編成原理における近代化とは、社団を単位とする国家・社会から、宗教から分離された法の一元的支配のもとで自由と平等を保障された個人が国民として国家に直結する国民国家への移行を意味する。この国民国家においてユダヤ教徒が平等な国民となるためには、ユダヤ教の近代化、すなわち律法において人の行為の外形を律する法と、人の良心を律する法とを分離し、前者を国家の法に委ねるユダヤ教自身の近代化もまた行われる必要があった。国制の近代化を開始したフリードリヒ二世統治下のベルリンにあって、『イェルサレムあるいは宗教の力とユダヤ教』(Mendelssohn 1783)の第一部でメンデルスゾーンが試みたのは、この分離のユダヤ神学的基礎づけである。しかし、ユダヤ教の律法の何がいまなお有効で、何がもはや無効なのか。メンデルスゾーン以後、これをめぐってユダヤ教徒は、改革派、新正統派、正統派など、さまざまな会派にわかれることになった。

もう一点、ドイツにおいてユダヤ人が対等な国民になるために必要不可欠と考えられたのがドイツ語の習得である。古代パレスチナのユダヤ人の言語であったヘブライ語は、ユダヤ教の典礼や研究の言葉としては生き続けたが、二世紀頃、話し言葉としての機能を失う。代わりに離散地のユダヤ人のあいだで誕生した言語の一つがイディッシュ語であり、ドイツ以東のヨーロッパのユダヤ人の話し言葉になった。文法や音韻はドイツ語に似るが、文字はヘブライ文字を用い、右から左に横書きされる。フランクフルト・アム・マインで生まれ育ったヨハン・ヴォルフガング・フォン・ゲーテが、少年時代、ユダヤ人ゲットーのわきで耳にした彼にとっていやらしいアクセントをもつ言葉がそれであり、メンデルスゾーンの母語もイディッシュ語だった。そのメンデルスゾーンがイマヌエル・カントと並び称される哲学者になれたのは、ドイツ語の習得によってヨーロッパ最高級の哲学、文学、自然科学を学ぶことができたからである。当時、差別からの解放を求めたユダヤ人のあいだに、彼らの「民族語」であるイディッシュ語の使用が認められねばならないという発想はなかった。ユダヤ人を強制隔離するゲットーの壁が破壊されなければならないのと同様、ユダヤ人が非ユダヤ人世界に対して内側から築いた言語の壁も、ユダヤ人自身によって破壊されねばならなかった。

しかし、ドイツ語を母語とする者は、すなわちドイツ国民なのか。

フランス革命軍に対する敗北は、当時、三〇〇以上もの領邦国家に分裂していたドイツの後進性を痛感させる。敗北の屈辱のなかから、領邦的分断を超えてドイツ人とドイツ人を結合する民族的アイデンティティの探求、一つのドイツ国民、一つのドイツ国家創出へと向かう運動が開始されるが、それはまた、近代以前の宗教的反ユダヤ主義とは別種のナショナルな反ユダヤ主義の登場でもあった。哲学者ヨハン・ゴットリープ・フィヒテは、人びとが領邦意識を克服し、共通のドイツ語によって民族精神が養われた真のドイツ人として、ドイツの愛国者となるように訴えるが、その愛国は必ずしも狭隘な排外主義と同一ではない。フィヒテはフランス革命の支持者であった。しかし、フィヒテは、国家と教会は分離されなければならないとしながら、ユダヤ人に市民権を与えることには反対する。その理由は、彼らがヨーロッパ各国の国境を超越して一つの強力な国家を形成し、国家の国境の内部にあっては国家内国家を形成しており、しかもそれらユダヤ人の国家は全人類に対する憎悪の上にうち立てられているからだった。フィヒテは、ユダヤ人に市民権を与えるためには、すべてのユダヤ人の頭を切り落とし、いかなるユダヤ的思想ももたぬ別の頭に付け替えるしかないとまでいう(フィヒテ 一九八七：一七五—一七六頁)。

ユダヤ教が色濃く民族宗教の性格をもつことは否定しがたい。それゆえプロテスタント神学者ハインリヒ・パウルスは、本質的に民族的であるユダヤ教の信者は、他の民族のもとで他の民族を指揮監督するような公職に就くことはできないとする(Paulus 1831: 147)。こうした論難に対し、一八四八年革命前夜のドイツでユダヤ人解放運動の闘士であったガブリエル・リーサーは、近代的国民国家において信仰の自由は譲れない一線だが、「ユダヤ教徒であること」

と「ユダヤ人であること」とは分離可能であり、後者に関して、この土地の生まれであるわれわれは、「ドイツ人であるか、さもなければ故郷なき者である」という(Riesser 1831: 39)。一八四八年八月のフランクフルト国民議会では、ユダヤ人に対するいかなる例外法の設置にも反対し、リーサーは演説の最後を次のように締めくくった。「ユダヤ人は公正な法のもとで、いっそう熱烈にして愛国的なドイツの信奉者となるでしょう。ユダヤ人はドイツ人とともに、ドイツ人のなかにあってドイツ人となるのです」(Stenographischer Bericht 1848: 1757)。

ここでパウルスとリーサーの両者が疑うことなく前提としているのは、ドイツ国民=ドイツ人という等式だが、そのさい「ドイツ人」は「ドイツ語話者」と同じ集合とは考えられていない。だが、ドイツ人を「ドイツ人」とするドイツ性とは何なのか。ユダヤ教を信仰する「ドイツ人」とはどのようなあり方なのか。一八九七年末の『プロイセン年誌』に掲載されたハインリヒ・フォン・トライチュケの論文「われわれの展望」に端を発するベルリン反ユダヤ論争(Boehlich 1988)にも見られるように、ユダヤ人は「ドイツ人」になりうるか、という不毛な議論は延々と繰り返され、ドイツ文化に同化したユダヤ人に疎外感を抱かせ続けることになった(野村 一九九二)。

経済的・人種的反ユダヤ主義

ナポレオン失脚後、ウィーン体制下でユダヤ人の解放は後退する。ユダヤ人に認められた市民権は、地域によって全面的あるいは部分的に撤回ないし制限が加えられた。一八四八年革命は、統一された立憲国家を創設することができず、結局、ドイツ全域のユダヤ教徒の法のもとでの平等は、一八七一年のドイツ帝国成立と帝国憲法制定を待たなければならなかった。一方、革命後、産業革命が急速に進展するなかで営業や移動の自由が実現し、経済活動におけるユダヤ人の解放は一足先に進行した。

近代以前、土地の所有や貸借を禁じられたユダヤ人は、農民にはなりえず、したがってユダヤ人は都市の住民というイメージがあるが、これは必ずしも正確ではない。十字軍時代以降、内陸および遠隔地交易の双方でキリスト教徒の商人が台頭すると、都市からのユダヤ人追放が頻発し、代わりにユダヤ人の受け入れ先となったのが荘園領主の領地だった。一九世紀のはじめ、ドイツのユダヤ人の八〇%は農村地帯に住み、農民を相手とする行商や畜殺業のほか、地域ごとにキリスト教徒と競合しない仕事に従事していた。経済的には重税を負わされ、ユダヤ人の四分の一から三分の一は貧困層に属した(Meyer 1996)。

ドイツ帝国成立時のユダヤ人人口は約五一万人(総人口の一・二五%)で、なおその七〇%以上が人口二万人以下の町しかない農村地帯に住んでいた。しかし、一八四八年革命後に本格化するユダヤ人の大都市への移動は、帝国成立後、加速する。一九一〇年には、ユダヤ人人口の五三%以上が人口一〇万人以上の都市の居住者であった。とりわけベルリンのユダヤ人人口は、一八七一年の三万六三二五人から、一九一〇年には一四万四〇四三人(ベルリンの総人口の四・三%)に急増する。過剰人口を抱えた農村から都市に流入した農民が不熟練労働者となり、都市の最貧困層を形成したのに対し、歴史的に商業に携わってきたユダヤ人は、比較的容易に自由主義市場経済の波に乗り、都市で自営業者として成功した者も少なくない。一八九五年の統計で、ドイツの全就業者のうち、商業に携わる者は一〇・六%であるのに対し、ユダヤ人の場合は六五・二%にのぼり、その六〇%が自営であった。ユダヤ系の銀行から有利な条件で資金を提供され、工場経営など大企業家をめざす者もおり、全体としてこの時期のユダヤ人の経済的上昇には目覚ましいものがあった(Meyer 1997)。

このことは、ユダヤ人の子弟の高等教育への進学率の高さにも表れる。近代以前、ユダヤ人男児の初等教育は、家庭教師によるか、あるいはヘデルと呼ばれる学校で行われた。伝統的なヘデルで学ばれるのはユダヤ教の聖典が中心で、算術やドイツ語の基礎も手解きされたが、一八世紀末になると、世俗的な科目を大幅に取り入れた新しいタイプの学校が登場する。さらに一九世紀半ばになると、ドイツのユダヤ人人口の半数以上が居住したプロイセンでは、ユダヤ人のほとんどすべての子供たちが、この新タイプのユダヤ人学校か、一八世紀はじめに設置が進んだ民衆学校で、キリスト教徒の子供たちと同じ初等教育を受けるようになる。プロイセンの一八一二年の解放令が適用された地域では、ユダヤ人学校の教授語はイディッシュ語からドイツ語に切り替えられ、ユダヤ人のドイツ語への言語的同化が急速に進行した。被差別民にとって学歴は、差別を克服する手段でもある。一九〇六／〇七年のプロイセン全体で、義務教育修了後の進学率は八％であるのに対し、ユダヤ人の場合は五九％に達し、大学への進学を前提とするギムナジウムの生徒数に占めるユダヤ人の割合は、ベルリンでは一八％と、ユダヤ人の人口比をはるかに上回った。法律上の平等が実現されても、社会的な偏見や差別が色濃く残るドイツ社会で、ユダヤ人は、弁護士、医師、ジャーナリストなど、個人の能力がものをいう専門職を好み、一九〇五／〇六年のプロイセンの大学で、ユダヤ人は法学部生の四一％、医学部生の二五％を占めた(Meyer 1997)。

新手の経済的反ユダヤ主義は、こうした自由主義時代の成功者と見なされたユダヤ人を標的として登場する。引き金となったのが一八七三年の恐慌である。先述したように、一八四八年革命後、波はありながらも成長を続けたドイツ経済は、一八七一年の普仏戦争勝利で一つのピークを迎える。フランスから流れ込んだ多額の戦争賠償金のおかげで市場に貨幣があふれ、帝国は株式会社創設熱に沸き立った。過去七〇年間にプロイセンで設立された株式会社の数は四一〇であったのに対し、わずか二年半の間に銀行、鉄道会社など七六六の新会社が設立された。しかし、バブル景気は、一八七三年、ウィーンの株式取引所閉鎖に始まる世界恐慌とも連動して一気にはじける。銀行や会社経営が次々に破綻し、職を失った労働者や破産した投機家は、自由主義市場経済の苛酷さを身をもって知ることになった。

ここで彼らの苦境の原因をユダヤ人に求めて登場したのが、新手の経済的反ユダヤ主義であり、その代表的な論客がジャーナリストのヴィルヘルム・マルやオットー・グラガウである。当時、景気循環を繰り返す市場経済においては免れがたい失業問題や、利潤追求を優先する資本家の搾取にさらされる労働者の劣悪な労働条件は、社会主義労働者運動を活性化させ、一八七五年にはドイツ社会主義労働者党が設立された。社会主義者にとって、自由主義市場経済において発生する社会問題は、経済システムを根本的に変革することによってのみ解決可能であった。これに対して経済的反ユダヤ主義者にとって、現行の経済システムは自明の前提であり、そこで株式暴落といった問題が発生するのは、暴利を求めるユダヤ人が投機をしかけ、市場経済を腐敗させるからであった。すなわち問題はユダヤ人が市場経済をゆがめていることにあり、その犠牲者がドイツ人だというのである(Marr 1879)。

さらに彼らの経済的反ユダヤ主義は、人種的反ユダヤ主義と結合する。一般に民族性とは、歴史的に形成され、学習によって伝承されるのに対し、人種とは、遺伝によって伝わる生得的特徴の共有による人間集団の分類をいう。これに対して、ヨーロッパで一九世紀後半から盛んになる人種主義の特徴は、民族性を人種的にとらえることにあり、たとえば『一九世紀の基礎』の著者ヒューストン・スチュアート・チェンバレンの「人種」とは、共通の歴史的、政治的、生物学的な諸要因によって成立する共同体をいう。人種的反ユダヤ主義者にとって、もはやパウルスとリーサーの議論は過去のものであり、投機に適合的な気質はユダヤ人の不変の人種性であった。ユダヤ人種とゲルマン人種は本質的に異質であり、現在の危機とは、そのユダヤ人種がゲルマン人種を支配下におこうとしていることだとされる。

彼らの主張は、恐慌後二〇年以上続いた不況下で進められた産業の高度技術化と重化学工業への構造転換のなか、淘汰の危機にさらされる小営業者や職人層に反響を見出す。ベルリンのプロテスタント牧師アードルフ・シュテッカーは、労働者が無神論の社会主義政党に取り込まれることを危惧し、一八七八年、国家による労働者保護を唱えてキリスト教社会労働者党を立ち上げるが、労働者の反響は芳しいものではなかった。そこでシュテッカーは、一八七九年の党集会演説で、マルやグラガウの主張を引きつつ反ユダヤ主義政党への路線転換をはかる(Stöcker 1880)。一八八一年には党名から「労働者」を削除し、キリスト教社会党と改名した。シュテッカーの党は、社会主義労働者運動が相手にすることのなかった社会の中間層の不満の受け皿となった。しかしながら人種的反ユダヤ主義は、この時代にはなお社会の周辺的な運動に留まっていた。

二、近代ポーランドとユダヤ人

ポーランド・ユダヤ人社会の形成

ポーランドのユダヤ人社会の中核は、文献史料に基づく定説によれば、十字軍時代以降、西ヨーロッパでユダヤ人迫害が激化するに伴い、東方に移住したユダヤ人によって形成された。ヴィエルコポルスカ公国のボレスワフ敬虔公が一二六四年に公国のユダヤ人に発したカリシュの特権は、その後、ポーランド王国全域におよぶ一般特権へと発展する。神聖ローマ帝国と同様、王は、納税と引き換えに信仰や経済活動の自由を認め、ユダヤ人共同体の運営やユダヤ人同士の裁判は彼らの自治に委ねた。一五六九年のルブリン合同で成立したポーランド＝リトアニア国では、同国を構成する四地方のユダヤ人の代表者を集めたヴァアドと呼ばれる評議会が開催され、同国のユダヤ人に対して一括課税された人頭税の四地方ごとの負担額の割り振りが協議されるなど、ユダヤ人の自治は独特の発展をみた。

しかし、王はユダヤ人に対する徴税権を維持し続けたものの、一六世紀に入ると、王による保護は王領地や王領都市を除いて維持されないようになり、ユダヤ人の実質的保護者は貴族領主に移行した。貴族領主のもとでユダヤ人は御用商人として活躍したほか、彼らの領地経営そのものに深くかかわるようになる。領主は、領主直営地の経営権のほか、酒の製造販売特権や、養魚池や水車小屋等の使用における領主の独占権をユダヤ人に貸し出し、その経営にあたらせたからである。同時期、西ヨーロッパでは、農民は領主による人格的支配から解放されつつあったのに対し、バルト海貿易で西ヨーロッパへの穀物輸出が活況を呈するなか、ポーランドでは、領主直営地における輸出用穀物増産のため、農民の賦役が強化された。領主直営地の経営権借用にあたって、ユダヤ人が領主に支払った元手を回収できるかどうかは、直営地からあがる穀物の量とその販売にかかっている。穀物輸出で潤う貴族領主の繁栄はユダヤ人の繁栄にもつながったが、賦役にあえぐ農民とユダヤ人の関係は、緊張をはらんだものにならざるをえなかった(野村 二〇二二)。

ポーランド会議王国のユダヤ人

一八世紀末、ドイツが国家統一への道を歩み始めたとき、中世の大国ポーランド＝リトアニア国は、ロシア、プロイセン、オーストリアによって三分割され、世界地図から姿を消す。第一次世界大戦後に独立を回復するポーランド共和国の版図は、一九世紀には、東部のロシア帝国領、一八一四／一五年のウィーン会議後にロシア皇帝を王として設立された中央部のポーランド会議王国、南部のオーストリア領ガリツィア、西部のプロイセン領にわかれ、ユダヤ人は地域ごとにそれぞれ異なる一九世紀を生きることになった。ここでは、独立回復後のポーランドでユダヤ人の五〇％以上が居住した会議王国を中心にみていく(1)。

ポーランド＝リトアニア国を支えたバルト海貿易は、一七世紀半ばには衰え始める。一八世紀になると、西ヨーロッパの穀物事情は大幅に改善され、穀物供給地としてのポーランドの役割はほぼ終わった。中小貴族のなかには、領地経営が破綻し、大貴族に領地を売却して、自身はその経営管理人に転落する者や、ユダヤ人を排除し、みずから利益の大きい酒の製造販売を手掛ける者も出るようになる。貴族領主に依存したユダヤ人の生業は転機を迎え、遅ればせながらもロシア帝国では一八六一年、会議王国では一八六四年に行われた農民解放が最後の打撃となった。会議王国では、成立当時はなお多くの都市が中世以来のユダヤ人不寛容特権によってユダヤ人の市内居住を原則的に禁止するか、禁止しない場合にも居住を狭い特定の地区に限定していた。しかし、ロシア帝国の近代的改革に着手したアレクサンドル二世によって会議王国の行政府の長に任命されたポーランド人貴族アレクサンドル・ヴィエロポルスキが、一八六二年にユダヤ人に対する居住の制限を撤廃すると、農村地帯のユダヤ人は都市に向かって本格的な移動を開始する。

一八一六年の会議王国のユダヤ人人口は二一万二九四四人(総人口の七・七九%)程度であったが、一八九七年には一二七万五七七五人(一四・五四%)に増加した。ヨーロッパの一九世紀は人口爆発の世紀であり、会議王国自体の人口も、一八一六年の二七三万人から一八九七年の八七六万人へと増加したが、ユダヤ人の場合、自然増に加えて、会議王国に接するリトアニアや東部のロシア帝国領ポーランドからの流入が増加に拍車をかけた。都市別に見ると、ワルシャワでは、一八一六年に一万五五七九人(総人口の一九・二%)であったユダヤ人人口は、一八九七年には二一万九一二八人(三三%)に増加し、繊維工業の中心地ウッチでは、一八五六年にはなお二八八六人(一一・七%)であったユダヤ人人口は、一八九七年には九万八三六八人(三一・八%)に増加する。同期間、一八一六年に八万人であったワルシャワの人口も、一八九七年には六九万人以上に増加し、ウッチは一八五六年の二万五〇〇〇人弱から、一八九七年には三一万人に増加するが、いずれも総人口の増加と比較して、ユダヤ人の増加率が顕著に高いことがわかる(Guesnet 1998)。

しかしながら、ロシア帝国のなかでは産業先進地であったとはいえ、会議王国の諸都市は急増する人口を吸収する経済力をもたなかった。一八八四/八五年にまとめられた統計によれば、会議王国のユダヤ人所帯主一九万七一六三人のうち、八万六五八八人については、商人業(四五・五%)、職人業(四三・二%)にといった生業が特定できるものの、半数を超える一一万五七五人は、生業が特定できない日雇いや臨時雇いその他であった(Guesnet 1998)。会議王国では、一八二二年にユダヤ人の伝統的な自治組織としての共同体は廃止される。共同体では、その共同体の運営を司ってきた長老組織にかわり、共同体構成員のなかから国家の当局に対して共同体監督の責任をおう「シナゴーグ監督官」が選出された。共同体のユダヤ人は、制度上はこの監督組織を介し、個人として国家の直接的な管理下におかれることになる。しかしながらこの措置は、伝統的共同体の解体や、ユダヤ人の国家への統合、世俗化にはつながらなかった。というのも窮乏するユダヤ人を支えたのは、結局、歴史的にこれまでのユダヤ人共同体で機能してきた互助組織でしかなかったからだ。

一九世紀の会議王国のユダヤ人のあいだで貧富を問わず信者をえたのは、世俗化とはむしろ逆行するハシディズムである。ハシディズムは、一八世紀中頃、ポーランド＝リトアニア国の南東地方で生まれた宗教運動で、創始者はイスラエル・ベン・エリエゼル・バアル・シェム・トヴであるといわれる。一八世紀から一九世紀のはじめ、ルブリンはハシディズムの中心地の一つであった。ハシディズムは、ラビの厳格な律法主義を排し、忘我的熱狂による神との直接的結合を志向する。信者は地域を越え、それぞれが崇拝するレベと呼ばれたカリスマ的指導者のもとに集まり、強固な信徒共同体を結成して、ラビを指導者とする既存の共同体に軋轢(あつれき)を生じさせた。

ハシディズムが一大勢力を形成したのに対し、ユダヤ人のあいだで西ヨーロッパの近代思想の受容はきわめて限定的なものにとどまった。確かに、ポーランド第三次分割(一七九五年)で一時期プロイセン領となったワルシャワでは、そのさいベルリンから移住したユダヤ人の銀行家や商人が、会議王国となった後もドイツ啓蒙思想の受け皿となる。あるいは政府の産業振興策によってワルシャワやウッチのマニュファクチュア経営者となった数少ないユダヤ人は、ポーランド語を介して広く世俗的知識を吸収し、伝統的なユダヤ人の世界から離れた。他にも、ザモシチで材木商として成功したローザ・ルクセンブルクの父も、商取引を通じてドイツとかかわり、西ヨーロッパの教養を身につけたユダヤ人の一人である。一八七三年からワルシャワで暮らしたローザの一家は、全員がポーランド語とドイツ語を話せたという。こうしたユダヤ人のなかには、ポーランドの古典文学に親しみ、ポーランド文化に深い愛情を寄せる者もいたが、それでも、ユダヤ教を信仰するポーランド人というアイデンティティのあり方は例外的であった。

少数民族としてのユダヤ人

第一次世界大戦終結後、民族自決の原則に基づき、バルト三国、チェコスロヴァキア、ハンガリーが独立し、ポーランドも分割から一世紀以上を経て独立を回復する。しかし、どのように国境を引こうと混住地域での民族の分離は不可能であり、民族の名を冠した新国家のいずれもが、ロシア帝国、ハプスブルク帝国という大きな多民族国家崩壊後に誕生した小さな多民族国家だった。ポーランドでは、ウクライナ人を筆頭に、ユダヤ人、ベラルーシ人、ドイツ人など、総人口の三〇％以上を非ポーランド人が占めた。第一次世界大戦後のパリ講和会議でも、少数民族問題の発生が意識され、ポーランド条約など、戦勝国と新興五カ国とのあいだで交わされた条約に盛り込まれたのが少数民族保護条項であった。「保護」の内容は、市民権における平等、民族言語で初等教育を受ける権利の保障、少数民族の宗教的慣習の容認等である。ユダヤ人は民族か否かに関して、ヨーロッパのユダヤ人のあいだに合意はなく、ドイツのユダヤ人にとって自分たちがドイツの少数民族と見なされることは、ユダヤ人とドイツ人の分断、ユダヤ人差別につながりかねなかった。これに対してポーランドでは、三〇〇万以上の人口を擁するユダヤ人が民族的存在であることは、ポーランド人とユダヤ人の双方にとって自明だった。

ドイツのユダヤ人が、ドイツ文化への同化を志向したのに対し、両大戦間期ポーランドでは、とりわけ若きユダヤ人のあいだでシオニズムや後述のブンドに代表されるユダヤ人の民族運動が支持を集める。シオニズムはパレスチナでのユダヤ人国家建設をめざす一方、国内ではユダヤ人の民族的権利の擁護を掲げて政治運動を展開し、選挙では、ウクライナ人など他の少数民族との共闘も試みつつ、議会にユダヤ人の民族的利益を代表する議員を送り込んだ。さらにポーランド・シオニスト機構傘下のタルブト協会(「タルブト」はヘブライ語で文化を意味する)は、初等学校を中心に学校を設立、運営し、そこでのユダヤ史教育はヘブライ語で行われた。シオニストにとってイディッシュ語は、古代にユダヤ人がパレスチナから追われたために発生した離散地の言語であり、ユダヤ人の正統な民族語はヘブライ語でなければならなかった。古代ヘブライ語を近代的な言語として再生させる試みは、ヘブライ語による小説や雑誌の発行など、一九世紀のうちに一定の進展を見せ、これを促進してヘブライ語を将来のユダヤ国家の国家語とすることは、シオニストの悲願だった。

他方でイディッシュ語こそユダヤ人民衆の言語であると主張し、「ティショ」(中央イディッシュ学校機関の通称)と呼ばれた学校網を構築したのが、ブンドの支持者である。ブンドは、一八九七年に、当時はロシア帝国領であったヴィリニュスで設立された社会主義組織「リトアニア・ポーランド・ロシア・ユダヤ人労働者総同盟」の略称で、イディッシュ語で「同盟」を意味する。ブンドは、民族国家の設立ではなく、社会主義体制下における人民の政治的・経済的平等とイディッシュ語によるユダヤ人の文化的自治を求め、シオニストと激しく対立した。

しかし、少数民族保護条項に反してこれらユダヤ人の学校に国家援助は与えられず、学校は無償で生徒に教育を提供することはできなかった。ユダヤ人の子供の七割から八割は無償の公立学校に通った。一九三一年の調査では、なおユダヤ人の八〇%近くがイディッシュ語を母語としていたものの、ポーランド語への移行は避けがたい流れであった。しかし、このことは、必ずしもユダヤ人のポーランド語社会への統合を意味しない。農業国ポーランドでは、一九三一年当時で総人口の七二%以上が農村地帯に居住していたが、ユダヤ人の場合は都市部の居住者が七六%以上を占め、ワルシャワやウッチのユダヤ人人口は三〇%を超える。ユダヤ人人口はポーランドの総人口の一〇%に満たなかったが、商業・金融・保険業では、ユダヤ人の割合は五九%近くに上った(Mendelsohn 1983)。これを異民族によるポーランドの都市と経済の支配と見なし、ユダヤ人排斥を唱えたのが、一八九七年にロマン・ドモフスキによって設立された国民民主党(エンデツィア)の流れをくむポーランド・ナショナリストである。彼らにとって、キリスト教を信仰し、同じスラヴ系の言語を使用するウクライナ人やベラルーシ人はポーランドへの強制的同化が可能であったが、ユダヤ人は同化不可能な他者だった。一九三〇年代になると、ポーランドの反ユダヤ主義は過激化し、大学でのユダヤ人学生に対する暴行や、ユダヤ人の住居や商店に対する襲撃が各地で頻発した。

おわりに

ドイツのユダヤ人にとって、一九世紀は解放の世紀であった。ユダヤ＝ボリシェヴィキというロシア革命後に流布する反ユダヤ・スローガンを別にして、一九世紀のうちに近代的な反ユダヤ主義言説のすべてが出そろうが、ユダヤ人の法のもとでの平等は揺るがなかった。経済的に上昇したユダヤ人は、解放の果実を実感することができた。

ポーランドのユダヤ人はどうだろうか。これを一言で言い表すには、ポーランドのユダヤ人社会はあまりにも多様である。独立を回復したポーランドでは、憲法上、ユダヤ人は平等を保障された。しかし、表向きは反ユダヤ法ではないものの、あからさまにユダヤ人に不利益な法や、ユダヤ人の商人や職人に対する嫌がらせやボイコットの影響は深刻で、ユダヤ人社会は全体として窮乏化の一途をたどる。政治的にはシオニストとブンドが対立し、さらにシオニスト内部では、宗教的シオニスト、社会主義シオニスト、修正主義シオニスト等がイデオロギー的に対立した。その一方、政治的なもの一切に背を向ける正統派ユダヤ教徒や、ハシディズムに沈潜するユダヤ人も多数いた。

しかし、ポーランドの両大戦間期は、解放によって文化活動の自由をえたユダヤ人のあいだで、ユダヤ人固有のイディッシュ文化が花開いた時期でもある。イディッシュ語の新聞や雑誌が盛んに発行され、ワルシャワは、イディッシュ文学や演劇活動の中心となる。そのなかから、イディッシュ語のノーベル文学賞作家アイザック・バシェヴィス・シンガーも生まれた。あるいは、詩人ユリアン・トゥヴィムや小説家ブルーノ・シュルツのように、ポーランド語で執筆し、当時の文壇で高く評価されたユダヤ人も少なくない。ポーランドの戦間期はあまりに短く、ポーランドのユダヤ人社会は、みずからの行方を見定めることができないままホロコーストによって消滅した。

注

（1） プロイセン領では、一九世紀を通じてユダヤ人はドイツ本土へと移動し、見るべきユダヤ人人口が失われた。オーストリア領ガリツィアでは、一八六七年の憲法によってユダヤ教徒の法のもとでの平等が実現される。一八九〇年当時のガリツィアのユダヤ人人口は、約七七万人であった。一八八二年の「五月法」など、ロシア帝国のユダヤ人関係法が適用された東部のロシア帝国領では、一九世紀にかえってユダヤ人差別が強化される。彼らの解放は、一九一八年のポーランド独立を待たねばならなかった。

参考文献

野村真理（一九九二）『西欧とユダヤのはざま——近代ドイツ・ユダヤ人問題』南窓社。

野村真理（二〇二二）『[新装版]ガリツィアのユダヤ人——ポーランド人とウクライナ人のはざまで』人文書院。

ハイネ、ハインリヒ（一九九二）『ハイネ散文作品集』木庭宏編、第三巻、松籟社。

フィヒテ、ヨーハン・ゴットリープ（一九八七）『フランス革命論——革命の合法性をめぐる哲学的考察』桝田啓三郎訳、法政大学出版局。

Boehlich, Walter (Hg.) (1988), *Der Berliner Antisemitismusstreit*, Frankfurt am Main, Insel.

Dohm, Christian Wilhelm (1781), *Ueber die bürgerliche Verbesserung der Juden*, Berlin/Stettin, Friedrich Nicolai.

Guesnet, François (1998), *Polnische Juden im 19. Jahrhundert: Lebensbedingungen, Rechtsnormen und Organisation im Wandel*, Köln/Weimar/Wien, Böhlau.

Marcus, Joseph (1983), *Social and Political History of Jews in Poland, 1919–1939*, Berlin/New York/Amsterdam, Mouton Publishers.

Marr, Wilhelm (1879), *Der Sieg des Judenthums über das Germanenthum: Vom nicht confessionellen Standpunkt aus betrachtet*, Bern, Rudolph Costenoble.

Mendelsohn, Ezra (1983), *The Jews of East Central Europe between the World Wars*, Bloomington, Indiana University Press.

Mendelssohn, Moses (1783), *Jerusalem oder über religiöse Macht und Judentum*, Berlin, Friedrich Maurer.

Meyer, Michael A. (ed.) (1996), *German-Jewish History in Modern Times*, Vol. 1, New York, Columbia University Press.

Meyer, Michael A. (ed.) (1997), *German-Jewish History in Modern Times*, Vol. 3, New York, Columbia University Press.

Paulus, H. E. G. (1831), *Die Jüdische Nationalabsonderung nach Ursprung, Folgen und Besserungsmitteln*, Heidelberg, Universitätsbuchhandlung von C. F. Winter.

Riesser, Gabriel (1831), *Vertheidigung der bürgerlichen Gleichstellung der Juden gegen die Einwürfe des Herrn Dr. H. E. G. Paulus*, Altona, Commission bei Johann Friedrich Hammerich.

Stenographischer Bericht über die Verhandlungen der deutschen constituirenden Nationalversammlung zu Frankfurt am Main (1848), hrsg. v. Franz Wigard, Bd. 3, Frankfurt am Main, Johann David Sauerländer.

Stöcker, Adolf (1880), *Das moderne Judenthum in Deutschland, besonders in Berlin: Zwei Reden in der christlich-socialen Arbeiterpartei*, Berlin, Wiegandt und Grieben.

コラム｜*Column*

万国博覧会とジャポニスム

寺本敬子

万国博覧会は、一八五一年イギリスの首都ロンドンで初めて開催された。これは、産業革命を背景に、一八世紀末からヨーロッパ諸国において国内産業の育成を目的に開催された産業博覧会の流れを汲むものであり、貿易の自由化を推進するイギリスによって国際化された。博覧会場には参加各国の最先端の機械類や特色ある物品が展示された。これらの品は評価・序列づけされ、優秀なものは表彰された。各国の展示は、それぞれの政府・出品者が主体となって準備し、会場に集う観衆は、これらの展示を通じ、最先端の技術・製品、最新の流行、各国の多様な文化を認識した。また、万国博は各国代表の社交の場となり、さらに実業家から労働者にいたるまでさまざまな交流が生まれた。

万国博は当初、ロンドンとパリにおいて交互に開催されたが、一八七〇年代から他のヨーロッパや北アメリカの都市に広がっていく。とりわけフランスは第二帝政期から第三共和政期にかけて万国博の開催に注力し、パリでの開催は計六回（一八五五年、六七年、七八年、八九年、一九〇〇年、三七年）を数えた。入場者も一九〇〇年パリ万国博が五〇八六万人を記録し、この記録は二〇世紀後半まで破られなかった。パリは、万国博の代表的な開催都市として、各分野の最新動向を世界に発信する拠点となった。

さて、一八五三年のペリー来航、五四年の和親条約、五八年の修好通商条約を経て、欧米諸国との外交および通商関係を開いた日本が、国際的に広く認知される舞台になったのも万国博だった。たとえば、一九世紀のフランス美術批評家E・シェノーは「一八六七年に万国博は、日本をすっかり流行の先端に位置づけた」と指摘している。六七年パリ万国博では初めて日本の公式参加が実現し、幕府、薩摩藩、佐賀藩、商人による出品が行われた。すでに六〇年代初頭のパリには、日本の品物を扱う商店はあったが、それらとは比較にならない規模でなされたパリ万国博の日本展示こそが、一部の愛好家だけでなく、幅広い層の人々に「日本」が知られる契機となったのである。ちなみに万国博の会場に初めて「日本の部」が登場したのは六二年ロンドン万国博だったが、そこに展示されたのは主に駐日イギリス公使R・オールコックの収集品だった。

一八六七年パリ万国博で、日本には「養蚕、漆器、手細工物ならびに紙」に対し最高の賞であるグランプリが授与された。日本の養蚕業は、蚕の微粒子病の流行で打撃を受けたフランスの絹織物業界にとって注目の的だった。また漆器や陶磁器などの工芸品は、伝統を保持しながらも、創意工夫に満ちているとして、その芸術性が高く評価された。このときの評価の特徴として、日本の出品物が、主に中国(清)との対比で注目を集めていたことにある。これには、製品自体に対する評価だけでなく、第一次・第二次アヘン戦争の影響で万国博に公式参加しなかった中国に対する不満といった要因も働いていたことも指摘すべきだろう。

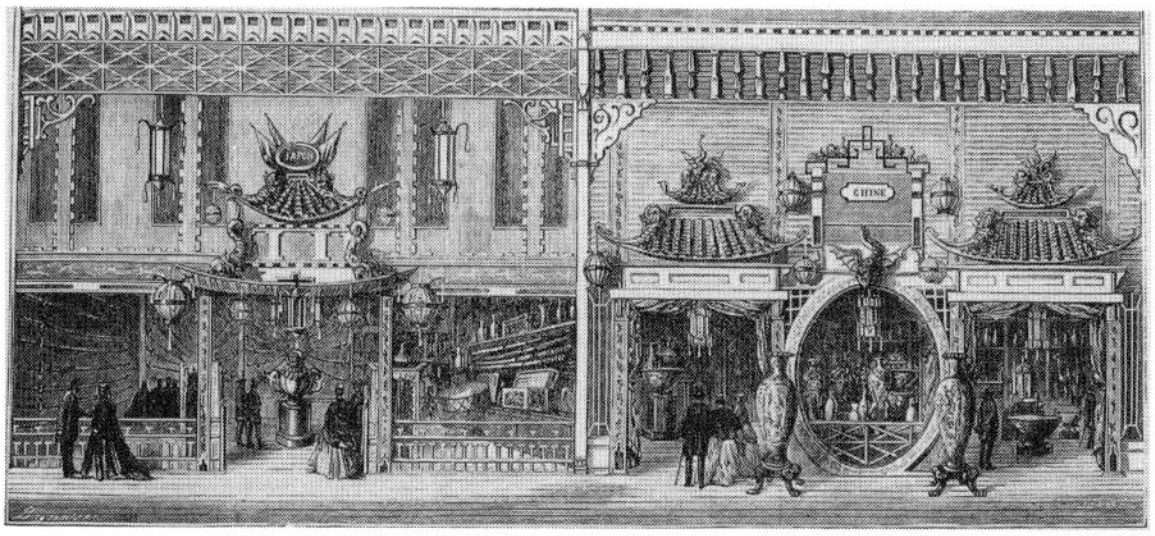

1867年パリ万国博における日本(左)と中国(右)の展示場
(出典：*Le Monde illustré*, Paris, le 12 octobre 1867, p. 221)

「日本」に対する関心の高まりは、一八七〇年代のフランスにおいて「ジャポニスム」と呼ばれる文化現象に発展していく。この新語は『一九世紀ラルース大辞典』の第一増補(七七年)に掲載され、「日本器物の装飾に類似する装飾の研究」を意味するとされた。すなわちジャポニスムは当初、日本工芸品の装飾への関心を示すものだったことがうかがえる。この背景として重要なのは、ヨーロッパ諸国における「産業芸術」の取り組みである。当時の万国博においても生産の拡大に伴う安価で質の低い製品は問題視され、芸術性を取り入れた「産業芸術」の生産およびその理念が重視された。とりわけフランスでは絹織物に加え、「パリの特産品」と呼ばれる高級装飾品や装身具が重要な輸出品であり、この産業芸術の取り組みは国家の貿易政策に反映された。

　またジャポニスムの拡大に日本側が果たした役割も大きい。明治に入り、政府は一八七三年ウィーン万国博に参加後、ヨーロッパだけでなく、七六年フィラデルフィアなど北アメリカの万国博にも参加していく。日本の「殖産興業」政策の一環として、万国博参加にあたっては輸出促進、先進諸国の技術の調査吸収が重視された。起立工商会社や三井物産会社などの貿易会社は、万国博への参加を契機にパリやニューヨークに支店を開いて直接貿易取引を開始し、欧米諸国の需要に応えた。また、渋沢栄一や前田正名をはじめ、万国博の経験者は、日本と諸外国の経済・産業上の交流・発展に寄与した。パリで美術商を営んだ林忠正は、印象派の画家と交流し、美術分野におけるジャポニスムの深化に一役買った。

　ジャポニスムは二〇世紀に入ると次第に衰退する。これには一九〇〇年パリ万国博のアール・ヌーヴォなど、ヨーロッパにおける新たな産業芸術の展開や、日清戦争や日露戦争を経た日本の近代化、そしてこれに伴う欧米諸国の対日観の変化という要因も作用している。

焦点 | *Focus*

植民地統治と人種主義

工藤晶人

一、西洋世界と人種主義

人種主義と人種思想

一九世紀は、人間の自由と平等、解放を追求する思想と、人間のあいだに格差を設けて差別、支配を確立しようとする思想とが二本の縦糸として互いに絡みあいながら伸張した時代である。その一方を民主主義と人権の思想としてまとめることができるとすれば、もう一方の縦糸となったのが植民地主義と人種主義であった。

人種主義の起源と展開に関しては、地中海東部を起点としてユーラシアの西北、そして南北アメリカや各地の植民地へと拡大していく歴史、一般に西洋世界の歴史とよばれる枠組みのなかで膨大な研究が蓄積されてきた。そのなかには、ヨーロッパの域内に由来する要因を強調する議論と、外部の世界とのかかわりを重視する議論の二つの流れがある。小論において主に考察するのは後者、つまりヨーロッパとその外部、なかでも環大西洋地域の植民地とのかかわりからみた人種主義の展開である。もちろんここでいう外部との境界は、時代と場所、文脈によって形を変える。またそれらは、いわば多孔質な壁であった。そうした特徴に留意しつつ、若干の問題提起を試みたい。

「人種主義」(racism)とは何か。この問いに対して一意的な定義をあたえるのはほぼ不可能であることを前提とした上で、さしあたり以下の定義から出発することにしよう。人種主義とは、権力をもつ民族集団または歴史的な集団が、別な集団に対して否定的な意味を帯びた身体的・文化的特徴をあてはめ、そうした特質は血筋または遺伝によって変化せずに継承されると想定し、それにもとづいて集団間の秩序を作り上げ、劣位に置かれた集団を周縁化し、排除し、ときには殲滅しようとする思想と実践である(フレドリクソン 二〇〇九)。このように定義したときに強調されるのは、人の集団の特徴が肌の色や身体的特徴、血縁などをとおして本質化されていること、そして、差別をはじめとする暴力が社会のなかで制度化されていることという二つの特徴である。人種主義の一部をなす要素として、人はいくつかの人種に分類可能でありそれぞれの人種が特定の性質や傾向をもっているとする信念があるが、これについては「人種思想」(racialism)という語で呼び分けることにしよう。人種思想は、それ自体が不平等や優劣の価値づけをともなうとはかぎらない。だが多くの場合に、人種思想は集団間の差異を序列にむすびつけ、人種主義の前提、あるいは前駆となってきた(Appiah 1990)。

啓蒙思想から「科学的」な人種主義へ

人種主義は世界史のなかで近代特有の現象であり、それ以前の時代に存在した他者排斥、自民族中心主義、あるいは宗教差別などとは区別されるという考え方は、近年さまざまな角度から問い直されてきている(竹沢 二〇〇五、Eliav-Feldon et al. 2009)。西洋世界の歴史にかぎってみても、同胞意識で結ばれた人間の集団が他の集団との違いを強調し、他者とのあいだに格差を設け、蔑視したり排斥したりする現象は、近代以前にも存在した。たとえば、古代ギリシアにおいても肌の色を理由とする差別が存在したことを指摘する意見がある(Isaac 2006)。中世ヨーロッパについていえば、後期中世のマイノリティ(ユダヤ人、ムスリム、ロマなど)の処遇のなかに後の人種思想へとつながる系譜を強調する立場がある(Heng 2018; Schaub 2019)。

もちろん、古い時代の現象に近代のカテゴリーをあてはめることには慎重さが求められる。論争的にならず現状において広い支持を得ているのは、近世以降、いわゆる大航海時代のヨーロッパ人と他の地域の人々との接触のなかに人種主義形成の主因をみる立場であろう(平野 二〇二二)。その内容を簡潔に要約すれば、以下のようになる。ヨーロッパの人々が海外へと航海するようになると、他の大陸の風習や文化、そして住民について情報が集められ、さまざまな考察がおこなわれるようになった。そうした知識にもとづいて、啓蒙思想の時代の博物学者たちは肌の色やその他の身体的特徴による人類の分類を試みた。有名な例は、ヨハン・フリードリヒ・ブルーメンバハによる五分類である。これは、人類のなかに「コーカサス」「モンゴル」「エチオピア」「アメリカ」「マレー」という五つの「変種」(varietates)があるとする立場であった。一九世紀になると、ジョルジュ・キュヴィエによって「コーカサス」「モンゴル」「エチオピア」という三分類が提案され、日本語にも日常的な語彙として浸透している白人、黄色人、黒人という区分がしだいに広まっていく。こうした言説の構築と流通をつうじて、人種(race)という西欧語は知識人だけでなく一般の人々にも流布し、現代に近い意味でもちいられるようになっていった。

科学の時代といわれる一九世紀には、今日では否定され疑似科学とみなされる理論も提唱され、広く受け入れられていた。その一例が、一八世紀末から一九世紀にかけてオーストリア、フランスなどで活動した医師フランツ・ヨーゼフ・ガルが提唱した骨相学である。頭蓋骨の計測によって人間の本質、たとえば性格や知性の差を推しはかろうとする新興の「学」は大西洋の両岸で流行し、その理論を応用して人種の優劣を論じたアメリカの医師サミュエル・モートンの著作『クラニア・アメリカーナ』(一八三九年)はヨーロッパでも多くの読者を獲得した。一九世紀はまた、ナショナリズムの世紀でもあった。国民国家が確立していく一九世紀後半にかけて、国民の団結はしばしば人種としての同質性と置きかえて論じられ、外国人や国内の少数者に対する差別、排斥が正当化されていく。

これらさまざまな動機が合流して、差別的な人種主義が明確なかたちをとるようになった。時代の節目を象徴する書物として、「アーリア人種」という概念が通俗化した一因とされるアルテュール・ド・ゴビノー『人種の不平等に関する試論』(一八五三―五五年)があげられる。科学を装う人種主義は、形質人類学、社会進化論、優生学などと結びつき、一九世紀後半から二〇世紀にかけて強い影響力をもった(阪上 二〇〇三)。その現実化として、アメリカ合衆国における「ジム・クロウ」制度に象徴される黒人差別があり、ヨーロッパ各地における反ユダヤ主義からホロコーストへといたる歴史がある。このように、ジム・クロウとホロコースト、そして南アフリカのアパルトヘイトという三つの象徴的な極点への流れを本流として、それらに隣接する現象としてイスラーム嫌悪や黄禍論などを包含するという歴史記述は、人種主義に関する標準的な説明様式となってきた。

言葉と概念

だが右に述べた要約は、図式的な整理にとどまっている。とくに説明が十分でないと思われるのは、啓蒙主義の時代から一九世紀の特徴とされる「科学的」人種主義への遷移はいつ、どのようにして起こったのかという問題である。以下、この点にかかわる社会、思想、政治の動向について考察をすすめるが、そのためには、一八世紀末から一九一四年までを「長い一九世紀」とする伝統的な時代区分に代えて、一七六〇年代頃から一八三〇年前後までを固有の一時代として「はざま期」ととらえる時代区分が適切であろう(Osterhammel 2009)。

まず言葉の歴史をふりかえると、西欧語のなかで人種という言葉の近代的用法があらわれたのは一五世紀頃のことだった。例としてフランス語をとりあげると、「ラス」(race)という言葉はこの時期に、封建貴族の家系や血統を意味するものとして用いられはじめている。一七世紀頃には同じ言葉が動物の分類にあてはめられ、やがてそれが生物としての人間にも拡張されていった。同世紀末のフランソワ・ベルニエの著作を先駆として、啓蒙主義の時代には人類のなかにある下位集団が「ラス」として区別される用法が定着する。これが、今日につながる人種概念形成への一歩であったとされる(Popkin 1974)。

ただし啓蒙主義の時代には、「ラス」という言葉の意味はまだ確定していない。今日でいう「民族(プープル)」(peuple)とほぼ同義に使われることも少なくなかった。たとえば、ヴォルテールは「イギリスを統(す)べている者はイギリスの「ラス」(race anglaise)ではない。オランダ人君主の後を継いだドイツ人家系である」と述べる(Voltaire 1771: 304)。同様の用例は「はざま期」をつうじてみられる。「ラス」は血筋によって身体的、精神的特徴を共有する集団で民族よりも大きな区分を意味するという用法が固まっていくのは、おおよそ一八三〇—四〇年代以降のことであった。

しかし単一の語だけで説明を終えるべきではないだろう。海外に出たヨーロッパ人たちは、「人種」という言葉が一般化する以前から、自他を集団として区別する語彙をもっていた。ラテンアメリカの征服に乗り出したスペイン人たちは、まず自らを「キリスト教徒」と定義した。つぎに大きな意味をもったのは、「黒人」という、一六世紀頃にポルトガル語またはスペイン語の「ネグロ」(negro)から他の言語に広まった表現である。環大西洋世界においてアフリカ系の人々を奴隷化する諸制度がしだいに成立していくと、ヨーロッパ諸語のなかで「黒人」はほぼ「奴隷」と同じ意味をもつようになった。一六八五年に発布されたフランス領植民地に関する法令集は、『黒人法典(コード・ノワール)』と題される。このことに象徴されるように、黒い肌が奴隷身分を言いあらわすという換喩が成立した。それと対をなすようにして、ヨーロッパ人の側を「白人」と呼ぶ慣習が広がっていった。「白人性」の析出もまた、近世の現象であった。

つまり、人種思想と差別の系譜が近世あるいはそれ以前にさかのぼる一方で、人種という言葉はむしろ遅ればせに出現したものだった。人種という言葉の近代的用法が確立していった時期は、ネイションの概念の形成期と重なる。それはまた、西欧諸国で奴隷制廃止論がしだいに高まっていく時期とも対応している。こうした時期の符合は、冒頭にも述べたように、人の平等と自由を重んじる思想と人を差別し排斥する思想とが糾(あざな)える縄のような関係にあったことの一例である。人種主義は差別に先んじて存在したわけではない(ミシェル 二〇二一)。人種の概念とそれを基盤とする人種主義は、差別の構造が問題化されはじめた時代に——それが問題化されているが故に——確立していった。一九世紀前半に科学の装いをもった人種主義が他国に先んじて流行した国々は、フランスとアメリカ合衆国であった。そのことは、両国が市民の平等を徹底する革命的理念の発信地であったことと無関係ではない(フレドリクソン 二〇〇九:六六頁)。

二、「はざま期」の証言

フランス領環大西洋世界の有色自由人

「黒人」と「白人」という二元論が差別の基盤であったとして、そうした思想は社会の動きとどのように連動していたのか。ここで植民地の側に眼を移して、二元論の境界にいた人々について考えてみよう。主役となるのは、環大西洋地域のフランス領植民地の人々である。一七―一八世紀にかけての西アフリカ沿岸とカリブ海周辺の仏領では、現地人と白人の結婚や内縁関係から「有色自由人」という階層が形成された。その多くは、アフリカ系または「有色の」女性とヨーロッパ系男性のあいだに生まれた人々であった。「有色自由人」は、仏領植民地の建設が本格化した一七世紀には白人と事実上同等の権利を認められた例も少なくなかったが、一八世紀になると、しだいに肌の色による差別を受けるようになっていった。世紀半ばには異出自婚がカリブ海域各地で禁止され、先祖の何分の一が黒人であるかによって有色人を階層化して呼び分ける慣習が生まれた。遺産相続の制限、職業や服装の規制など、社会生活にかかわる禁令も増えていった(Niort 2002; Régent 2007)。

一八世紀後半から一九世紀前半にかけての「はざま期」は、ヨーロッパ史の通念にしたがえば、自由と寛容の価値観が広まり、国内の身分格差に対する批判や異議申し立てが大きなうねりとなって表面化した時代である。だが植民地の側からみれば、同じ時期に出自による差別はむしろ強化されている。環大西洋地域の各地では、二項対立におさまらないあいまいさがしだいに許容されなくなり、血筋や身体的特徴が人の運命を強固に規制する社会への転換が段階的に進んでいった。

セネガルからギアナへ

しかしそうした趨勢のなかでも、境界域を渡り行く人々がいた(田中ほか 二〇二三)。一例として、西アフリカ・セネガル沿岸のゴレ島から南米大陸沿岸のギアナ(仏領ギュイアヌ)へと移動した人々をとりあげよう。一五世紀からポルトガルが支配し、のちにフランスの貿易拠点となったゴレ島には、アフリカ人とヨーロッパ人の混淆から生まれた人々が独特の社会を形成していた。なかでも有名なのが、白人商人を伴侶として受け入れて独特の地位を築いた「シニャール」と呼ばれる女性たちである。「シニャール」とその家系に属する人々は、現地社会と海外の商業界の仲介者として富を築いて植民地の都市社会の上層に位置し、自由人としてさまざまな特権を維持しつづけていた(Vial 2019; 小林 二〇二二:一二〇―一二二頁)。そのようなゴレの人々の一部が、一七六〇年代から七〇年代にかけてギアナに移住した。移住の背景として、フランス王権が七年戦争の敗北を受けて南米大陸への進出にてこ入れしようとしていたことがあげられる。世界有数の砂糖生産地であったサン=ドマング(現ハイチ)と比べて、ギアナはカリブ海周辺の仏領植民地のなかでも辺境に位置し、人口を増やすことが課題とされていた。そのような時期に大西洋を渡ったゴレの人々の移動は、強制された移住ではなく、自らの意思による移動であったと考えられている。

おそらく数十人から一〇〇人程度のゴレ出身の人々がギアナに到着し、現地でも自由な民として白人同様の権利を認められることを期待した。彼らはギアナ生まれの「有色自由人」のように人頭税を課されたり、生活上のさまざまな制約を受けたりすることをよしとせず、当局に対して請願を行った(Traver 2016)。フランス本国にまで回送された請願に対する回答は、差別の根拠は肌の色なのか奴隷の血筋なのかという論点を迂回するあいまいなものだった。ときの海事国務卿ショワズール・ドゥ・プララン名でギアナに送付された回答文書(一七六六年一〇月一三日付)は「全ての黒人は奴隷として植民地に移送されたのであり、そして奴隷状態は消すことのできない痕跡をすべての子孫に対して、混血の者に対してすら残すのであるから、結果として、彼らの子孫が白人の身分に入ることは決してない。〔中略〕したがって、混血であることが確実に知られている者たちは決して人頭税を免除されることはないが、同様の出自であることが疑われるにすぎない者たちについては、その証拠を詮索したりしてその者たちを脅かしてはならない」と述べる(Sala-Molins 1987: 195)。

引用の前半部は、有色自由人が増加して地位が脅かされることを危惧する白人入植者たちの懸念に応えるものだった。だが後半では、混血であることが「疑われるにすぎない」人々について処置を留保し、ゴレからの移住者に対する例外的な扱いが黙認されている。この文書では、自由意志でギアナに移住したゴレの人々が差別される根拠は明確に示されていない。じっさいゴレ出身の人々の一部は、この海事国務卿の書簡を根拠として、そもそもゴレの自由人は奴隷となったことがないのだから、ギアナの「有色自由人」とは異なる処遇があたえられるべきだと主張した。こうした異議申し立てと議論の錯綜は一七八〇年代まで続いた。当局の処分は、ゴレ出身の自由人は(アフリカ系奴隷の血を引く)有色自由人に対する諸規制は免除されるが、人頭税についてはギアナ先住民と同等の資格で課されるという方向で結着していった(Cardoso 1999: 386-387)。

一連の出来事は、一七六〇年代から八〇年代の仏領環大西洋地域において、肌の色が隷属を意味するという換喩関係がまだ完全には確立していなかったことを示している。こうした当事者たちの異議申し立ては、大局的にみれば、差別のなかで押しつぶされ、忘却されていく小さな声であった。だが少なくとも、ハイチ革命(一七九一―一八〇四年)

に先んじてこうした議論の空間が開かれていたことは注目に値する(Garrigus 2006)。一七八九年にフランスで革命が起きると、さまざまな意見の対立をへて九四年に仏領植民地における奴隷制の廃止が決議された。ギアナにおいても、一八〇二年に奴隷制が復活されるまで、奴隷制が公的には存在しない数年間が始まる。この時期、ギアナの元奴隷と有色自由人は地域代表を選ぶ評議会の選挙に参加した。男性だけの短い期間のことではあったが、元奴隷と有色自由人が投票権を行使し、市民としての政治参加を経験した(Benot 1997: 70)。

セネガルからサウスカロライナへ

つぎにとりあげるのは、やはりゴレ島出身の「シニャール」がカリブ海をへてアメリカ合衆国南部へと移動した例である。マリ＝アデライド・ロシニョールは、一八世紀半ばにゴレ島で生まれた女性で、一七七〇年代に仏領サン＝ドマングに母親とともに移住した(Rogers and King 2012)。先に紹介したゴレ島からギアナへの集団移住と近い時期のことである。サン＝ドマングに定着したロシニョールは、フランス出身の医師と結婚して入植者社会のエリート層として地歩を固めた。この結婚に際して、ロシニョールの身分は「自由人のカルテロン(四分の一黒人)」と証書に記録されている。一七九一年にハイチ革命が起こり入植者たちの脱出が始まると、ロシニョールは母、夫と二人の娘とともにサン＝ドマングを離れ、サウスカロライナの港湾都市チャールストンに移住した。当時のアメリカ南部最大の都市チャールストンは、イギリスとヨーロッパの都市文化が流入する一方で市内の人口の半数以上をアフリカ系の人々が占めるという、環大西洋世界の多様性を象徴する場となっていた(Hart 2010)。この時期、サン＝ドマングからの移住者は少なくとも数百人を数えたとされる。

ロシニョールは、サン＝ドマングで結婚した当時から夫の数倍の資産を持ち、チャールストンで一八三三年に死去したときには複数の家屋を含む多額の不動産、動産を所有していた。一家は「シニャール」の母系相続によって相当な資産を保持する家族でありつづけた(Force and Hoffius 2018: 135)。だからこそロシニョールは、チャールストンに移住後に壮年の夫が死去したにもかかわらず、娘のために好条件の結婚を用意することができたと考えられる。

一八一〇年にロシニョールの娘が結婚した相手シュミットは、一八世紀末にプロイセンから移住してきた医師で、プランテーション経営も行う有力者だった。同業の家系同士の結婚から生まれたシュミット・ジュニアも医学の道に進んだ。孫にあたるシュミット・ジュニアがニューヨークで学業に励んでいた一八二九年、ロシニョールはアメリカ国籍を取得したが、このとき彼女は自身の出生地はパリであるという虚偽の届け出をおこなっている。順調に歩んでいたかにみえた一家に波風が立ったのは一八三一年。この年、地元の医師会は、シュミット・ジュニアに対して交付したばかりの医師免許を取り消す決定を下した。理由は、彼の祖母つまりロシニョールが「混血」であるという風評であった。

シュミット父子とロシニョールは法律家を立てて対抗した。医師会に対して免許取消は無効であるという申し立てを行う一方、風評を流したとされる人物に対して名誉毀損の訴えを起こしたのである。医師会は数カ月の審議の末、混血者が会員となることがあれば「サウスカロライナにおける医業の尊厳に深刻な影響を与える」という見地から、シュミット・ジュニアが「白人の特権を持つ資格が無いと信じる理由がある」として、免許取消の決定を維持した。その一方で、名誉毀損の訴えは反対の結論に達した。孫とともに訴訟当事者となったロシニョールに対して、地元の法廷は彼女が「良き真に信心深き誠実な白人女性」であり、周囲からも世評高い白人女性として受け入れられていると認定し、彼女をサウスカロライナ州の市民と認めた(Force and Hoffius 2018: 138, 141)。

この一件を、南部アメリカ社会において混血女性が出自を隠しとおすことに成功した事件として要約するのは早計である。そもそもサウスカロライナは、先祖に一人でも黒人が含まれている者は法的に黒人とみなすいわゆるワンドロップ・ルールの強化が比較的遅かったとされる土地柄である(Williamson 1995)。ロシニョールにまつわる風評の原因とされたルセニュールという人物は、サン＝ドマングから移住してきたやはり医業を営む男性で、数十年前からロシニョール一家を知っていたと証言した。同郷のフランス系移住者が数多く住むチャールストンで、ロシニョールの出自はおそらく公然の事実であった。彼女と家族は、はじめからそれを隠していたわけではなかったとみるのが自然であろう。じっさい彼女は、一八〇〇年の人口調査では、白人でも「インディアン」でも奴隷でもない「その他の自由人」として数えられていた。だが彼女は、夫の死によって自らが世帯主となった一八一〇年の人口調査では「白人」と登録され、一八三一年の裁判でも自らを白人と認めさせることに成功した。こうした場合に「白人性」について法的判断の根拠とされたのは、立証が困難な出生事情ではなく、白人社会で現に名誉ある地位を占めているという事実であった。社会的評価が血筋の証明よりも優先された事例は、この時期のアメリカ南部においてほかにも確認される(Rothman 2003: 205)。

ただしすでに述べたように、ロシニョールが生きた時代の趨勢は、「黒人」と「白人」の二元論が徹底される方向へと向かっていた。そのような時代に自由人として土地を移動しながら富を蓄積した女性が、「カルテロン(四分の一黒人)」から「白人」へと自らの立場を変化させていった。歴史家アイラ・バーリンは、近世以降の環大西洋各地に移住、定着した人々の共通文化に注目して彼らを「アトランティック・クレオール」と総称し、そのなかに西アフリカ系の人々を含めて論じた(Berlin 2000: 17-28)。ロシニョールと子孫たちは、そうした集団の一例である。ここに記した事件の後、ロシニョールは法廷の判決の数カ月後に亡くなり、孫のシュミット・ジュニアはサウスカロライナからニューヨークに住処を移した。彼はそこで出自を咎められることなく医師として成功し、ニューヨーク医学アカデミーの創設者の一人として名を残した。一八三〇年代までのアメリカ合衆国では、「白人」の境界は完全に閉ざされていたわけではない。南部社会においても稀にすり抜けることが可能な、半透膜のような境界であった。すくなくとも一九世紀前半まで、ロシニョールのような存在はその壁を越えていくことができたのである。

三、国民国家の「外部」

閉ざされていく境界

以上は、植民地から植民地へと移動しながら統治の網の目をかいくぐっていった人々の道程である。それを世界史のなかにどう位置づけるかは意見の分かれるところであろう。数世紀にわたる差別の集積と暴力の連鎖に対して、少数の例外的なエピソードだけを強調すること自体が疑問視されるかもしれない。時代のとらえ方という意味では、奴隷廃止の動きが地球規模で拡大していく時代の裏面史として読み取ることもできよう(鈴木 二〇二〇)。あるいは、一九世紀前半の環大西洋世界がいまだ近世的な秩序の延長線上にあった論拠として、「黒人」と「白人」の境界のゆらぎをとらえることも可能である。そうした複数の解釈があり得ること自体が、「はざま期」の特徴である。

ここで政治と国政の側に視点を移してみよう。近代国家の建設に関わった為政者たちは、黒人や混血者の存在を危惧した。たとえばアメリカ独立宣言の起草者ジェファーソンは、一七八〇年代の著作のなかで、黒人の「動物的」な性質は隷属状態のせいではなく自然の秩序によるものと論じ、混血は白色人種を汚染するとまで述べていた(Finkelman 2004: 272)。ジェファーソンは一方で奴隷制が消滅することへの期待を述べてもいたのだが、こうした排除の思想は、多数の奴隷と自由黒人と白人とが共住するアメリカ合衆国に特有のものであったわけではない。

一八〇四年、フランスでナポレオンの命により民法典が制定された。人権宣言と並んで近代社会の礎と考えられてきた法典である。それをカリブ海の植民地で施行するにあたっては、植民地を法の例外として位置づける政令が別途定められた。その政令には、結婚、養子、相続等に関する民法の規定は白人同士、または解放奴隷とその子孫同士のあいだでしか適用されず、白人と解放奴隷(とその子孫)のあいだで生じる関係については適用されないという規定があった。いいかえれば、同じ国民であるはずの白人と解放奴隷が、あたかも別個の法域に属する集団であるかのように扱われたのである。その理由として政令の前文は、「植民地では常に肌の色による区別があったこと、奴隷地域ではその区別は不可欠であり、白人階級と、解放奴隷およびその子孫の階級との間に常に存在してきた境界線を維持しなければならないこと」をあげる(一八〇五年一一月七日のアレテ)。

この規定は、成立期にある国民国家が必要としていたものを的確に表現している。ひとつの政体のなかで自由と平等の実現をめざすためには、その政体の成員として完全な資格をもつ者と、もたざる者との境界が明白にならねばならない。ドイツ型のエスニック・ネイションとフランス型のシヴィック・ネイションという図式に固執すると理解しにくいことだが、フランス法における国籍定義は、民法典の成立から一九世紀末にいたるまで、血統主義を原則としていた。いいかえれば、近代の国籍法の原点には「家族の政治的な延長としての国民」という思想が刻み込まれていた(ヴェイユ 二〇一九：五七頁)。そうした文脈のなかで右の政令は、結婚、相続といった家族生活の基本となる問題について、同じ国民であるはずの白人と解放奴隷を法的に別個の集団として扱おうとする。フランス民法典が男性中心の家族観にもとづいて女性の権利を著しく制限したことは早くから指摘されてきた。それと同じく、国家のなかで非白人を周縁化するという原則も、法の施行過程に組み込まれていた(ミシェル 二〇二一：一八六)。すでに述べたように、「肌の色による区別」は一八世紀以前には確立した法理ではなかったにもかかわらずである。

学知と暴力

大西洋の両岸で新しい社会の原則が構想され、論議されていく現場で、人種の境界を制度化していく一歩が踏み出されていた。敷衍して述べれば、人種主義は国民国家の起点に組み込まれた問題であった。一九世紀の西洋世界の歴史は、一方では国民国家として内部の統合が進み、他方では帝国として外部への支配が拡大するという二重の空間が形成されていく過程として記述されてきた。だがそうした「内」と「外」の境界部に焦点をあてれば、別のとらえ方をすることができる。中近世から徐々に形成されてきた国家は、人の把握という側面からみても、「内」と「外」の区別が不分明であいまいな領域を抱えていた。そのあいまいな範囲を退縮させることは、近代社会を建設するための必要条件だった。国民国家は、土台となるネイションがすでに存在しているという擬制(あるいは想像力)から出発し、長い時間をかけて構築された。人種という本質的な差異が不動のものとして存在するかのように主張することも、それと同様の意味で、国民国家が必要とした擬制の一つであった(Saada 2007)。

最後に、こうした構造転換が起こった「はざま期」の次の時代の特徴を三点に絞って指摘しておこう。第一に、人種差別を支える学知が社会制度の一部となったことである。フランスを例として述べれば、ジャマイカ入植者の子ウィリアム・フレデリック・エドワーズが創設したパリ民族学会(一八三九年)や、形質人類学の祖と呼ばれる医師ポール・ブロカが主導したパリ人類学会(一八五九年)などの学術団体が影響力を発揮するようになった。ただし、一九世紀半ばの思想はまだ流動している。民族学会の創設者の一部には白人と黒人の混血を賞揚する意見があり、ブロカの思想にも、特定の事例にかぎってではあるが、混血を積極的に評価する一面があった。

第二に、人種論は専門家の輪を越えて一般市民にも影響をあたえるようになっていった。一八三〇年代から六〇年代のイギリスを例として、本国と植民地のあいだで人と情報の往来が増加するなかで世論の構造が変化し、国民の自己定義が「人種化」していったという指摘がある(Hall 2002)。人種主義の浸透はもちろんメディアによっても支えられたが、それ以外の回路もある。たとえば一八七〇年代にドイツの動物商カール・ハーゲンベックがはじめた異民族の展示は、人間の身体が見世物として消費される時代の本格化を告げていた。

第三に、暴力の激化である。南北戦争後のアメリカ合衆国における人種隔離や集団暴力、一九世紀半ば以降のヨーロッパ・ロシア各地で起きた反ユダヤ暴動などが想起されるであろうが、それに先立つ事件として、世界各地で土地獲得のための植民地征服が加速し、戦争やその他の暴力、飢饉などによって多くの先住者の命が失われたことも記しておく必要がある。一八三〇―四〇年代のアルジェリア征服戦争においても、一八五〇年代のインド大反乱においても、あるいは一九世紀のオーストラリア植民地化の過程においても、それぞれ数十万の現地の人々が犠牲になったという推計がある。こうした犠牲を容認した宗主国や入植者の意識には、人種主義が陰に陽に作用していた。

以上のような展開をへて、人種主義は欧米社会で強固な支持を獲得し、他の地域にも受け入れられていった。一九世紀を通じて、帝国支配の構造、あるいはその前提となる他者認識のあり方に対して批判的な意見が存在しなかったというわけではない(工藤 二〇二二、Laidlaw 2021)。差別された人々の側から『人種の平等について』(一八八五年)を著したハイチ出身の知識人アンテノール・フィルマンのような例もある。とはいえそれらは少数の声にとどまった。思潮の転換がはじまるのは、パン・アフリカニズム運動を主導したW・E・B・デュボイス、アメリカの人類学界で文化相対主義につながる考え方を打ち出したフランツ・ボアズらの世代が登場する二〇世紀初頭から両大戦間期にかけてのことである。しかしそれは、一度は低調となっていたゴビノーへの関心がふたたび高まる時期とも重なっていた。人種主義を否定する思想は、人種主義がますます大衆へと浸透していく時代に、困難な一歩を歩みだしたのである。

参考文献

アーレント、ハンナ(二〇一七)『新版 全体主義の起源 二――帝国主義』大島通義・大島かおり訳、みすず書房。
石田勇治(一九九八)「人種主義・戦争・ホロコースト」『岩波講座 世界歴史』第二四巻、岩波書店。
ヴェイユ、パトリック(二〇一九)『フランス人とは何か――国籍をめぐる包摂と排除のポリティクス』宮島喬・大嶋厚・中力えり・村上一基訳、明石書店。

木畑洋一・南塚信吾・加納格(二〇一二)『帝国と帝国主義』有志舎。

工藤晶人(二〇二二)『両岸の旅人——イスマイル・ユルバンと地中海の近代』東京大学出版会。

小林和夫(二〇二一)『奴隷貿易をこえて——西アフリカ・インド綿布・世界経済』名古屋大学出版会。

阪上孝編(二〇〇三)『変異するダーウィニズム——進化論と社会』京都大学学術出版会。

鈴木英明(二〇二〇)『解放しない人びと、解放されない人びと——奴隷廃止の世界史』東京大学出版会。

竹沢泰子編(二〇〇五)『人種概念の普遍性を問う——西洋的パラダイムを超えて』人文書院。

田中きく代・遠藤泰生・金澤周作・中野博文・肥後本芳男編(二〇二三)『海のグローバル・サーキュレーション——海民がつなぐ近代世界』関西学院大学出版会。

長谷川一年(二〇〇〇、二〇〇一)「アルチュール・ド・ゴビノーの人種哲学(一)、(二)」『同志社法学』五二(四)、五二(五)。

西出敬一(一九九七)「プランテーション奴隷の生と死」『岩波講座 世界歴史』第一七巻、岩波書店。

バーリン、アイラ(二〇二二)『アメリカの奴隷解放と黒人——百年越しの闘争史』落合明子・白川恵子訳、明石書店。

浜忠雄(二〇〇三)『カリブからの問い——ハイチ革命と近代世界』岩波書店。

平野千果子(二〇二二)『人種主義の歴史』岩波新書。

藤川隆男(二〇一一)『人種差別の世界史——白人性とは何か?』刀水書房。

フレドリクソン、ジョージ・M(二〇〇九)『人種主義の歴史』李孝徳訳、みすず書房。

ミシェル、オレリア(二〇二一)『黒人と白人の世界史——「人種」はいかにしてつくられてきたか』児玉しおり訳、明石書店。

室井義雄(一九九九)「強制移民としての大西洋奴隷貿易」『岩波講座 世界歴史』第一九巻、岩波書店。

Appiah, Kwame (1990), "Racisms", David Theo Goldberg (ed.), *Anatomy of Racism*, Minneapolis, University of Minnesota Press.

Benot, Yves (1997), *La Guyane sous la Révolution, ou l'impasse de la révolution pacifique*, Kourou, Ibis rouge.

Berlin, Ira (2000), *Many Thousands Gone: The First Two Centuries of Slavery in North America*, Cambridge, MA, Harvard University Press.

Cardoso, Ciro Flamarion (1999), *La Guyane française: 1715-1817: aspects économiques et sociaux: contribution à l'étude des sociétés esclavagistes d'Amérique*, Petit-Bourg, Ibis rouge.

Cooper, Frederic (2005), *Colonialism in Question: Theory, Knowledge, History*, Oakland, University of California Press.

Eliav-Feldon, Miriam, Benjamin Isaac and Joseph Ziegler (eds.) (2009), *The Origins of Racism in the West*, Cambridge, Cambridge University Press.

Finkelman, Paul (2004), *Slavery and the Founders: Race and Liberty in the Age of Jefferson*, 3rd ed., New York, Routledge.

Force, Pierre, and Susan Dick Hoffius (2018), "Negotiating Race and Status in Senegal, Saint Domingue, and South Carolina", *Early American Studies*, 16-1.

Garrigus, John D. (2006), *Before Haiti: Race and Citizenship in French Saint-Domingue*, New York, Palgrave Macmillan.

Hall, Catherine (2002), *Civilising Subjects: Metropole and Colony in the English Imagination 1830-1867*, Chicago, University of Chicago Press.

Hart, Emma (2010), *Building Charleston: Town and Society in the Eighteenth-century British Atlantic World*, Charlottesville, University of Virginia Press.

Heng, Geraldine (2018), *The Invention of Race in the European Middle Ages*, Cambridge, Cambridge University Press.

Isaac, Benjamin (2006), *The Invention of Racism in Classical Antiquity*, Princeton, Princeton University Press.

Laidlaw, Zoë (2021), *Protecting the Empire's Humanity: Thomas Hodgkin and British Colonial Activism 1830-1870*, Cambridge, Cambridge University Press.

Niort, Jean-François (2002), « Les libres de couleur dans la société coloniale ou la ségrégation à l'œuvre (XVIIe-XIXe siècles) », *Bulletin de la Société d'Histoire de la Guadeloupe*, 131.

Osterhammel, Jürgen (2009), *Die Verwandlung der Welt: Eine Geschichte des 19. Jahrhunderts*, München, C. H. Beck.

Popkin, Richard H. (1974), "The Philosophical Basis of Eighteenth-Century Racism", *Studies in Eighteenth-Century Culture*, 3.

Régent, Frédéric (2007), *La France et ses esclaves*, Paris, Grasset.

Rogers, Dominique, and Stewart King (2012), "Housekeepers, Merchants, Rentières: Free Women of Color in the Port Cities of Colonial Saint-Domingue, 1750-1790," Douglas Catterall and Jodi Campbell (eds.), *Women in Port: Gendering Communities, Economies, and Social Networks in Atlantic Port Cities, 1500-1800*, Leiden, Brill.

Rothman, Joshua D. (2003), *Notorious in the Neighborhood: Sex and Families across the Color Line in Virginia, 1787-1861*, Chapel Hill, University of North Carolina Press.

Saada, Emmanuelle (2007), *Les enfants de la colonie: Les métis de l'Empire français entre sujétion et citoyenneté*, Paris, La Découverte.

Sala-Molins, Louis (1987), *Le Code Noir, ou le calvaire de Canaan*, Paris, PUF.

Samson, Jane (2005), *Race and Empire*, Harlow, Pearson.

Schaub, Jean-Frédéric (2019), *Race is about Politics: Lessons from History*, Lara Vergnaud (trans.), Princeton, Princeton University Press.

Traver, Barbara (2016), "'The Benefits of Their Liberty': Race and the Eurafricans of Gorée in Eighteenth-Century French Guiana", *French Colonial History*, 16.

Vial, Guillaume (2019), *Femmes d'influence: Les signares de Saint-Louis du Sénégal et de Gorée, XVIII*[e]*-XIX*[e] *siècle: Étude critique d'une identité métisse*, Paris, Nouvelles éditions Maisonneuve et Larose-Hémisphères éditions.

Voltaire (1771), *Questions sur l'Encyclopédie, par des amateurs*. partie 6, Londres.

Williamson, Joel (1995), *New People: Miscegenation and Mulattoes in the United States*, Baton Rouge, Louisiana State University Press.

【執筆者一覧】

北村暁夫(きたむら あけお)
1959年生．日本女子大学文学部教授．イタリア近現代史・ヨーロッパ移民史．

割田聖史(わりた さとし)
1972年生．青山学院大学文学部教授．ドイツ・ポーランド近代史．

姫岡とし子(ひめおか としこ)
1950年生．東京大学名誉教授．ドイツ近現代史・ジェンダー史．

貴堂嘉之(きどう よしゆき)
1966年生．一橋大学大学院社会学研究科教授．アメリカ合衆国史・移民研究．

金澤周作(かなざわ しゅうさく)
1972年生．京都大学大学院文学研究科教授．近代イギリス史・海の歴史．

並河葉子(なみかわ ようこ)
神戸市外国語大学外国語学部教授．イギリス帝国史・ジェンダー史．

中澤達哉(なかざわ たつや)
1971年生．早稲田大学文学学術院教授．東欧近世・近代史．

勝田俊輔(かつた しゅんすけ)
1967年生．東京大学大学院人文社会系研究科教授．近代ブリテン諸島史．

二瓶マリ子(にへい まりこ)
1981年生．東海大学専任講師(入稿時)．米西／米墨関係史・日墨移民史．

野村真理(のむら まり)
金沢大学名誉教授．社会思想史・ヨーロッパ近現代史．

工藤晶人(くどう あきひと)
1974年生．学習院大学文学部教授．近代地中海史・比較史．

小倉孝誠(おぐら こうせい)
1956年生．慶應義塾大学教授．フランス文学・文化史．

奈良勝司(なら かつじ)
1977年生．広島大学大学院人間社会科学研究科教授．日本近代史・政治思想．

石橋悠人(いしばし ゆうと)
1982年生．中央大学文学部教授．イギリス近代史・科学技術史．

村井誠人(むらい まこと)
1947年生．早稲田大学名誉教授．北欧史．

寺本敬子(てらもと のりこ)
成蹊大学文学部准教授．フランス近代史・日仏交流史．

【責任編集】

木畑洋一(きばた よういち)
1946年生．東京大学・成城大学名誉教授．イギリス近現代史・国際関係史．『帝国航路(エンパイアルート)を往く――イギリス植民地と近代日本』(岩波書店，2018年)．

安村直己(やすむら なおき)
1963年生．青山学院大学文学部教授．ラテンアメリカ史．『コルテスとピサロ――遍歴と定住のはざまで生きた征服者』(山川出版社，2016年)．

岩波講座 世界歴史 16　　第22回配本(全24巻)

国民国家と帝国 19世紀

2023年9月26日 第1刷発行

発行者 坂本政謙

発行所 株式会社 岩波書店 〒101-8002 東京都千代田区一ツ橋2-5-5
電話案内 03-5210-4000 https://www.iwanami.co.jp/

印刷・法令印刷 カバー・半七印刷 製本・牧製本

ISBN 978-4-00-011426-4

岩波講座

世界歴史

A5 判上製・平均 320 頁（黒丸数字は既刊，＊は次回配本）

全㉔巻の構成

❶ 世界史とは何か

	アフリカ	西ヨーロッパ	東ヨーロッパ	西アジア・中東	中央・北アジア	東アジア	東南・南アジア	南北アメリカ	オセアニア
～前5000									
～前1000		② 古代西アジアとギリシア							
～前500					❺ 中華世界の盛衰				
～紀元0									
～3世紀		❸ ローマ帝国と西アジア					❹ 南アジアと東南アジア		
～6世紀									
7世紀					❻ 中華世界の再編とユーラシア東部			⓮ 南北アメリカ大陸	
8世紀									
9世紀		❽ 西アジアとヨーロッパの形成							⓳ 太平洋海域世界
10世紀	⓲ アフリカ諸地域				❼ 東アジアの展開				
11世紀									
12世紀		❾ ヨーロッパと西アジアの変容			❿ モンゴル帝国と海域世界				
13世紀									
14世紀									
15世紀									
16世紀		⓯ 主権国家と革命		⓭ 西アジア・南アジアの帝国		⓬ 東アジアと東南アジアの近世			
17世紀	⓭						⓭		
18世紀								⓯	
19世紀		⓰ 国民国家と帝国		⓱ 近代アジアの動態				⓰	
1900's									
1910's		⓴ ㉑ 二つの大戦と帝国主義 I II							
1920's									
1930's									
1940's									
1950's									
1960's		㉒ ㉓ 冷戦と脱植民地化 I II							
1970's									
1980's									
1990's		㉔＊ 二一世紀の国際秩序							
～現在									

⓫ 構造化される世界（14世紀～19世紀）

※本図は各巻の内容を厳密に反映したものではなく，便宜的に図示したものです．